P9-BIB-216

Las aventuras de Huckleberry Finn
(Camarada de Tom Sawyer)

Escena: El valle del Misisipi.
Época: Hace cuarenta o cincuenta años.

Título original:
Adventures of Huckleberry Finn (Tom Sawyer's Comrade)

© De la presentación y apéndice: Luis Rafael, 2009
© De la ilustración: Enrique Flores, 2009
© De esta edición: Grupo Anaya, S. A., 2009
Juan Ignacio Luca de Tena, 15. 28027 Madrid
www.anayainfantilyjuvenil.com
e-mail: anayainfantilyjuvenil@anaya.es

Diseño y cubierta: Gerardo Domínguez
Retrato de autor: Enrique Flores

Primera edición, octubre 2009

ISBN: 978-84-667-8483-2
Depósito legal: Na. 2.241/2009
Impreso en RODESA
(Rotativas de Estella S. A.)
Impreso en España - Printed in Spain

Las normas ortográficas seguidas en este libro son las establecidas
por la Real Academia Española en su última edición de la *Ortografía,*
del año 1999.

*Reservados todos los derechos. El contenido de esta obra está protegido por la Ley,
que establece penas de prisión y/o multas, además de las correspondientes indemnizaciones
por daños y perjuicios, para quienes reprodujeren, plagiaren, distribuyeren o comunicaren
públicamente, en todo o en parte, una obra literaria, artística o científica,
o su transformación, interpretación o ejecución artística fijada en cualquier tipo
de soporte o comunicada a través de cualquier medio, sin la preceptiva autorización.*

Las aventuras de Huckleberry Finn

Mark Twain

Traducción:
Doris Rolfe y Antonio Ferres

Presentación y apéndice:
Luis Rafael

Ilustración:
Enrique Flores

MARK TWAIN

Samuel Langhorne Clemens (1835-1910), quien más tarde firmaría Mark Twain, era un chico de once años cuando murió su padre y tuvo que ganarse el sustento trabajando como aprendiz en una imprenta. El muchacho debió quedar deslumbrado por las enormes máquinas que servían para reproducir periódicos y libros. En poco tiempo aprendió el oficio de tipógrafo, que le iniciaría en el mundo literario, y siendo adolescente aún comenzó a soñar con ver su nombre en un periódico. Así que, de forma precoz, Samuel inició su carrera con relatos breves en los que se insinuaba el talento que caracterizaría su obra.

El seudónimo con el que sería conocido mundialmente lo adoptó a los veintiocho años. Había trabajado como piloto de barco de vapor en el Misisipi y mark twain, *que significa «dos brazas de profundidad», era el calado mínimo necesario para navegar. Con este «calado mínimo», Twain fue hábil en retratar su época y proyectar su literatura al futuro. Hannibal, el puerto del Misisipi donde pasó su niñez, se convirtió en trasfondo para el pueblo ficticio de San Petersburgo, en el que ambientó las aventuras de Tom Sawyer y Huckleberry Finn, en las cuales denuncia la hipocresía humana y el oprobio de la esclavitud.*

Twain revolucionó la narrativa en lengua inglesa con su prosa realista, coloquial, cargada de humor y pletórica de fantasía. Creador de personajes veraces y vívidos, su obra destila inteligencia, irreverencia y sátira social, al tiempo que condena la falsedad y la opresión. En San Francisco trabajó como periodista para el rotativo The Californian, *pero fue despedido tras varias disputas con los editores, que se negaban a publicar algunos de sus artículos más polémicos.*

Por el humor de su relato La célebre rana saltarina del condado de las Calaveras, *compuesto a los treinta años, adquirió fama en su país. Enseguida se convirtió en un autor muy leído y hasta su muerte publicó más de quinientos volúmenes, entre los que sobresalen, además de* Las aventuras de Tom Sawyer *(1876)* y Las aventuras de Huckleberry Finn *(1884)*, El robo del elefante blanco *(1882)*, El príncipe y el mendigo *(1882)*, Vida en el Misisipi *(1883)*, Un yanqui en la corte del rey Arturo *(1889)*, Tom Sawyer detective *(1897)*, Extracto del diario de Adán *(1904)* y Diario de Adán y Eva *(1906)*... *Su Autobiografía, publicada póstumamente en 1924, resulta de igual modo un texto delicioso, donde luce su prosa fluida y su estilo humorístico.*

Las aventuras de Huckleberry Finn, *secuela de Tom Sawyer, ha sido considerada la obra maestra de Mark Twain. Aunque repleta de humor y exuberancia narrativa, denuncia los efectos de la crueldad en un tiempo de esclavitud e hipocresía social, por lo que se erige en paradigma de las preocupaciones del escritor. El libro, narrado desde la perspectiva inocente de Huckleberry, un chico semianalfabeto, juega con la ironía y la parodia que su autor aprendió de textos tan amados por él como el* Quijote. *El escenario en que transcurren sus imaginativos episodios son los márgenes del río Misisipi, el ambiente infantil del autor en Misuri, entonces un Estado esclavista, violento y semisalvaje. De ahí que el tema subyacente de la novela sea el de la discriminación racial, que se denuncia a través de Jim, un esclavo fugado, quien se convierte en el compañero ideal de Huck en sus quijotescas aventuras.*

A los treinta y cinco años, el escritor contrajo matrimonio con su gran pasión, Olivia Langdon, hija de un rico progresista con quien simpatizaba Twain, ya que ayudó a escapar a decenas de esclavos como parte de la red de liberación llamada Ferrocarril Subterráneo. La pareja fue feliz pese a las dificultades de la vida del novelista, que debía hacer giras por el extranjero para ganarse el sustento, ya que sus charlas llegaron a cotizarse bien por su amenidad e ingenio.

Al final de su existencia, asediado por las deudas y las desgracias familiares, Mark Twain recorrió el mundo escribiendo y dictando conferencias. Para entonces era un autor internacionalmente famoso. Sin embargo, el aventurero americano, que en su juventud fue minero, negociante en maderas, soldado de la Confederación durante la Guerra de Secesión, piloto de barco, periodista e impresor, no pudo resistir las últimas estocadas del destino: el fallecimiento de su amada esposa y de sus hijos (solo una hija le sobrevivió) le hizo caer en una crisis que desembocó en su propia muerte el 21 de abril de 1910.

Luis RAFAEL

Aviso

Las personas que intenten encontrar un motivo en esta narración serán procesadas; las que intenten encontrarle una moraleja serán desterradas; las que intenten descubrirle una trama serán fusiladas.

Por orden del autor,
G. G., jefe de Intendencia

Intendencia: Dirección y gobierno de algo.

Una explicación

En este libro se emplean varios dialectos, a saber: el de los negros de Misuri[1], la forma dialectal exagerada del sudoeste atrasado y apartado; el dialecto corriente del condado de Pike[2]; y cuatro variedades modificadas de este último. Los matices no se han conseguido al azar ni por adivinación, sino con sumo cuidado y con la guía fiable y el apoyo de un conocimiento personal de estas varias formas de habla.

Les doy esta explicación porque sin ella imaginarían muchos lectores que todos estos personajes tratan de hablar igual sin conseguirlo.

EL AUTOR

---

[1] Estado que se encuentra en el llamado Medio Oeste de los EE. UU.
[2] Así se llaman varios condados estadounidenses. Uno de ellos está situado en Misuri.

Capítulo 1

Tú no sabes nada de mí si no has leído un libro llamado *Las aventuras de Tom Sawyer*[1], pero eso no tiene importancia. Ese libro lo hizo el señor Mark Twain, y la mayor parte de lo que contó es verdad. Hubo cosas que exageró, pero la mayor parte de lo que dijo es verdad. Eso es lo de menos. Yo nunca he visto a nadie que no mienta de vez en cuando, como no fuera la tía Polly o la viuda o quizá Mary. La tía Polly —la tía de Tom, quiero decir— y Mary y la viuda Douglas, ese libro habla de todas ellas y es principalmente un libro que cuenta la verdad, pero con algunas exageraciones, como ya he dicho.

Bueno, pues el libro ese acaba de esta manera: Tom y yo encontramos el dinero que los ladrones escondieron en la cueva y nos hicimos ricos. Recibimos seis mil dólares cada uno..., todo en oro. Era un montón espantoso de dinero cuando estaba allí todo junto. Pues bien, el juez Thatcher lo cogió y lo puso a interés, y eso nos daba a cada uno un dólar al día durante todo el año entero...; tanto dinero que una persona no sabría qué hacer con él. La viuda Douglas me adoptó como hijo y creía que iba a civilizarme; pero era duro vivir dentro de la casa todo el tiempo, considerando lo aburrida, normal y decente que era la viuda en todas sus costumbres, y así, cuando no pude aguantarlo más, me escapé. Me puse otra vez mis trapos viejos y volví a dormir en mi barril de caña y fui libre y feliz. Pero Tom Sawyer me buscó y me dijo que iba a organizar una banda de ladrones y que yo podría unirme a su banda si volvía con la viuda y me hacía una persona honrada. Así que regresé.

Dinero a interés: Dinero que se da o que se recibe como préstamo con intereses.

[1] Novela de Mark Twain, publicada en 1876 (número 46 de esta colección), donde se cuentan las aventuras que vive un muchacho llamado Tom Sawyer en una pequeña ciudad a orillas del Misisipi. En ellas también se ve envuelto Huck Finn, el protagonista de esta segunda novela.

La viuda se me echó encima llorando y me llamó pobre cordero perdido y también me llamó otra cantidad de cosas, aunque seguro que sin mala intención. Me hizo ponerme la ropa nueva otra vez, y yo no podía hacer otra cosa que sudar y sudar y sentirme apretado y molesto. Bueno, ya empezaba toda esa vieja historia otra vez. La viuda tocaba la campanilla llamando a la cena y tenías que presentarte en seguida. Cuando estabas en la mesa no podías empezar a comer directamente, sino que tenías que esperar a que la viuda agachara la cabeza y murmurara unas palabras quejosas sobre el rancho, aunque no le pasaba nada a la comida..., eso es, nada salvo que cada cosa se había preparado aparte. En un cubo de sobras y restos es bien distinto porque las cosas se mezclan y los jugos se cambian entre sí, y todo va mejor.

Rancho: Comida para un grupo grande de personas, que consta generalmente de un solo guiso.

Después de la cena, ella sacó su libro y me habló de Moisés y los juncos[2], y yo estaba con ansias de saber todo respecto a Moisés; pero, pasado un rato, a ella se le escapó decirme que Moisés había muerto hacía bastante tiempo, así que ya no me interesó más porque yo no me fío de la gente muerta.

Poco después tuve ganas de fumar y pedí a la viuda que me dejara hacerlo. Pero me lo negó. Dijo que era una costumbre baja y que no era limpia y que yo debía tratar de no hacerlo más. Ya ves cómo son algunas personas. Se ponen en contra de una cosa cuando no saben nada de ella. Ahí tenías a la viuda preocupándose de Moisés, que ni era pariente suyo ni servía para nada a nadie, porque estaba muerto, entiendes, y me echaba a mí una culpa enorme por hacer una cosa de la que yo sacaba mucho beneficio. Y, además, la viuda tomaba rapé; claro que eso estaba bien porque lo hacía ella.

Rapé: Tabaco en polvo. Se consume por vía nasal.

Anteojos: Gafas.

Su hermana, la señorita Watson, una solterona bastante delgada que llevaba anteojos, acababa de irse a vivir con ella y la emprendió también conmigo con un abecedario. Me tuvo trabajando bastante duro cerca de una hora y, lue-

---

[2] Moisés fue quien guio a los judíos en su huida desde Egipto. Al poco de nacer y para librarle de la muerte, ya que el faraón había ordenado que todos los niños varones hebreos nacidos en Egipto fueran arrojados al Nilo, su madre lo depositó en una cesta en el río. Allí, probablemente entre juncos, lo encontró la hija del faraón y, posteriormente, lo adoptó.

go, la viuda la llamó al orden y la hizo aligerar mi trabajo.
Yo no hubiera podido aguantarlo mucho más. Entonces
pasó una hora de aburrimiento absoluto y yo estaba sobre
ascuas. La señorita Watson decía: «No pongas los pies encima de eso, Huckleberry» y «No te encojas de esa manera,
Huckleberry..., ponte derecho» y poco después decía: «No
bosteces y no te estires de esa manera, Huckleberry..., ¿por
qué no tratas de portarte bien?». Y entonces me contó todo
eso de la tierra de perdición y yo dije que me gustaría estar
allí. Ella se enfadó al oírlo, pero yo no se lo había dicho con
mala intención. Solo quería ir a alguna parte; solo quería
un cambio, yo no tenía preferencias. Ella dijo que era de
malvados decir lo que yo había dicho y dijo que ella no lo
diría por nada en el mundo; ella iba a vivir de tal manera
que iría al cielo. Bueno, pues yo no podía ver ninguna ventaja en ir adonde fuera ella, así que decidí no intentar ganarme el cielo. Pero claro que no se lo dije porque solo iba
a causar más líos, y eso no habría servido para nada.

Estar sobre ascuas:
Estar inquieto y
sobresaltado.

Ahora que había comenzado, ella siguió por ese camino y me contó todo sobre el cielo. Dijo que lo único que
allí tendría que hacer una persona sería pasearse todo el
día con un arpa, cantando por siempre y siempre jamás.
Así que yo no tenía muy buena opinión de ese sitio. Pero
claro que no se lo dije. Le pregunté si creía que iría al cielo
Tom Sawyer, y ella contestó que ni pensarlo. Eso me alegró porque yo quería que estuviéramos juntos él y yo.

La señorita Watson siguió pinchándome, y todo se
volvió aburrimiento y soledad. Poco después llamaron a
los negros, todos rezaron las oraciones y, entonces, todo
el mundo se fue a dormir. Yo subí a mi cuarto llevando
un cabo de vela y lo puse encima de la mesa. Entonces
me senté en una silla cerca de la ventana y traté de pensar en algo alegre, pero no sirvió para nada. Me sentía
tan solitario y triste que casi quería morirme. Brillaban
las estrellas, y las hojas en el bosque susurraban como lamentándose; y oí un búho allá a lo lejos, ululando su que-
ja por alguien que estaba muerto, y un aguaitacaminos y
un perro llorando por alguien que iba a morir, y el viento
intentaba susurrarme algo secreto que yo no podía entender, hasta hacerme sentir escalofríos. Entonces, desde
muy lejos, en el bosque, oí esa clase de sonido que hace

Cabo: Trozo
pequeño que
queda de algo.

Aguaitacaminos:
Ave de hábitos
nocturnos,
perteneciente
al orden de los
Caprimulgiformes.

Ánima: Alma que pena en el purgatorio.

Agüero: Presagio, señal que anuncia un hecho futuro.

un ánima en pena cuando quiere decirte lo que tiene en mente y no puede hacerse entender y, por eso, no descansa bien en la tumba y tiene que dar vueltas de esa manera todas las noches, afligiéndose. Yo me puse tan descorazonado y miedoso que de veras añoraba alguna compañía. Poco después, una araña se subió arrastrándose por mi hombro, me la quité de un golpetazo y fue a caer en la vela; antes de que pudiera moverme, ya estaba achicharrada. No hace falta que nadie me diga que eso es de muy mal agüero y que me traería mala suerte; yo estaba tan asustado y temblaba de tal manera que casi se me caen los pantalones. Me levanté y di tres vueltas sobre mis propios talones, haciéndome la cruz sobre el pecho a cada vuelta y, luego, até un mechón de mi pelo con un hilo para alejar a las brujas. Pero no tenía fe en aquello. Eso es lo que haces cuando has perdido una herradura que antes habías encontrado y que, en contra de las reglas, no habías clavado encima de la puerta. Pero yo nunca había oído a nadie decir que eso valía para evitar la mala suerte cuando habías matado una araña.

Me senté otra vez, temblando sin parar, y saqué la pipa para ponerme a fumar porque la casa estaba ahora tan silenciosa como la muerte, y menos mal, así no se enteraría la viuda de que fumaba. Bueno, después de un rato largo, oí desde allá lejos, en la aldea, sonar el reloj..., bum..., bum..., bum..., doce golpes; y todo en silencio otra vez..., más silencioso que nunca. Poco después oí chascarse una ramita allá en la oscuridad, entre los árboles..., algo se movía. Me quedé quieto y escuché. En seguida pude apenas oír un «¡Mi-au!, ¡mi-au!» allí abajo. ¡Eso sí que estaba bien! Yo dije: «¡Mi-au!, ¡mi-au!», tan suave como pude y luego apagué la luz y me arrastré desde la ventana hacia el cobertizo. Después me deslicé hasta el suelo y me metí a gatas entre los árboles y, por supuesto, allí estaba Tom Sawyer esperándome.

Capítulo 2

Fuimos caminando de puntillas a lo largo de la senda, entre los árboles, hacia donde terminaba la huerta de la viuda. Nos agachábamos para que las ramas no nos rasparan la cabeza. Cuando pasamos por delante de la cocina, tropecé con una raíz e hice ruido. Nos agazapamos y estuvimos quietos. El negro grande de la señorita Watson, llamado Jim, estaba sentado en la puerta de la cocina; podíamos verle con bastante claridad porque había una luz detrás de él. Se levantó, estiró el cuello y estuvo un minuto escuchando. Luego dijo:

—¿Quién está ahí?

Escuchó un rato. Luego vino de puntillas y se paró exactamente entre nosotros dos; casi podríamos haberle tocado con la mano. Bueno, es posible que pasaran minutos y más minutos durante los que no hubo ni un sonido, y nosotros allí, todos tan juntos. Empezó a picarme el tobillo, pero no me atrevía a rascármelo; y luego comenzó a picarme la oreja; y después la espalda, justo entre los hombros. Parecía que iba a morirme si no podía rascarme. Bien, he notado eso muchísimas veces desde entonces. Si estás con gente bien o en un entierro o intentando dormirte cuando no tienes sueño..., si estás en cualquier lugar donde simplemente no es adecuado que te rasques, te picará en más de mil sitios por todo el cuerpo. Poco después, Jim dijo:

—Oye, ¿quién eres? ¿Dónde estás? Voto al cielo si no he oído algo. Bueno, pues yo sé lo que voy a hacer; voy a sentarme aquí mismo y a escuchar hasta que lo oiga otra vez.

Así que se sentó en el suelo entre Tom y yo. Apoyó la espalda contra un árbol y estiró las piernas hasta que una casi tocaba la mía. Me empezó entonces a picar la nariz. Me picaba de tal forma que se me llenaron los ojos de lágrimas. Pero no me atreví a rascármela. Luego empe-

zó a picarme la nariz por dentro. A continuación me picó
por debajo. No sabía cómo iba a estarme sentado allí quieto. Esta desgracia duró seis o siete minutos, pero parecía
mucho más tiempo. Ya me picaban once sitios distintos.
Calculé que no podía aguantarlo un minuto más, pero
apreté los dientes y me puse a intentarlo. Exactamente entonces, Jim empezó a respirar fuerte, luego comenzó a
roncar... y pronto empecé a sentirme bien otra vez.

Tom me hizo una señal —una especie de ruidito con
la boca— y fuimos arrastrándonos a gatas. Cuando estábamos como a tres metros, Tom me susurró que quería
atar a Jim al árbol para divertirse. Pero yo dije que no; podría despertarse, causar una conmoción y se enterarían
de que yo no estaba en casa. Luego, Tom dijo que no tenía
bastantes velas y que iba a meterse en la cocina para coger alguna más. Yo no quería que lo intentara. Dije que
Jim podría despertarse y entrar. Pero Tom quería arries-
garse; así que nos deslizamos dentro, cogimos tres velas y

Centavo:
Centésima parte de
distintas unidades
monetarias, en este
caso, del dólar.

Tom dejó cinco centavos en la mesa para pagarlas. Luego
salimos y yo estaba deseando que nos escapáramos, pero
Tom estaba empeñado en ir gateando hasta donde se encontraba Jim para hacerle una broma. Yo esperé y parecía
que pasaba mucho rato, con todo tan quieto y solitario.

Tan pronto como volvió Tom, fuimos corriendo por la
senda, dejamos detrás la cerca de la huerta y llegamos a

Cerro: Elevación
de tierra, menos
alta que una
montaña.

la alta cima de un cerro al otro lado de la casa. Tom dijo
que le había quitado a Jim el sombrero de la cabeza, que
lo había colgado de una rama directamente encima de él
y que Jim se movió un poco, pero que no se despertó.
Más tarde, Jim anduvo diciendo por ahí que las brujas le

Trance: Estado en
que las facultades
anímicas quedan
suspendidas,
muchas veces
acompañado
de fenómenos
paranormales.

habían embrujado, le habían puesto en trance, habían cabalgado encima de él por todo el estado y luego le habían
sentado bajo los árboles otra vez y habían colgado su sombrero de una rama para mostrar quién lo había hecho. Y
la siguiente vez que lo contó Jim, dijo que le habían llevado cabalgando hasta Nueva Orleáns[1], allí, al sur. Y después de eso, cada vez que lo contaba, lo estiraba más y
más, hasta que poco después dijo que cabalgaron encima
de él por todo el mundo y que le provocaron tal cansan-

---

[1] Ciudad del estado de Luisiana (EE. UU.).

cio que casi murió y que tenía la espalda llena de llagas de la silla de montar. Jim estaba monstruosamente orgulloso de este asunto y llegó al punto de que casi no miraba a los otros negros. Los negros venían desde muchas millas para escuchar la historia de Jim y fue más admirado que cualquier otro negro en este país. Negros que nadie conocía se paraban con la boca abierta y le miraban de arriba abajo, igual que si fuera una maravilla. Los negros siempre hablan de brujas en la oscuridad, junto al fogón de la cocina, pero cuando uno hablaba y dejaba entender que él lo sabía todo de tales cosas, Jim se dejaba caer y decía: «¡Bah! ¿Qué sabes tú de brujas?», y a ese negro era como si le hubieran tapado la boca con un corcho y tenía que retirarse al asiento de atrás. Jim siempre llevaba al cuello aquella moneda de cinco centavos colgada de una cuerda y decía que era un amuleto que le dio el diablo con sus propias manos y que el diablo le había dicho que podía curar a todo el mundo con ella y llamar a las brujas cuando quisiera solo con decirle unas palabras a la moneda, pero Jim nunca contó qué era lo que había que decirle a la moneda. Los negros venían de todas las partes de los alrededores y le daban a Jim cualquier cosa que tenían solo para poder mirar esa moneda, pero no se les permitía tocarla porque había estado en manos del diablo. Jim casi era una ruina como criado porque se había vuelto engreído a causa de haber visto al diablo y de que las brujas hubieran cabalgado encima de él.

Bueno, pues cuando Tom y yo llegamos al borde de la cresta del cerro, miramos abajo, hacia la aldea, y pudimos ver tres o cuatro luces centelleando donde había gente enferma, quizá. Las estrellas encima de nosotros brillaban muy bonitas y abajo, junto a la aldea, estaba el río[2], una milla entera de ancho, terriblemente quieto y estupendo.

Bajamos del cerro y nos encontramos a Joe Harper y Ben Rogers con dos o tres muchachos más, escondidos

Milla (terrestre): Medida de longitud que equivale a 1.609,344 m.

Milla (marítima): Medida de longitud empleada en la navegación que equivale a 1.852 m.

---

[2] Se trata del río Misisipi, que nace en el norte de Minnesota y desemboca en el golfo de México. Tiene una longitud de 3.770 km. Este río, que durante la época precolombina ya era una importante vía de navegación, constituye un elemento fundamental de la economía y de la cultura de los Estados Unidos.

Tenería: Lugar donde se curten y se trabajan las pieles.

Esquife: Bote, pequeña embarcación.

en la vieja tenería. Así que desatamos un esquife y remamos río abajo dos millas y media hasta el peñasco grande de la ladera del cerro y allí desembarcamos.

Nos acercamos a unas matas de arbustos y Tom hizo a todo el mundo jurar que guardaría el secreto. Luego nos mostró un agujero en la colina, justo en la parte más espesa de los matorrales. Después encendimos las velas y nos arrastramos dentro a gatas. Seguimos unos doscientos metros y allí se ensanchaba la cueva. Tom se metió, buscando algo, entre los pasadizos y poco después se agachó cerca de un muro donde nadie habría notado que había otro agujero. Fuimos por un sitio estrecho y entramos dentro de una especie de cuarto, todo húmedo, sudoroso y frío, y allí paramos. Tom dijo:

—Ahora vamos a fundar la banda de ladrones y la llamaremos la Cuadrilla de Tom Sawyer. Todo el mundo que quiera unirse a ella tiene que hacer un juramento y firmarlo con sangre.

Todo el mundo estaba dispuesto, de modo que Tom sacó una hoja de papel, en la que había escrito el juramento, y lo leyó. Hizo jurar esto a cada muchacho: que se uniría a la banda y que nunca revelaría ninguno de sus secretos; y que si alguien hacía algo contra cualquier miembro de la banda, el muchacho al que la banda mandara mataría a esa persona y a su familia; tenía que hacerlo, y no debía comer ni dormir hasta que los hubiera matado y les hubiera marcado a cuchillo una cruz en el pecho, que era la señal de la banda. Y nadie que no fuera miembro de la banda podría usar esa marca y, si lo hiciera, había que demandarle, y si lo hiciera otra vez, había que matarle. Y si alguien que era miembro de la banda revelaba sus secretos, había que cortarle el cuello y luego quemar su cadáver y esparcir las cenizas alrededor, y su nombre sería tachado de la lista con sangre y nunca ya se mencionaría, sino que sería maldito y se olvidaría por siempre.

Todo el mundo dijo que era un juramento muy bonito y le preguntaron a Tom si lo había sacado de su propia cabeza. Él dijo que una parte sí, pero que lo demás era de libros de piratas y de ladrones y que toda cuadrilla con cierta clase lo usaba.

Algunos pensaron que sería bueno matar a las familias de los muchachos que revelaran los secretos. Tom dijo que era buena idea, así que cogió el lápiz y lo añadió. Luego dijo Ben Rogers:

—Aquí tenemos a Huck Finn, él no tiene familia. ¿Qué vas a hacer con él?

—Pues, ¿es que no tiene padre? —dijo Tom Sawyer.

—Sí, tiene padre, pero ahora nunca se le puede encontrar. Solía acostarse borracho allí, entre los cerdos, en la tenería, pero no le ha visto nadie por estos lugares desde hace un año o más.

Lo discutieron entre ellos y me iban a excluir porque dijeron que todos los chicos debían tener una familia o alguien a quien se pudiera matar o, si no, no sería justo y limpio para los otros. Bien, pues nadie sabía qué hacer; todos estaban perplejos y quietos. Yo estaba a punto de llorar, pero de pronto pensé en la solución y les ofrecí a la señorita Watson: podrían matarla a ella. Todo el mundo dijo:

—Ah, vale. Está bien, Huck puede unirse a la banda.

Entonces, todos se pincharon un dedo para sacarse sangre con que firmar y yo puse mi marca en el papel.

—Ahora —dijo Ben Rogers—, ¿a qué tipo de negocios se va a dedicar esta cuadrilla?

—A nada salvo a robos y asesinatos —dijo Tom.

—Pero ¿qué vamos a robar? ¿Casas o ganado o...?

—¡Tonterías! Hurtar ganado y tales cosas no es robar; es ratería —dijo Tom Sawyer—. No somos rateros. Eso no tiene elegancia. Somos salteadores de caminos. Detenemos diligencias y carruajes en la carretera, llevamos máscaras y matamos a la gente y les quitamos los relojes y el dinero.

Diligencia: Coche tirado por caballerías que se utilizaba para transportar viajeros.

—¿Siempre hay que matar a la gente?

—Pues claro. Es lo mejor. Algunas autoridades opinan de otro modo, pero en general se considera mejor matarlos..., salvo a algunos pocos para traerlos aquí, a la cueva, y tenerlos presos hasta que los rescaten.

—¿Hasta que los rescaten? ¿Qué quiere decir eso?

—No lo sé bien. Pero eso es lo que se hace. Lo he visto en libros. Y claro que eso es lo que tenemos que hacer.

—Pero ¿cómo vamos a poder hacerlo si no sabemos lo que es?

—Ay, maldita sea, tenemos que hacerlo. ¿No te he dicho que está en los libros? ¿Quieres empezar a hacer algo distinto de lo que hay en los libros y enredarlo todo?

—Ah, eso está muy bien, Tom Sawyer; pero ¿cómo diablos se va a rescatar a esos tipos si no sabemos hacerlo?... Ahí es adonde voy yo. ¿Qué piensas que podría ser?

—Pues no lo sé. Pero quizá tenerlos aquí presos hasta que se los rescate quiere decir hasta que estén muertos.

—Bueno, por lo menos, eso es algo. Vale. ¿Por qué no lo has dicho antes? Pero si los tenemos presos hasta que sean rescatados a muerte, ya verás qué molestias nos van a crear..., comiéndoselo todo e intentando escaparse.

—Qué cosas dices, Ben Rogers. ¿Cómo pueden escaparse cuando hay un guardia al lado, dispuesto a fusilarlos si mueven un pelo?

—¡Un guardia! Pues eso sí que está bien. Así que alguien tiene que estar en vela toda la noche y no puede dormir, solo para vigilarlos. A mí me parece una tontería. ¿Por qué uno no puede coger un palo y rescatarlos tan pronto como lleguen aquí?

—Porque no está escrito así en los libros..., por eso. Ben Rogers, ¿tú quieres que las cosas vayan bien o no? De eso se trata. ¿No crees que la gente que escribió los libros sabe qué es lo que hay que hacer? ¿Tú crees que puedes enseñarles algo? Ni muchísimo menos. No, señor, vamos a seguir y a rescatarlos de la manera debida.

—Está bien. No me importa, pero yo digo que es cosa de tontos, de todas maneras. Oye, ¿matamos a las mujeres también?

—Ben Rogers, si yo fuera tan ignorante como tú, lo disimularía. ¿Matar a las mujeres? No; nadie nunca ha visto cosa semejante en los libros. Tú las traes a la cueva y siempre eres sumamente cortés con ellas. Y poco después se enamoran de ti y ya no quieren volver a casa.

—Bueno, si eso es lo que se hace, estoy de acuerdo, pero no me fío. Muy pronto tendremos la cueva tan llena y desordenada con esas mujeres y con los tipos esperando ser rescatados que no habrá sitio para los ladrones. Pero sigue adelante, yo no tengo nada que decir.

El pequeño Tommy Barnes se había quedado dormido y, cuando le despertaron, se asustó y lloró y dijo que quería ir a casa con su mamá y que ya no quería ser ladrón.

Así que todos se burlaron de él y le llamaron llorón. Él se enfadó y dijo que iría derecho a contar todos los secretos. Pero Tom le dio cinco centavos a cambio de que prometiera no hablar, y dijo que nos iríamos todos a casa, que nos reuniríamos la semana próxima y que robaríamos a alguien y mataríamos a algunas personas.

Ben Rogers dijo que no podía salir de casa mucho, solo los domingos, y por eso él quería empezar el domingo próximo, pero todos los muchachos dijeron que sería de malvados hacerlo en domingo, y eso arregló el asunto. Se pusieron de acuerdo en que se juntarían para decidir la fecha, tan pronto como pudieran. Entonces elegimos a Tom Sawyer primer capitán y a Joe Harper segundo capitán de la cuadrilla y así nos volvimos a casa.

Yo trepé al cobertizo y me metí por la ventana poco antes del amanecer. Mi ropa nueva estaba grasienta y arcillosa, y yo muerto de cansancio.

Capítulo 3

Bueno, la otra mañana, la vieja señorita Watson me leyó bien la cartilla a causa de mi ropa, pero la viuda no me regañó y solo se puso a quitar grasa y barro con la cara tan triste que pensé que debería portarme bien algún rato si podía. Luego, la señorita Watson me llevó al gabinete y rezó, pero eso no tuvo ningún resultado. Me dijo que yo debía rezar todos los días y que cualquier cosa que pidiera la obtendría. Pero no era verdad. Lo intenté. Una vez obtuve una cuerda de pescar, pero sin anzuelos. No me valía para nada sin anzuelos. Lo intenté pidiendo anzuelos tres o cuatro veces, pero, por alguna razón, no pude hacer funcionar el rezo. Un día, poco después, pedí a la señorita Watson que lo intentara por mí, pero ella dijo que yo era tonto. Nunca me explicó por qué y yo no podía entender aquello.

Una vez me senté en el bosque y me puse a pensar mucho rato sobre esto. Me dije: «Si se puede conseguir cualquier cosa que se pida rezando, ¿por qué el diácono Winn no recupera el dinero que perdió con la carne de cerdo? ¿Por qué no recupera la viuda la cajita de plata para rapé que le robaron? ¿Por qué no puede engordar la señorita Watson? No —me dije a mí mismo—, no hay nada de verdad en esto». Fui y le conté el asunto a la viuda, y ella me dijo que lo que se podía recibir rezando eran «dones espirituales». Esto ya era demasiado para mí, pero ella me explicó lo que quería decir: que yo debía ayudar a los otros y hacer todo lo que pudiera por otras personas y que debía cuidar de ellas todo el tiempo y nunca pensar en mí mismo. Esto incluía a la señorita Watson, por lo que yo entendía. Fui al bosque y di vueltas en la mente a todo aquello un rato largo, pero no pude ver ninguna ventaja en el asunto..., salvo para las otras personas; así que, al fin, calculé que no iba a preo-

Gabinete: Habitación donde se recibían las visitas de confianza.

Diácono: Ministro eclesiástico de categoría inmediatamente inferior a la del sacerdote.

cuparme más, sino a dejarlo estar. A veces, la viuda me llevaba aparte y me hablaba de la Providencia de tal forma que se le habría hecho la boca agua a cualquiera; pero, al día siguiente, la señorita Watson cogía y decía cosas que lo aplastaban todo otra vez. Juzgué que, según yo podía ver, había dos Providencias y que un pobre tipo saldría bastante bien librado con la Providencia de la viuda, pero si la Providencia de la señorita Watson le agarraba, ya no tendría remedio jamás. Lo pensé claramente y decidí que me uniría a la de la viuda, si me quería aceptar, aunque no podía entender cómo iba a ganar algo conmigo, considerando que yo era muy ignorante y de condición un poco baja y diablesca.

Diablesca: Muy difícil; diabólica.

A papá no le había visto nadie desde hacía más de un año, y eso era cómodo para mí; yo no quería verle nunca más. Solía pegarme con dureza cuando no estaba borracho y conseguía echarme mano; aunque, cuando yo sabía que él estaba cerca del pueblo, me escapaba al bosque casi siempre. Bueno, en aquellos días se decía que le habían encontrado ahogado en el río, a unas doce millas aguas arriba del pueblo. Pensaban que era él, en todo caso; decían que el ahogado era justo de su altura y que iba andrajoso y tenía el pelo descomunalmente largo, en todo lo cual era semejante a papá; pero no podían sacar en claro nada en cuanto a la cara porque había estado tanto tiempo en el agua que ya no se parecía en nada a una cara. Dijeron que estaba flotando de espaldas en el agua. Le sacaron y le enterraron en la orilla. Pero yo no me sentí cómodo por mucho tiempo porque se me ocurrió una idea. Yo sabía muy bien que un ahogado no flota de espaldas, sino boca abajo. Así que estaba seguro de que aquella persona no era papá, sino una mujer vestida de hombre, de modo que me sentí incómodo otra vez.

Imaginé que el viejo aparecería, aunque yo no lo desease. Durante todo un mes jugamos a los ladrones de vez en cuando y, luego, yo me retiré de jugar. También lo hicieron todos los muchachos. No habíamos robado a nadie ni matado a nadie, sino que solo lo fingíamos. Solíamos saltar por entre los árboles del bosque y corríamos a galope atacando a los porqueros y a las mujeres que iban en carretas llevando sus hortalizas al mercado, pero no

Porquero: El que cuida de los cerdos.

capturamos a ninguno. Tom Sawyer llamaba a los cerdos «lingotes» y a los nabos y verduras «joyas», y volvíamos a la cueva a conferenciar sobre lo que habíamos hecho y a cuántas personas habíamos matado y dejado marcadas. Pero yo no veía ningún provecho en todo eso.

Una vez, Tom mandó a un muchacho a que corriera por el pueblo con un palo ardiendo —a esto lo llamaba «consigna» y era la señal para que se reuniera la cuadrilla— y luego dijo que por sus espías le habían llegado noticias de que al día siguiente toda una cantidad de mercaderes españoles y árabes ricos iban a acampar en la hondonada de la cueva con doscientos elefantes, seiscientos camellos y más de mil mulas de carga, todas las cuales llevaban diamantes; que solo tenían una guardia de cuatrocientos soldados y que, así, nosotros íbamos a tender una emboscada, como él la llamaba, para matarlos a todos y arrear con las cosas. Dijo que había que pulir las espadas, limpiar los fusiles y estar listos. Él nunca atacaba una carreta de nabos sin tener las espadas y los fusiles todos bien pulidos y preparados, aunque solo eran listones y palos de escoba y podías restregarlos hasta que te pudrieras y aun entonces no valían ni un puñado de ceniza más de lo que habían valido antes. Yo no creía que pudiéramos hacer correr a una muchedumbre de españoles y árabes, pero quería ver los camellos y los elefantes, así que el día siguiente, el sábado, estuve allí pendiente de la emboscada; y cuando nos llegó la seña, nos lanzamos desde el bosque y corrimos colina abajo. Pero no había ningún español ni ningún árabe y no había camellos ni elefantes. No había nada, salvo una excursión de la escuela dominical[1], y solo eran los pequeños del primer año. Los espantamos y perseguimos a los niños hondonada arriba, pero no conseguimos más que unas rosquillas y merme-

Listón: Pedazo estrecho de tabla.

---

[1] Organización dedicada a la instrucción religiosa de los niños. Fue fundada en 1780 por Robert Raikes, un periodista británico, al que se unieron muchos creyentes para organizar en varias iglesias británicas (anglicanas, metodistas, calvinistas y congregacionalistas) una organización para enseñar a leer y a escribir a los niños pobres. Con el tiempo, las escuelas dominicales que enseñaban las primeras letras fueron innecesarias debido al desarrollo de la escolaridad pública y se centraron en la formación religiosa. En Estados Unidos, las escuelas dominicales se ampliaron a toda la familia, especialmente entre los bautistas.

lada, aunque Ben Rogers consiguió un muñeco de trapo, y Joe Harper un libro de himnos y un folleto de la iglesia. Entonces, el maestro se nos vino encima y nos hizo soltarlo todo y marcharnos. Yo no vi ningún diamante y se lo dije a Tom Sawyer. Él dijo que allí había cantidades de diamantes, sin duda, y que había también árabes y elefantes y más cosas. Yo le dije que por qué no podíamos verlos entonces. Él dijo que si yo no fuera tan ignorante y hubiera leído un libro llamado *Don Quijote*, lo sabría sin preguntar. Dijo que todo se hacía por encantamiento[2]. Dijo que había miles de soldados y elefantes y tesoros y más cosas, pero que teníamos enemigos que él llamaba encantadores y ellos lo habían convertido todo en una escuela dominical de párvulos solo por despecho. Yo dije que, bueno, que estaba bien y que lo que teníamos que hacer entonces era atacar a los encantadores. Tom Sawyer dijo que yo era un cabeza de chorlito.

—Pero —dijo— ¿no sabes que un encantador podría llamar a una tropa de genios, y ellos te machacarían en un tris? Son tan altos como árboles y tan grandes como una iglesia.

—Bueno —repuse yo—, supongamos que nos conseguimos unos genios para que nos ayuden a nosotros..., ¿no podemos echar fuera a los otros tipos así?

—¿Y cómo vas a conseguirlos?

—No lo sé. ¿Cómo los consiguen ellos?

—Pues frotan una vieja lámpara de hojalata o un anillo de hierro y, entonces, vienen a toda prisa los genios entre truenos y relámpagos, corriendo a todo vapor y con humo ondeando por todas partes, y todo lo que se les manda hacer lo hacen sin más. No es nada para ellos arrancar de raíz una torre y con ella dar un buen golpe en la cabeza al director de la escuela dominical... o a cualquier hombre.

—¿Y quién les hace moverse tanto?

—Pues cualquiera que frote la lámpara o el anillo. Pertenecen al que frota la lámpara o el anillo y tienen que

Cabeza de chorlito: Se dice de la persona que hace las cosas sin pensar o que es poco inteligente.

---

[2] Es cierto que don Quijote explica muchos de sus contratiempos y desventuras echándoles la culpa a magos enemigos que con sus encantamientos hacen que las cosas parezcan otras.

hacer lo que él manda. Si les manda construir un palacio de cuarenta millas de largo, todo de diamantes, y llenarlo de goma de mascar o lo que quiera, y traer a la hija del emperador de la China para casarse con ella, tienen que hacerlo; y, además, tienen que hacerlo antes del amanecer del día siguiente. Y hay más: tienen que llevar y traer ese palacio por todo el país, dondequiera que tú mandes, ya ves.

—Bueno —dije yo—, creo que son una cuadrilla de cabezas de alcornoque por no quedarse ellos con los palacios en vez de gastarlos como tontos de esa manera. Y además, si yo fuera uno de ellos, mandaría al diablo a mi amo antes de abandonar todo para ir corriendo cuando él frotara esa lámpara vieja de hojalata.

—Qué cosas dices, Huck Finn. Tendrías que ir cuando la frotara, quisieras o no.

—¿Qué? ¿Yo, tan alto como un árbol y tan grande como una iglesia? Muy bien, entonces sí que vendría, pero haría al tipo ese trepar al árbol más alto que hubiera en todo el país.

—Bah, no vale la pena hablar contigo, Huck Finn. Parece que no sabes nada de nada..., eres un perfecto cabeza hueca.

Yo pensé bien en todo esto durante dos o tres días y luego decidí que iba a ver si la cosa tenía algún sentido. Me conseguí una vieja lámpara de hojalata y un anillo de hierro y fui al bosque y froté y froté hasta sudar como un indio, pensando construir un palacio y venderlo; pero mi esfuerzo no valió para nada, no vino ningún genio. Así que decidí que todo ese lío era simplemente una de las mentiras de Tom Sawyer. Supongo que él creía en los árabes y los elefantes, pero, en cuanto a mí, yo pienso de otra forma. Todo eso tenía pinta de ser cosa de la escuela dominical.

Capítulo 4

Bueno, pues pasaron como tres o cuatro meses y estaba ya bien entrado el invierno. Yo había asistido a la escuela casi todo ese tiempo y podía deletrear y leer y escribir solo un poco, y podía recitar la tabla de multiplicar hasta seis por siete que son treinta y cinco, y yo creo que nunca podría seguir más allá, aunque viviera para siempre. En cualquier caso, no tengo ninguna confianza en las matemáticas.

Al principio odiaba la escuela, pero poco a poco llegué a poder aguantarla. Cuando estaba demasiado cansado, hacía novillos, y la paliza que me daban al día siguiente me sentaba bien y me animaba algo. Así que cuanto más tiempo hacía que iba a la escuela, más fácil me resultaba soportarla. Estaba también habituándome más o menos a las costumbres de la viuda y no se me hacían tan ásperas. Vivir dentro de una casa y dormir en una cama me fastidiaba bastante, pero, antes de llegar el tiempo frío, solía escaparme y dormir a veces en el bosque, y eso me daba un respiro. Me gustaban más las viejas costumbres, pero también me iban gustando un poquito las nuevas. La viuda dijo que iba mejorando lento pero seguro y que lo hacía bastante satisfactoriamente. Dijo que no sentía vergüenza de mí.

Una mañana volqué el salero durante el desayuno. Tan pronto como pude, estiré la mano para tomar un poco de sal y tirarla sobre el hombro izquierdo y así evitar la mala suerte, pero la señorita Watson se me adelantó y me cortó en seco. Me dijo: «Quita las manos de ahí, Huckleberry. ¡Qué desorden armas siempre!». La viuda dijo una palabra en mi favor, pero eso no iba a alejar la mala suerte, lo sabía yo muy bien. Me marché después del desayuno y me sentía preocupado y temeroso. Me preguntaba dónde iría a caerme algo encima y qué iba a ser. Hay maneras de evitar algunas clases de mala suerte, pero esta no era de esas, así que no intenté hacer nada, sino que iba arrastrándome lentamente y con el espíritu abatido y vigilante.

Bajé al jardín de delante de la casa y trepé por los escalones por donde se podía cruzar la valla alta de madera. Había unos centímetros de nieve recién caída en el suelo y vi las huellas de alguien. Esa persona había venido de la cantera y se había parado cerca de los escalones un rato y luego había seguido pegada a la cerca del jardín. Era raro que no hubiera entrado después de pararse de esa manera. No podía entenderlo. Era muy extraño. Iba a seguir las huellas, pero antes me agaché a mirarlas. Al principio no me di cuenta de nada, pero luego sí. Había en el tacón izquierdo de la bota una cruz hecha con clavos grandes para alejar al diablo.

Cantera: Lugar del que se saca piedra u otros materiales similares.

En un segundo estuve de pie y corriendo cuesta abajo. Miraba hacia atrás por encima del hombro de cuando en cuando, pero no veía a nadie. Me presenté en la casa del juez Thatcher tan pronto como pude. Él me dijo:

—Vaya, hijo, llegas sin aliento. ¿Vienes a cobrar el interés?

—No, señor —dijo—. ¿Es que hay algo para mí?

—Sí, los intereses semestrales llegaron anoche..., más de ciento cincuenta dólares. Una buena fortuna para ti. Mejor que me dejes invertirlo junto con los seis mil porque si te lo llevas, lo gastarás.

—No, señor —dijo—. No quiero gastarlo. No lo quiero, ni los seis mil tampoco. Quiero que usted lo tome; quiero dárselo a usted, los seis mil y todo.

Estaba sorprendido. Parecía que no podía entenderlo. Dijo:

—¿Qué es lo que quieres decir, hijo?

—Por favor —contesté—, no me haga preguntas. Lo cogerá, ¿no?

Él dijo:

—Bueno, estoy confundido. ¿Es que pasa algo?

—Por favor, cójalo —dije yo— y no me pregunte nada, así no tendré que decir mentiras.

Pensó un rato y luego dijo:

—¡Ah, ah! Creo que entiendo. Tú quieres venderme todas tus propiedades, no dármelas. Esa es la idea apropiada.

Entonces escribió algo en un papel y lo leyó otra vez y dijo:

—Ahí tienes, ves que dice «como retribución». Eso significa que te las he comprado y pagado. Toma un dólar. Ahora firma.

Retribución: Pago.

Así que lo firmé y me fui.

El negro de la señorita Watson, Jim, tenía una pelota de pelo, tan grande como un puño, que habían sacado del cuarto estómago de un buey[1], y él solía hacer magia con ella. Decía que había un espíritu dentro que lo sabía todo. Así que fui a verle esa noche y le dije que papá estaba por acá otra vez porque había encontrado sus huellas en la nieve. Lo que yo quería saber era qué iba a hacer. ¿Iba a quedarse? Jim sacó su pelota de pelo, dijo algo encima de ella y luego la levantó y la dejó caer en el suelo. Cayó como cosa muy sólida y solo rodó unos centímetros. Jim lo intentó otra vez y luego otra, y la pelota se comportó igual. Jim se puso de rodillas y le acercó la oreja y escuchó. Pero no servía de nada. Dijo que no quería hablar, que a veces no quería hablar sin recibir dinero. Yo le dije que tenía una vieja moneda falsa de un cuarto de dólar, que no valía para nada, porque el latón se veía un poco a través del baño de plata y que, además, no la aceptarían en ningún sitio, aunque no se viera el latón, porque era tan lisa que al tocarla parecía grasienta, y eso la delataba siempre. Pensé también que sería mejor no decirle nada del dólar que me había dado el juez. Dije que era una moneda muy falsa, pero que quizá la aceptaría la pelota de pelo porque acaso ella no sabría distinguirla. Jim olió y mordió y frotó la moneda y dijo que él lo arreglaría de manera que la pelota pensara que era buena. Dijo que abriría con un cuchillo una patata blanca cruda, metería la moneda dentro y la dejaría ahí toda la noche y que a la mañana siguiente no se podría ver nada del latón y ya no parecería grasienta la moneda y de esa manera cualquiera en el pue-

---

[1] El estómago de un rumiante se divide en cuatro compartimentos, llamados panza, redecilla, libro y cuajar.

blo la aceptaría en un segundo y, por supuesto, también una pelota de pelo. Bueno, ya sabía yo que una patata podía valer para eso, pero lo había olvidado. Jim puso la moneda debajo de la pelota de pelo, se arrodilló y escuchó de nuevo. Esta vez dijo que la pelota de pelo estaba bien y que me diría todo lo que quisiera. Adelante, le dije. Y la pelota de pelo habló entonces con Jim, y Jim me lo contó a mí:

—Tu viejo padre no sabe todavía qué va a hacer. A veces cree que se marchará y luego, de nuevo, cree que se quedará. Lo mejor que puedes hacer es quedarte tranquilo y dejarle al viejo escoger su propio camino. Hay dos ángeles revoloteando alrededor de él. Uno de ellos es blanco y brillante y el otro es negro. El blanco le empuja a hacer el bien algún rato, y luego viene volando el negro y todo lo machaca. No se puede saber todavía cuál se lo va a llevar al fin. Pero tú estás bien. Vas a pasar por muchas dificultades en tu vida y también por alegrías considerables. A veces te harás daño, a veces te pondrás malo; pero todas las veces vas a ponerte bien otra vez. Hay dos chicas volando alrededor de ti en tu vida. Una es rubia y la otra es morena. Una es rica y la otra pobre. Te vas a casar con la pobre primero y, poco después, con la rica. Debes quedarte lejos del agua en cuanto puedas. Y no corras ningún riesgo porque está escrito en los libros que te van a ahorcar.

Cuando encendí la vela y subí a mi cuarto esa noche, allí estaba sentado papá..., ¡él mismo en persona!

Capítulo 5

Yo había cerrado la puerta. Entonces me di la vuelta y allí estaba. Solía tenerle miedo siempre, me pegaba tanto... Pensé que también tenía miedo ahora, pero en un minuto vi que estaba equivocado. Así que, después del primer choque, como quien dice, después que se me cortó el aliento porque no esperaba verle de esa manera, vi de pronto que no le tenía ningún miedo del que mereciera la pena preocuparme.

Tenía casi cincuenta años y los representaba. Tenía el pelo largo, enmarañado y grasiento y le colgaba alrededor de la cabeza, y podías verle los ojos brillando a través de él como si estuvieran detrás de enredaderas. Era su pelo todo negro, sin canas; y también su barba, larga y mezclada con el pelo. La cara, donde se le veía, no tenía ningún color; era completamente blanca, no como el blanco de cualquier otro hombre, sino un blanco que daría náuseas a cualquiera, un blanco que te ponía la carne de gallina, un blanco de rana de árbol[1], de tripa de pez. En cuanto a su ropa, solo trapos, nada más. Descansaba un tobillo sobre la otra rodilla; la bota de ese pie estaba rota y le asomaban dos dedos y los movía de vez en cuando. Su sombrero estaba en el suelo, un viejo sombrero gacho con la coronilla aplastada, como una tapadera.

Yo me quedé mirándole, mientras él continuaba allí sentado, mirándome, con la silla un poco inclinada hacia atrás. Dejé la vela en la mesa. Noté que la ventana estaba abierta, había trepado por el cobertizo. Siguió mirándome de arriba abajo. Después de un poco dijo:

Enredadera: Planta de tallo trepador.

Sombrero gacho: Sombrero de copa baja con ala ancha y hacia abajo.

....
[1] Las ranas arborícolas comunes son una familia de anfibios anuros con muchas variaciones morfológicas y ecológicas, por ejemplo, en la pigmentación. Generalmente se alimentan de insectos, aunque algunas cazan pequeños vertebrados.

—La ropa planchada... muy bien. Te crees algo, uno de esos peces gordos, ¿eh?

—Puede que sí, puede que no —repuse.

—No me contestes, no te pongas insolente —dijo—. Te has dado muchos aires desde que me marché. Yo te bajaré los humos antes de terminar contigo. Y dicen también que eres un muchacho preparado, que sabes leer y escribir. Te crees que ahora eres mejor que tu padre porque él no sabe, ¿verdad? Yo te lo quitaré a palos. ¿Quién te dio permiso para meterte en tanta tontería pomposa, eh? ¿Quién te dijo que podías hacerlo?

—La viuda. Ella me lo dijo.

—¿La viuda, eh? ¿Y quién le dijo a la viuda que podía meter las narices en una cosa que no es asunto suyo?

—Nadie se lo ha dicho nunca.

—Pues yo le enseñaré a no entrometerse. Y mira, tú vas a dejar esa escuela, ¿me oyes? Yo le enseñaré a la gente cómo criar a un muchacho, a esa gente que le enseña a darse aires por encima de su propio padre y a hacer creer a todo el mundo que es mejor que él. Si te cojo haciendo tonterías alrededor de esa escuela otra vez, ya verás, ¿me oyes? Tu madre no sabía leer y tampoco supo escribir en toda su vida. Nadie de la familia supo escribir en toda su vida. Yo no sé y tú estás hinchándote de esta manera. No lo voy a soportar..., ¿me oyes? Déjame escucharte leer algo.

Tomé un libro y comencé a leer algo acerca del general Washington[2] y las guerras. Cuando llevaba leyendo como medio minuto, dio un manotazo al libro y lo tiró al otro lado. Dijo:

—Es verdad. Lo sabes hacer. Tenía mis dudas cuando me lo dijiste. Ahora fíjate en lo que te digo: deja eso de darte aires. No lo aguantaré. Yo te daré algo bueno, listillo. Y si te cojo cerca de esa escuela, te daré una paliza de las buenas. Lo siguiente será que empieces a ir a la iglesia. Nunca he visto un hijo como tú.

Cogió de encima de la mesa una estampita azul y amarilla que tenía unas vacas y un muchacho y dijo:

[2] George Washington (1732-1799), primer presidente de los Estados Unidos, estuvo al mando del ejército estadounidense en la Guerra de la Independencia contra Gran Bretaña (1775-1783).

—Y esto, ¿qué es?

—Me la dieron por aprender bien las lecciones.

La rompió y dijo:

—Yo te daré algo mejor, te daré con el látigo.

Y siguió un minuto sentado allí, refunfuñando y quejándose entre dientes, y luego dijo:

—Si estás hecho un dandi perfumado, ¿eh? Una cama con ropas de cama, un espejo, un trozo de alfombra en el suelo, y tu propio padre tiene que dormir con los cerdos en la tenería. Nunca he visto a un hijo como tú. Te juro que te quitaré esos aires. Tus aires no tienen fin, ¿eh?... Dicen que eres rico. ¿Qué? ¿Cómo es eso?

Dandi: Hombre de gran elegancia.

—Mienten, eso es lo que pasa.

—Oye, cuidado con cómo me hablas, estoy ya casi harto de soportar todo esto, así que no me seas respondón. Llevo dos días en el pueblo y no oigo nada salvo que eres rico. Lo oí decir también allá, río abajo. Por eso he venido. Me consigues ese dinero mañana; lo quiero.

—No tengo ningún dinero.

—Es mentira. El juez Thatcher te lo tiene guardado. Tráemelo. Lo quiero.

—Te digo que no tengo ningún dinero. Pregúntaselo al juez Thatcher; te dirá lo mismo.

—Muy bien. Se lo preguntaré y le dejaré escurrido también si no me da razones. Dime, ¿cuánto llevas en el bolsillo? Dámelo.

—Solo tengo un dólar, nada más, y lo quiero para...

—No importa para qué lo quieres; dámelo y calla.

Lo tomó y lo mordió para ver si era bueno y luego dijo que se iba al centro a comprar *whisky;* dijo que no había probado un trago en todo el día. Cuando salió y estaba encima del cobertizo, metió otra vez la cabeza y me maldijo por darme aires y tratar de ser más que él; y cuando yo calculaba que ya se había ido, volvió de nuevo y metió la cabeza y me dijo que cuidado con eso de la escuela porque iba a buscarme y a darme una paliza si no la dejaba.

Al día siguiente estaba borracho y fue a casa del juez Thatcher y le dio la lata y trató de hacerle entregar el dinero, pero no lo consiguió y luego juró que obligaría a los tribunales a que forzaran al juez.

El juez Thatcher y la viuda fueron a los tribunales para que permitieran que uno de ellos fuera mi tutor, pero el juez que había allí era uno nuevo que acababa de llegar y no conocía al viejo, de modo que dijo que los tribunales no debían entrometerse y separar a los miembros de una familia si eso podía evitarse; dijo que prefería no quitarle un niño a su padre. Así que el juez Thatcher y la viuda tuvieron que dejar el asunto.

Eso le alegró al viejo hasta el punto de que no podía descansar. Dijo que me iba a pegar hasta dejarme el cuerpo azul y negro si no le conseguía dinero. Pedí prestados tres dólares al juez Thatcher y papá los cogió y se emborrachó y fue por ahí gritando y maldiciendo y fanfarroneando sin parar, y siguió haciéndolo por todo el pueblo y golpeando un cacharro de hojalata hasta cerca de medianoche; luego le metieron en la cárcel y al día siguiente le hicieron presentarse ante el tribunal y le volvieron a meter en la cárcel durante una semana. Pero papá dijo que sí que estaba satisfecho; dijo que mandaba en su hijo y que a él sí que iba a meterlo en cintura.

Cuando le soltaron, el nuevo juez dijo que iba a convertir a papá en otro hombre. Así que lo llevó a su propia casa y le vistió de limpio y nuevo. Y le invitó a desayunar y comer y cenar con la familia, y todos se mostraban amables a más no poder con papá. Después de cenar, le hablaron de la abstinencia y de tales cosas hasta que papá se echó a llorar y dijo que había sido un tonto y había malgastado su vida tontamente y que ahora iba a empezar una nueva vida y a ser un hombre del cual nadie tendría que avergonzarse y que esperaba que el juez le ayudara y no le despreciara. El juez dijo que podría abrazarle por haber dicho esas palabras, así que lloró, y también lloró su mujer. Y papá dijo que antes siempre había sido un hombre mal comprendido y el juez dijo que lo creía. El viejo dijo que a un hombre vencido le hacía falta simpatía y el juez lo confirmó, así que lloraron de nuevo. Y a la hora de acostarse, el viejo se levantó, estiró la mano y dijo:

—Mírenla, señores y señoras; tómenla, estréchenla. Ahí tienen una mano que era la mano de un cerdo, pero ya no es así, es la mano de un hombre que ha empezado una nueva vida y que moriría antes de volverse atrás.

Noten bien mis palabras, no olviden que las he dicho. Es una mano limpia ahora; estréchenla, no tengan miedo. Así que la estrecharon uno tras otro y todos lloraron. La mujer del juez se la besó también. Luego firmó el viejo la promesa de no beber y puso en ella su marca. El juez dijo que era la hora más sagrada de toda la historia o algo semejante. Entonces acomodaron al viejo en un cuarto espléndido, que era el cuarto de huéspedes, y a alguna hora de la noche sintió el viejo una sed poderosa, se arrastró desde la ventana al tejado del porche, se deslizó por una columna, cambió su chaqueta nueva por una botella de *whisky* fuerte, trepó al cuarto otra vez y lo pasó muy bien. Y hacia el amanecer se arrastró fuera de nuevo, borracho como una cuba, fue rodando y se cayó del tejado, se rompió el brazo izquierdo por dos sitios y casi estaba helado y muerto cuando alguien le encontró después de la salida del sol. Y cuando fueron a entrar al cuarto de huéspedes, tuvieron que sondar antes de poder navegar por allí.

El juez se sintió un poco dolorido. Dijo que quizá se podría reformar al viejo con una escopeta, que él no conocía otra manera de hacerlo.

Sondar: Explorar el fondo y la profundidad de las aguas utilizando una sonda.

Capítulo 6

Bueno, pues, al poco tiempo, el viejo estaba levantado y restablecido, y luego llevó a los tribunales al juez Thatcher para obligarle a que le entregara ese dinero y me embistió a mí también porque no dejé de ir a la escuela. Me cogió un par de veces y me azotó, pero yo iba a la escuela igual y le evitaba o corría casi siempre más aprisa que él. Antes no tenía ganas de ir a la escuela, pero ahora pensé que iría para fastidiar a papá. El proceso era un asunto lento, parecía que nunca iban a comenzarlo; así que, de cuando en cuando, yo pedía prestado al juez dos o tres dólares y se los entregaba al viejo para que no me diera azotes. Cada vez que tenía dinero, se emborrachaba, y cada vez que se emborrachaba, armaba un escándalo en el pueblo, y cada vez que armaba un escándalo, le encarcelaban. Él estaba perfectamente; ese tipo de vida era exactamente su especialidad.

Le dio por rondar demasiado la casa de la viuda y, por fin, ella le dijo que, si no dejaba de merodear por allí, le iba a meter en dificultades. Eso sí que le enfadó. Dijo que iba a mostrarles quién era el dueño de Huck Finn. Así que un día de primavera se puso a buscarme y me cogió y me llevó en un esquife río arriba unas tres millas y cruzó a la ribera de Illinois[1], en un lugar boscoso donde no había ninguna casa, salvo una vieja casucha de troncos, y donde el arbolado eran tan espeso que si no sabías dónde estaba esa casucha, no podías encontrarla.

Me llevaba con él todo el tiempo y nunca tuve la oportunidad de escaparme. Vivíamos en esa cabaña y siempre cerraba la puerta con llave y por las noches ponía la llave debajo de su cabeza. Tenía una escopeta que había robado, supongo, y pescábamos y cazábamos y de eso

---

[1] Estado del Medio Oeste de los EE. UU. En él estaba abolida la esclavitud.

vivíamos. Cada pocos días me encerraba bajo llave e iba a la tienda tres millas río abajo, donde el transbordador, y cambiaba pescado y caza por *whisky*, lo traía a casa, se emborrachaba, lo pasaba bien y me daba azotes. Poco después, la viuda se enteró de dónde estaba yo y mandó a un hombre a intentar llevarme, pero papá lo corrió con el fusil. Y no había pasado mucho tiempo cuando ya me estaba acostumbrando a estar allí y me gustaba... todo, salvo el látigo.

Transbordador: Embarcación que enlaza dos puntos regularmente y que transporta viajeros y vehículos.

Pasaba el tiempo en una pereza bastante agradable, todo el día sin trabajar, fumando y pescando, y sin libros ni estudios. Habían pasado dos meses o más, y mi ropa se volvió toda trapos y suciedad, y no entendía cómo había podido antes llegar a gustarme eso de vivir en casa de la viuda, donde tenías que lavarte y comer en un plato y peinarte y acostarte y levantarte a la hora debida y estar siempre preocupado por un libro, y con la vieja señorita Watson, que te pinchaba siempre. No quería regresar más allí. Había dejado de blasfemar porque no le gustaba a la viuda, pero volví a hacerlo porque a papá le daba igual. Considerándolo bien, estábamos bastante a gusto allí en el bosque.

Blasfemar: Renegar, maldecir.

Pero, después de algún tiempo, a papá se le iba la mano con eso del palo y yo no podía aguantarlo. Tenía el cuerpo lleno de ronchas. Además, le daba por estar fuera demasiado y dejarme encerrado. Una vez me encerró y anduvo fuera tres días. Yo estaba horriblemente solo. Pensé que se había ahogado y que yo nunca podría salir de allí. Estaba asustado. Decidí que encontraría la manera de irme de allí. Había tratado de salir de la casucha muchas veces, pero no había podido encontrar el medio. No había ni una ventana bastante grande ni para que pasara un perro.

No podía trepar por la chimenea porque era demasiado estrecha. La puerta era de gruesas tablas de roble sólido. Papá tenía bastante cuidado de no dejar un cuchillo ni nada semejante en la cabaña cuando estaba fuera. Creo que yo había registrado todo por lo menos cien veces; bueno, pues casi siempre volvía a registrarlo porque no tenía nada más que hacer para conseguir que pasara el tiempo. Pero esta vez por fin encontré algo; encontré una

Chilla: Tabla delgada y de mala calidad.

vieja sierra oxidada sin mango; estaba entre una viga y las tablas de chilla del techo. La engrasé bien y comencé a trabajar. Había una vieja manta de caballo clavada en los troncos al fondo de la cabaña, detrás de la mesa, para que no entrara el viento por las grietas y apagara la vela. Me metí debajo de la mesa, levanté la manta y me puse a serrar una sección del tronco grande de la base, un agujero lo bastante grande para dejarme pasar. Bueno, era una tarea muy larga, pero estaba llegando al fin cuando oí la escopeta de papá en el bosque. Borré las señales del trabajo, dejé caer la manta, escondí la sierra y poco después entró papá.

Papá no estaba de buen humor, pero eso en él era instintivo. Dijo que había estado en la ciudad y que todo iba mal. Su abogado le dijo que creía que ganaría el pleito y conseguiría el dinero si alguna vez empezaba el proceso, pero que había maneras de aplazarlo por mucho tiempo y que el juez Thatcher sabía hacerlo. Y dijo que la gente declaraba que habría otro proceso para apartarme de él y entregarme a la viuda como mi tutora y que suponían que ella lo ganaría esta vez. Eso me inquietó bastante porque yo no quería volver más a la casa de la viuda ni estar tan aprisionado y civilizado, como ellos lo llamaban. Entonces, el viejo comenzó a maldecir, y maldijo todo y a todo el mundo que se le ocurría, y luego los maldijo a todos otra vez para asegurarse de que no se había saltado a ninguno y después dio un último toque con una maldición general dirigida a todos, incluyendo una cantidad de gente cuyos nombres no sabía y, por eso, les llamaba ese tipo y ese fulano cuando les tocaba el turno, y siguió con las maldiciones.

Dijo que le gustaría ver a la viuda apoderarse de mí. Dijo que vigilaría y que si intentaban con él una jugada de esas, él conocía un sitio a seis o siete millas de allí donde podía esconderme y donde, por más que buscaran hasta caerse de cansancio, no me encontrarían. Esto me hizo sentir bastante incómodo otra vez, pero solo durante un minuto; pensé que pronto yo no estaría ya al alcance de su mano para darle esa oportunidad.

El viejo me mandó bajar al esquife para traer las cosas

Costal: Saco grande.

que había comprado: un costal de unos veinticinco kilos

de harina de maíz, una lonja de tocino salado, municiones, un jarro de quince litros de _whisky_, un libro viejo y
dos periódicos para cargar la escopeta, además de cuerda. Hice, cargado, un primer viaje y volví al esquife y me
senté a descansar en la proa. Lo pensé todo bien y calculé
que me llevaría la escopeta y algunas cuerdas de pescar y
me iría al bosque cuando me escapara. Pensé que no me
quedaría quieto en un lugar, sino que iría caminando derecho por el campo, de noche las más de las veces, y que
cazaría y pescaría para mantenerme, y así llegaría tan lejos que ni el viejo ni la viuda podrían encontrarme jamás.
Decidí que serraría todo el agujero y me iría esa noche si
papá se ponía lo bastante borracho, cosa que calculé que
haría. Me llené la cabeza tanto de todo esto que no me di
cuenta del tiempo que me había quedado allí, hasta que
gritó el viejo y me preguntó si estaba dormido o ahogado.

Llevé todas las cosas a la cabaña y entonces ya era de
noche. Mientras yo cocinaba la cena, el viejo tomó uno o
dos tragos y se calentó un poco y empezó dale que dale
con las maldiciones. Había estado por el pueblo borracho,
había dormido toda la noche en una cuneta y qué facha
tenía. Cualquiera habría pensado que era Adán[2]..., era todo
barro. Cuando empezaba a sentir sus tragos, casi siempre
se metía con el gobierno. Esta vez decía:

—¡Llaman a esto gobierno! Pues míralo y verás lo que
es. Aquí tienes una ley dispuesta a quitarle a un hombre
su hijo, su propio hijo, a quien criarle le ha costado todo
tipo de penas, ansiedades y gastos. Sí, y exactamente en
el momento en que ese hombre ya tiene al hijo criado por
fin, y el hijo está listo para ponerse a trabajar y empezar
a hacer algo por él y darle un descanso, pues va la ley y
le busca y quiere quitárselo. ¡Y a eso lo llaman gobierno!
Y hay más. La ley apoya a ese viejo juez Thatcher y le
ayuda a quedarse con mi propiedad. Esto es lo que hace
la ley: la ley coge a un hombre que vale seis mil dólares y
más, le hace vivir en una ratonera como esta cabaña y le
deja pasear por ahí llevando ropa que no sirve ni para un
cerdo. ¡Llaman a eso gobierno! Un hombre no goza de
sus derechos bajo un gobierno como este. A veces me

Lonja: Trozo
delgado, alargado
y ancho, cortado
o separado de una
cosa.

Proa: Parte
delantera de una
embarcación.

---

[2] Según la Biblia, Dios creó a Adán con barro del suelo (_Génesis_ 2,7).

dan ganas de largarme de este país de una vez y para siempre. Sí, y se lo he dicho, se lo he dicho al viejo Thatcher en su cara. Muchos me oyeron y pueden repetir lo que dije. Por dos centavos me largaría de este maldito país para nunca aparecer ni siquiera cerca de él otra vez. Esas son mis palabras exactas. Miren este sombrero, si se puede llamar sombrero, que cuando levanto la tapadera lo demás se baja y me cae hasta por debajo de la barbilla, como si metiera la cabeza por una junta del tubo de una estufa. Miren qué sombrero tengo que llevar yo, uno de los hombres más adinerados de este pueblo si me respetaran mis derechos. Ah, sí, es un gobierno maravilloso, maravilloso. Pues fíjate en esto. Había por ahí un negro libre de Ohio[3], un mulato, casi tan blanco como un hombre blanco. Llevaba la camisa más blanca que has visto nunca y también el sombrero más brillante; y no había hombre en ese pueblo que tuviera ropa tan fina como la que llevaba él; y tenía un reloj de oro y una cadena y un bastón con empuñadura de plata: el más horrible nabab del estado, viejo y canoso. ¿Y qué te parece? Decían que era profesor de la universidad y que podía hablar todo tipo de lenguas y que todo lo sabía. Y eso no era lo peor. Decían que podía votar cuando estaba en casa. Bueno, esto ya es el colmo. Pienso yo: ¿adónde va a parar este país? Era día de elecciones y yo mismo habría estado a punto de ir a votar si no me hubiera encontrado demasiado borracho para llegar al sitio; pero cuando me dijeron que había un estado en este país donde dejaban votar a ese negro, me retiré. Dije: «Nunca jamás votaré». Las mismísimas palabras que dije, todos me oyeron. Y el país puede pudrirse; en cuanto a mí, no votaré jamás mientras viva. Y era de ver la cara que tenía ese negro, pues no se habría apartado para dejarme pasar si no le doy un empujón. Le digo a la gente: «¿Por qué no llevan a este negro a la subasta y lo venden?...». Eso es lo que yo quería saber. ¿Y qué crees que dijeron? Pues dijeron que no se le podía vender hasta que hubiera pasado seis meses en el estado y que todavía no llevaba allí tanto tiempo. Ahí lo tienes..., eso es una muestra. Llaman gobierno

Nabab: Hombre muy rico.

_____

[3] Estado de los EE. UU. situado en la región de los Grandes Lagos.

a eso y no se puede vender a un negro liberto hasta que haya pasado seis meses en un estado. Ahí tienes un gobierno que se llama a sí mismo gobierno y pasa por ser un gobierno y piensa que es un gobierno y tiene que quedarse quieto como un poste durante seis meses enteros antes de coger a un liberto negro que lleva camisa blanca, que es un merodeador y un ladrón y un ser abominable y...[4]

Liberto: Esclavo al que se le ha dado la libertad.

Papá estaba hablando tanto que no se dio cuenta de dónde le llevaban sus viejas y flojas piernas, así que cayó de cabeza encima del artesón de la carne salada de cerdo y se raspó las dos espinillas, y en el resto de su discurso empleó palabras de las más gordas, muchas lanzadas contra los negros y el gobierno, aunque también, durante todo el rato, de vez en cuando dedicaba bastantes al artesón.

Merodeador: Se dice del que vaga por algún lugar, en general con malos fines.

Daba saltos grandes por toda la cabaña, primero sobre un pie y luego sobre el otro, agarrándose primero una espinilla y luego la otra, y por fin levantó la pierna izquierda de repente y dio una patada tremenda al artesón. Pero no mostró buen juicio porque esa bota era la que dejaba asomar un par de dedos por la parte delantera, así que lanzó un alarido que le habría puesto los pelos de punta a cualquiera, y se cayó al suelo y se revolcaba y se cogía los dedos. Y las maldiciones que soltó entonces ganaban a todas las anteriores. Él mismo lo confirmó después. Había oído maldecir al viejo Sowberry Hagan en sus mejores días y dijo que incluso le ganaba a él; pero yo creo que quizá eso era exagerar el asunto.

Artesón: Recipiente de madera que tiene distintos usos.

Después de cenar, papá tomó el jarro y dijo que tenía bastante *whisky* como para dos borracheras y un delírium trémens. Esa palabra siempre la usaba. Pensé que estaría borracho como una cuba dentro de una hora y entonces yo robaría la llave o serraría la pared, lo uno o lo otro. Bebió y bebió y se tumbó en las mantas después de un rato, pero yo no tenía la suerte de mi parte. No se durmió profundamente, sino que estaba inquieto. Gruñía y gemía y dio vueltas por acá y por allá durante mu-

Delírium trémens: Síndrome de abstinencia sufrido por los alcohólicos.

---

[4] Para entender bien este pasaje y otros a lo largo del libro hay que saber que en 1787 se prohibió en Estados Unidos la esclavitud en el llamado Northwest Territory («Territorio del Noroeste»). Para 1820 eran ya doce los estados libres.

cho tiempo. Yo tenía tanto sueño que se me cerraban los ojos y, antes de darme bien cuenta, dormía con un sueño profundo y, además, con la vela encendida.

No sé cuánto tiempo dormí, pero de repente se oyó un alarido terrible y me encontré de pie. Allí estaba papá con cara de loco y brincando por todos lados y gritando que había culebras. Dijo que le subían por las piernas. Y luego daba un salto y un grito y decía que una le había mordido la mejilla..., pero yo no podía ver ninguna culebra. Empezó a correr alrededor de la cabaña, dando voces: «¡Quítamela! ¡Quítamela! ¡Me muerde el cuello!». Nunca he visto a un hombre con ojos tan locos. Después de un rato estaba todo molido y se dejó caer, jadeando; luego dio vueltas una y otra vez, con una rapidez sorprendente, dando patadas en todas partes, pegando y agarrando el aire con las manos y chillando y diciendo que le tenían cogido los diablos. Poco después se fue cansando y se quedó echado y quieto un rato, gimiendo. Luego estuvo más quieto y sin hacer ningún ruido. Yo podía oír los búhos y los lobos allá lejos, en el bosque, y todo parecía terriblemente silencioso. Él estaba echado cerca del rincón del cuarto. Poco después se incorporó un poco y escuchó con la cabeza ladeada. Dijo muy bajo:

—Tan-tan-tan, son los muertos. Tan-tan-tan, vienen por mí, pero no iré. ¡Ah, están aquí! ¡No me toquen..., no! Quiten las manos..., están frías; suéltenme. ¡Ah, dejen en paz a un pobre diablo!

Luego se puso a cuatro patas y se alejó arrastrándose, rogándoles que le dejaran en paz, y se envolvió en la manta y se revolcó y rodó debajo de la vieja mesa de pino, todavía rogándoles a los muertos. Luego se puso a llorar. Yo podía oírle a través de la manta.

Poco después se desenrolló y se levantó de un salto, con la cara enloquecida, y me vio y se lanzó sobre mí. Me persiguió dando vueltas y vueltas por el cuarto con una navaja de muelle, llamándome Ángel de la Muerte, y dijo que me mataría y que así no podría acosarle más. Le rogué y le dije que era solo Huck, pero se rio con una risa muy chirriante y rugió y maldijo y siguió persiguién dome. Una vez, al girarme en una de las vueltas y escabullirme por debajo de su brazo, hizo un esfuerzo para agarrarme y me cogió de la chaqueta, entre los hombros. Pensé que estaba perdido, pero me deslicé sacando mi cuerpo fuera de la chaqueta rápido como el rayo y me salvé. Poco después, él estaba cansado y se dejó caer con la espalda contra la puerta y dijo que descansaría un momento y luego me mataría. Se puso la navaja debajo y dijo que dormiría y repondría fuerzas y que después veríamos quién era quién.

Así que poco después se adormiló. Al rato cogí la vieja silla de mimbre, me subí encima con cuidado de no hacer ningún ruido y bajé la escopeta. Metí la baqueta para estar seguro de que estaba cargada y luego la dejé encima del barril de nabos, apuntada hacia papá, y me senté detrás a esperar que se moviera. Qué lento y silencioso se arrastraba entonces el tiempo.

Baqueta: Vara delgada con la que se apretaba la carga de las armas de fuego.

Capítulo 7

—¡Levántate! ¿Qué haces?

Abrí los ojos y miré alrededor intentando entender dónde me encontraba. Había amanecido y yo me había dormido profundamente. Papá estaba de pie a mi lado, con la cara avinagrada, y parecía enfermo. Dijo:

—¿Qué haces con la escopeta?

Pensé que no se acordaba de nada de lo que había hecho, así que dije:

—Alguien trató de entrar, por eso estaba vigilando.

—¿Por qué no me despertaste?

—Pues lo intenté, pero no pude; no pude moverte.

—Bueno, vale. No estés ahí palabreando todo el día, vete fuera a ver si hay un pez en las cuerdas para el desayuno. Yo iré en seguida.

Abrió la puerta y yo me fui por la orilla arriba. Vi unos trozos de ramas y muchas cosas flotando río abajo y el agua toda salpicada de cortezas; así supe que había empezado a crecer el río. Pensé que lo pasaría muy bien si estuviera al otro lado, en el pueblo. Siempre la crecida de junio me traía buena suerte porque, tan pronto como empieza esa crecida, vienen flotando leña y trozos de balsas..., a veces doce troncos juntos, de forma que todo lo que tienes que hacer es cogerlos y venderlos en la maderería o el aserradero.

Maderería: Establecimiento donde se recoge madera para venderla.

Aserradero: Lugar donde se sierra la madera.

Fui caminando río arriba junto a la orilla, con un ojo bien abierto para ver si venía papá y el otro mirando a ver qué traía la crecida. Bien, pues de repente vi que venía una canoa; era una bonita canoa, de tres a cuatro metros de largo, que flotaba empinada como un pato. Me tiré al río de cabeza, igual que una rana, con la ropa puesta y todo, y nadé hacia la canoa. Esperaba que hubiera alguien dentro porque muchas veces lo hacía la gente para gastar bromas y engañar a alguien: cuando algún tipo se acercaba a la canoa en su esquife, el otro se levantaba y se reía de él. Pero no fue así esta vez. De veras que era una canoa a la deriva y yo me metí dentro y remé hasta tierra. Pensé que el viejo se iba a alegrar cuando la viera: valía por lo menos diez dólares. Pero cuando llegué a la orilla, papá no estaba a la vista todavía y, al hacerla entrar por un riachuelo que era como un surco de arroyada, todo tapado de enredaderas y sauces, se me ocurrió otra idea: pensé que la escondería bien y luego, en vez de irme al bosque cuando me escapara, navegaría como cincuenta millas río abajo y acamparía por fin en un solo lugar, y de esa manera no lo pasaría tan mal cruzando el campo a pie.

Arroyada: Hendidura causada en la tierra por agua corriente.

Estaba bastante cerca de la casucha y pensé que oía venir al viejo a cada rato, pero logré esconder la canoa y luego me asomé y miré al otro lado de unos sauces y allí, a poca distancia, en la senda estaba papá, apuntando a un pájaro con la escopeta. Así que no había visto nada.

Sauce: Árbol de la familia de las Salicáceas, con tronco grueso, derecho, de muchas ramas y ramillas colgantes.

Cuando llegó, estaba yo ya trabajando duro, recogiendo un palangre. Me insultó un poco por ser tan lento, pero le dije que me había caído al río y que esa fue la razón de que tardara tanto. Sabía que se daría cuenta de que estaba mojado y entonces empezaría a hacerme preguntas. Quitamos cinco bagres de los sedales y volvimos a casa.

Palangre: Utensilio para pescar consistente en un cordel del que cuelgan ramales con anzuelos en los extremos.

Mientras descansábamos después del desayuno, porque los dos estábamos bastante rendidos, comencé a pensar de qué manera podría apañármelas para que ni papá ni la viuda intentaran seguirme. Sería mucho más seguro que confiar en la suerte para llegar bastante lejos antes de que me echaran de menos. Podía ocurrir cualquier cosa. Bueno, durante un rato no veía manera de hacerlo, pero al poco papá se incorporó para beber otro barril de agua y me dijo:

Bagre: Pez de carne sabrosa que abunda en muchos ríos americanos.

Sedal: Hilo fino y resistente de la caña de pescar, al cual se ata el anzuelo.

—La próxima vez que venga un hombre merodeando por acá, despiértame, ¿me oyes? Ese hombre tenía malas intenciones. Yo le habría pegado un tiro... La próxima vez me despiertas, ¿me oyes?

Luego se dejó caer y se durmió de nuevo. Lo que me había dicho me dio la idea que buscaba. Me dije entonces a mí mismo: «Puedo arreglarlo para que no piense nadie en seguirme».

Hacia las doce nos levantamos y fuimos caminando río arriba por la orilla. El río estaba creciendo bastante deprisa y pasaba mucha madera al garete. Poco después vimos venir parte de una balsa: nueve troncos bien atados. Salimos en el esquife y la remolcamos a tierra. Luego comimos. Cualquiera, salvo papá, hubiera esperado allí todo el día a ver si cogía más cosas; pero ese no era su estilo. Nueve troncos de una vez bastaban; tenía que irse al pueblo y venderlos. Así que me encerró y cogió el esquife y empezó a remolcar la balsa a eso de las tres y media. Juzgué que no regresaría esa noche. Esperé hasta que calculé que ya estaría lejos; entonces saqué mi sierra y me puse a trabajar en el tronco otra vez. Antes de que llegara él al otro lado del río, ya había salido yo por el agujero; él y su balsa eran una manchita sobre el agua allá a lo lejos.

Tomé el costal de harina de maíz y lo llevé adonde estaba escondida la canoa, aparté las enredaderas y las ramas y metí el costal en la canoa; y luego hice lo mismo con el tocino, y después con el jarro de *whisky*. Me llevé todo el café y el azúcar y todas las municiones; me llevé todo lo que necesitaba para cargar la escopeta; me llevé el cubo y la calabaza; me llevé el cacillo y una taza de hojalata y mi sierra y dos mantas y la sartén y la cafetera. Me llevé cuerdas de pescar y fósforos y otras cosas…, todo lo que valía un céntimo. Dejé el sitio pelado. Quería un hacha, pero no había ninguna, salvo la que estaba en la pila de leña, y ya sabía yo por qué iba a dejarla. Cogí la escopeta y con ello había terminado.

Al arrastrarme por el agujero cargando con tantas cosas, desgasté el suelo bastante. Así que lo arreglé cuanto pude desde fuera, esparciendo polvo encima, con lo que quedaba cubierto el alisamiento de la tierra y el serrín. Luego coloqué el trozo de tronco en su lugar y puse dos piedras debajo y una más para sujetarlo allí, porque estaba algo torcido hacia arriba en ese sitio y no tocaba el suelo. Si te alejabas un par de metros y no sabías que estaba serrado, nunca podrías darte cuenta y, además, era el lado de atrás de la cabaña y no era de esperar que nadie fuera a meterse por ahí.

Hasta la canoa, todo el suelo estaba cubierto de hierba, de manera que no había dejado huellas. Seguí el ca-

Al garete: Aquí, ser llevada la madera por la corriente.

Fósforo: Cerilla.

mino otra vez para comprobarlo. Me quedé en la orilla y
miré por el río adelante. Todo parecía tranquilo y sin peligro. Así que cogí la escopeta y fui alguna distancia bosque adentro. Iba a cazar unos pájaros cuando vi un cochino salvaje; los cerdos se vuelven salvajes pronto en estas
hondonadas cuando se escapan de las granjas de la llanu-
ra. Maté de un tiro al bicho y lo llevé al campamento.

Cogí el hacha y destrocé la puerta, dejándola con bastantes golpes y tajaduras. Llevé el cochino dentro, hasta
cerca de la mesa, le di un hachazo en el cuello y lo dejé en
tierra para que se desangrara; y digo tierra porque el suelo era de tierra apisonada, dura y sin tablas. Bueno, entonces tomé un costal viejo, metí dentro muchas piedras
grandes, todas las que podía arrastrar, empecé desde
donde estaba el cochino y arrastré el costal hasta la puerta y por el bosque abajo hasta el río. Allí lo dejé caer y se
hundió y se perdió de vista. Se podía ver fácilmente que
se había arrastrado algo por el suelo. ¡Cómo me hubiera
gustado que estuviera allí Tom Sawyer! Yo sabía que le
interesaría un asunto de esa clase y que le pondría algunos toques de lujo aparatoso. Nadie podía entusiasmarse
tanto como Tom Sawyer haciendo una cosa como esa.

Bien, pues, por último, me arranqué un poco de pelo,
manché bien el hacha con sangre, pegué el pelo a un lado
del hacha y la tiré en un rincón. Luego recogí el cochino
y lo sostuve contra el pecho con mi chaqueta para que no
goteara, hasta que llegué a bastante distancia de la casa y
lo arrojé al río. Entonces se me ocurrió otra cosa. Fui y
saqué de la canoa el costal de harina y mi vieja sierra y los
llevé a la casa. Llevé el costal al sitio donde solía estar antes y rasgué un agujero en el fondo con la sierra porque
no había cuchillos ni tenedores: papá hacía todo lo de co-
cinar con su navaja de muelle. Luego llevé el costal como
a cien metros sobre la hierba y por entre los sauces al este
de la casa, a un lago poco profundo que tenía cinco millas de anchura y estaba lleno de junqueras y también de
patos en la temporada de los patos. Había un pantano o
un riachuelo que salía del otro lado y seguía muchas millas más allá, no sé hacia dónde, pero no iba al río. La harina se iba escapando y dejaba un reguero fino por todo
el camino hasta el lago. También dejé caer allí la piedra

Tajadura: Corte
hecho con un
cuchillo, un hacha
u otro instrumento
parecido.

Apisonar: Apretar
o allanar tierra.

Junquera: Junco.

de afilar de papá, de manera que pareciera que se había caído por casualidad. Luego até con una cuerda el agujero del costal de harina para que no se saliera más y lo llevé junto con mi sierra a la canoa otra vez.

Estaba oscureciendo ya, de modo que encaucé la canoa hacia el río, la dejé deslizarse bajo unos sauces que colgaban sobre la orilla y esperé a que saliera la luna. Amarré la canoa a un sauce, luego comí un bocado y después de un rato me eché en la canoa a fumar una pipa y a trazar un plan. Me dije a mí mismo: «Van a seguir la huella de ese costal de piedras hasta la orilla y luego rastrearán el río buscándome y seguirán la huella de harina hasta el lago e irán curioseando por el riachuelo que sale de él para encontrar a los ladrones que me mataron y que se llevaron las cosas. En el río no buscarán más que mi cadáver muerto. Pronto se cansarán y no se preocuparán más de mí. Muy bien; puedo irme a cualquier lugar que quiera. La isla de Jackson me vale; la conozco bastante bien y nadie la visita nunca. Y puedo volver remando al pueblo por las noches, pasear por los alrededores sin que me vean y recoger las cosas que quiera. La isla de Jackson es el sitio adecuado».

Estaba bastante cansado y, antes de darme cuenta, me quedé dormido. Cuando me desperté, durante un minuto no sabía dónde estaba. Me incorporé y miré alrededor, un poco asustado. Luego recordé. El río parecía tener millas y millas de anchura. La luna brillaba tanto que habría podido contar los troncos que iban deslizándose a la deriva, negros y silenciosos, a centenares de metros de la orilla. Había un silencio absoluto y parecía ser tarde, olía a tarde. Tú sabes lo que quiero decir, no conozco las palabras ni sé cómo decirlo.

Desamarrar: Quitar las amarras, es decir, los cabos con que se asegura una embarcación, por ejemplo, en el puerto.

Tolete: Estaca donde se sujeta el remo.

Bostecé, me estiré bien y estaba a punto de desamarrar y arrancar cuando oí un ruido muy lejos sobre el río. Escuché. Poco después lo entendí. Era ese tipo de ruido sordo y regular que hacen los remos en los toletes cuando la noche es tranquila. Miré con cuidado por las ramas de los sauces y vi... un esquife a lo lejos, en el agua. No podía distinguir cuánta gente había dentro. Siguió avanzando y cuando se encontraba frente a mí vi que no había más que un hombre dentro. Pensé que tal vez fuera papá, aunque no le esperaba. Fue con la corriente río abajo y poco después vino girando hacia arriba, junto a la orilla, por el agua mansa y pasó tan cerca que habría podido alargar la escopeta y tocarle con ella. Bueno, era papá, de veras, y no estaba borracho a juzgar por lo fuerte que remaba.

No perdí tiempo. En un minuto estaba yo zumbando aguas abajo, suave, pero rápido, pegado a las sombras de la orilla. Gané dos millas y media y luego me lancé un cuarto de milla o más hacia el centro del río porque dentro de poco pasaría por delante del embarcadero del transbordador, y la gente podría verme y llamarme. Me metí entre los troncos a la deriva, luego me acosté en el fondo de la canoa y la dejé flotar. Me quedé allí, me tomé un buen descanso y fumé una pipa mirando arriba, lejos, hacia el cielo; no había ni una nube. El cielo parece tan profundo cuando estás tumbado de espaldas a la luz de la luna... Yo no lo sabía antes. ¡Y desde qué distancia llegan los ruidos sobre el agua en noches como aquella! Oí hablar a la gente del embarcadero. Oí también cada palabra que decían. Un hombre dijo que ya llegaban los días largos y las noches cortas. El otro dijo que él calculaba que aquella no era una de las cortas y luego se rieron y lo dijo otra vez y se rieron otra vez; luego despertaron a otro compañero y se lo dijeron y rieron, pero él no rio; soltó algo muy gordo y dijo: «Dejadme en paz». El primero dijo que pensaba contárselo a su vieja, ella pensaría que era bueno; pero dijo que no se podría comparar con algunas cosas que había dicho en sus tiempos. Oí a un hombre decir que eran casi las tres y que esperaba que el amanecer no tardara ya en llegar más de una semana. Después de eso, se alejaron más y más las voces y yo no podía distinguir las palabras, pero podía oír el murmurar y, de cuando en cuando, una risa, pero parecía llegar de lejos.

Ya estaba aguas abajo del transbordador. Me incorporé y allí estaba la isla de Jackson, a unas dos millas y media río abajo, densa de árboles y erguida en el centro del río, grande y oscura y sólida, como un barco de vapor sin luces. En la punta no había señales del banco de arena... Todo estaba ahora bajo el agua.

Banco de arena: Bajío formado por arena.

Agua muerta: Agua estancada y sin corriente.

Armadía: Maderos unidos a modo de plataforma para transportarlos a flote.

Popa: Parte posterior de una embarcación.

Virar: Cambiar de rumbo.

Estribor: Banda derecha de una embarcación mirando de popa a proa.

No tardé mucho en llegar. Me lancé por delante de la punta a gran velocidad, tan rápida era la corriente, y luego me metí en las aguas muertas y desembarqué en el lado de la isla que mira hacia la orilla de Illinois. Metí la canoa en la orilla por una profunda hendidura que yo conocía; tuve que apartar las ramas de los sauces para entrar y, una vez atada la canoa, nadie la podría ver desde fuera.

Subí y me senté en un tronco en la punta de la isla. Miré el gran río y los troncos negros a la deriva y, a lo lejos, el pueblo, a tres millas, allí donde centelleaban tres o cuatro luces. Una armadía monstruosamente grande estaba a una milla aguas arriba, bajando lentamente, con una linterna encima. Yo la miraba venir y, cuando estaba casi frente a mí, oí a un hombre decir: «¡Remos de popa, ahí! ¡Viradla a estribor!». Lo oí tan claro como si el hombre estuviera a mi lado.

Ahora se veía un poco de claridad gris en el cielo; me metí en el bosque y me eché a dormir un rato antes del desayuno.

Capítulo 8

El sol estaba tan alto cuando me desperté que me pareció que eran más de las ocho. Me quedé echado sobre la hierba en la sombra fresca, pensando en cosas. Me sentía descansado y bastante cómodo y satisfecho. Podía ver el sol por uno o dos agujeros, pero había muchos árboles grandes cubriéndolo casi todo y estaba bastante oscuro entre ellos. Veía trechos pecosos en el suelo donde la luz se filtraba por las hojas, y las pecas cambiaban un poco de lugar, mostrando que arriba soplaba una leve brisa. Un par de ardillas se sentaron en una rama y parlotearon conmigo muy amistosas.

Yo me sentía tremendamente vago y cómodo... No quería levantarme y preparar el desayuno. Bueno, estaba dormitando otra vez cuando creí oír un sonido profundo, ¡bum!, muy lejos río arriba. Me incorporé, me apoyé sobre el codo y escuché; poco después lo oí otra vez. Me levanté entonces de un salto y fui y miré por un agujero entre las hojas, y lo que vi era una nube de humo sobre el agua, muy arriba, más bien cerca del embarcadero. Y allí venía el transbordador lleno de gente y flotando río abajo. Ya sabía lo que pasaba. ¡Bum! Vi el humo blanco salir a chorros del lado del transbordador. Seguro que estaban tirando salvas de cañón sobre el agua para que saliera mi cadáver a flote.

Tenía bastante hambre, pero no convenía que encendiera fuego porque podían ver el humo. Así que me quedé allí sentado mirando el humo del cañón y escuchando los estampidos. El río tiene una milla de anchura por ese sitio y siempre está bonito en las mañanas de verano, así que yo lo pasaba bastante bien mirándolos buscar mis restos... Solo me faltaba un bocado para comer. Bueno, entonces se me ocurrió pensar que siempre se introducía un poco de mercurio en hogazas de pan y se las dejaba

Salva: Serie de cañonazos consecutivos sin balas.

Estampido: Ruido fuerte y seco.

flotar sobre el agua porque así, sin falta, iban derecho al cadáver ahogado y se detenían en ese sitio. Así que dije yo: «Voy a estar a la caza y si viene flotando alguna hogaza en busca mía, la cogeré». Fui al lado de la isla que mira hacia Illinois, a ver si tenía suerte, y no quedé desilusionado. Una gran hogaza doble iba de pasada y casi la cogí con un palo largo, pero mi pie resbaló y la hogaza se fue flotando más lejos. Claro que yo estaba donde la corriente se acerca más a la orilla; sabía lo bastante para estar al tanto de eso. Pero después de un rato vi venir otra y esta vez gané. Saqué el tapón, la sacudí para hacer salir la pizca de mercurio y le hinqué el diente. Era pan de panadero..., lo que come la gente bien; nada de ese pan de pobres, de maíz.

Me busqué un buen sitio entre las hojas y me senté en un tronco, masticando el pan y mirando el transbordador. Me encontraba bien satisfecho. Y luego se me ocurrió algo. Dije: «Creo que la viuda y el pastor o alguien rezó pidiendo que este pan me encontrara, y aquí está, lo ha hecho. Así que no cabe duda de que tiene algún sentido eso de rezar; eso es, hay algún sentido cuando reza una persona como la viuda o el pastor, pero que yo rece no funciona, y calculo que no funciona para nadie salvo para esa cierta clase de personas».

Encendí la pipa y fumé un rato largo y seguí mirando. El transbordador flotaba en la corriente y pensé que tendría la oportunidad de ver quién estaba a bordo cuando pasara, porque se acercaría mucho a la orilla, como había hecho el pan. Cuando llegó bastante cerca de donde estaba yo, apagué la pipa y fui adonde había pescado el pan y me tumbé detrás de un tronco en un pequeño claro de la orilla. Podía asomarme por entre la horqueta del tronco.

Horqueta: Parte de un árbol en la que una rama se junta con el tronco formando un ángulo agudo.

Poco después, el transbordador se acercó y flotó tan cerca que hubieran podido tender una pasarela y caminar a tierra. Casi todo el mundo estaba en ese barco. Papá y el juez Thatcher y Bessie Thatcher y Joe Harper y Tom Sawyer y su vieja tía Polly y Sid y Mary y muchos más. Todos hablaban del asesinato, pero el capitán los interrumpió y dijo:

—Miren con cuidado ahora; aquí es donde la corriente se acerca más a la orilla y tal vez lo haya arrojado a tierra y se haya quedado enredado entre los matorrales al borde del agua. Por lo menos, espero que sea así. Yo no esperaba que fuera así. Todos se apiñaron y se inclinaron sobre las barandillas, casi en mi cara, y se quedaron quietos y siguieron mirando con todas sus fuerzas. Yo podía verlos muy bien, pero ellos no podían verme a mí. Luego gritó el capitán: «¡Desatracad!», y el cañón disparó con tal estampido frente a mí que me dejó sordo con el ruido y casi ciego con el humo, y casi me di por muerto. Si lo hubieran cargado con bala, calculo que habrían tenido el cadáver que buscaban. Bien, pues vi que no me había hecho daño, gracias a Dios. El barco flotaba adelante y se perdió de vista detrás del saliente de la isla. Podía oír los estampidos de cuando en cuando, ya más y más lejos, y pasado un rato, después de una hora, no lo oí más. La isla tenía tres millas de largo. Juzgué que habían llegado a la parte inferior y habían abandonado la búsqueda. Pero no la dejaron todavía. Doblaron la punta de la isla y remontaron el canal del lado de Misuri, ya a fuerza de vapor, y se oía un estampido de vez en cuando al pasar. Crucé a ese lado y los estuve mirando. Cuando llegaron frente a la punta de la isla, dejaron de disparar y volvieron a la orilla de Misuri y se fueron al pueblo, a sus casas.

Ahora sabía que estaba a salvo. Nadie más vendría a buscarme. Saqué mis cosas de la canoa y me hice un simpático campamento en la parte de bosque espeso. Hice una especie de tienda con mis mantas para poner las cosas a salvo de la lluvia. Pesqué un bagre y lo limpié rasgándolo con la sierra. Hacia el anochecer encendí una hoguera y cené. Luego eché un sedal para pescar algo para el desayuno.

Cuando ya era de noche, estaba sentado junto a la hoguera, fumando y sintiéndome bastante satisfecho. Pero, después de un rato, me encontré un poco solo, así que fui y me senté en la orilla y escuché el chapoteo de la corriente y conté las estrellas y los troncos y balsas que bajaban a la deriva, y luego me acosté. No hay otra manera mejor de pasar el tiempo cuando te sientes triste y solitario; no puedes quedarte triste siempre, pronto se te pasa.

Y así durante tres días y tres noches. Sin cambios, todo igual. Pero al día siguiente fui a explorar isla abajo. Yo

Desatracar: Separarse una embarcación de la orilla o de otra nave.

era el jefe; toda la isla me pertenecía, por decirlo así, y quería conocerla. Pero más que nada quería distraerme. Encontré muchas fresas, maduras y de primera clase, y uvas silvestres verdes y frambuesas verdes; las zarzamoras verdes solo empezaban a apuntar. Juzgué que todas me serían útiles dentro de poco.

Zarzamora: Fruto de la zarza.

Bueno, fui curioseando por ahí, en el bosque profundo, hasta que pensé que no estaría lejos de la punta inferior de la isla. Llevaba la escopeta, pero no había cazado nada. Era para protegerme, aunque pensaba cazar algo cerca de casa. En ese momento casi pisé una culebra de regular tamaño, que se deslizó por la hierba y las flores, y yo detrás, tratando de pegarle un tiro. Iba corriendo y de repente di un brinco justo encima de las cenizas de una hoguera que humeaba todavía.

Mi corazón pegó un salto entre los pulmones. No esperé para mirar más, sino que desmonté el gatillo de la escopeta y regresé furtivamente, de puntillas, tan rápido como pude. De vez en cuando me paraba un segundo entre las hojas más espesas y escuchaba, pero me venía tan fuerte el aliento a la boca que no podía oír nada más. Me escabullí todavía un trecho más, luego escuché de nuevo, y así una y otra vez. Si veía un tocón de un árbol, lo tomaba por un hombre; si pisaba un palo y lo rompía, me parecía que alguien cortaba mi aliento en dos y solo me llegaba la mitad, y además la peor mitad.

Desmontar: Poner el mecanismo que sirve para disparar en ciertas armas de fuego de forma que no funcione.

Tocón: Parte inferior del tronco de un árbol que, al cortarlo por el pie, queda unida a la raíz.

Cuando llegué al campamento, no me sentía muy valiente, no tenía muy enteras las alas, pero me dije que no era momento de perder el tiempo. Así que metí todas mis cosas en la canoa otra vez para no dejarlas a la vista, apagué el fuego y desparramé las cenizas por todo alrededor, para que pareciera de un viejo campamento del año anterior, y luego trepé a un árbol.

Creo que estuve dos horas en el árbol, pero no vi nada, no oí nada, solo pensé que oía y veía como mil cosas distintas. Bueno, no podía quedarme ahí toda la vida, así que por fin me bajé, pero me metí en el bosque espeso y estuve vigilante todo el tiempo. Solo pude comer algunas bayas y las sobras del desayuno.

Baya: Fruto carnoso con semillas rodeadas de pulpa.

Cuando ya era de noche, tenía bastante hambre. Así que cuando estaba bien oscuro, antes de salir la luna, me deslicé a la canoa y remé hasta la orilla de Illinois, a un cuarto de milla. Fui al bosque, me hice la cena y casi había decidido que me quedaría allí toda la noche, cuando oí un plan-plan-plan, plan-plan-plan, y me dije: «Caballos que vienen». Y, entonces, oí voces de gente. Metí todo en la canoa tan rápido como pude y luego fui arrastrándome por el bosque a ver qué era aquello. No había avanzado mucho cuando oí a un hombre decir:

—Sería mejor acampar aquí si encontramos un buen sitio; los caballos están que no pueden más. Vamos a echar un vistazo.

Yo no me detuve; me alejé en la canoa y me escapé remando suavemente. Amarré en el antiguo sitio y pensé que debía dormir en la canoa.

No dormí mucho. Por alguna razón no pude, a fuerza de darle vueltas a la cabeza. Y cada vez que me despertaba, pensaba que alguien me tenía agarrado del cuello. Así que dormir no me hizo ningún bien. Poco después me dije a mí mismo: «No puedo vivir de esta manera. Voy a enterarme de quién está en la isla conmigo. O me entero o reviento». Bueno, en seguida me sentí mejor.

Así que cogí el remo y me deslicé apartándome solo un paso o dos de la orilla. Luego dejé la canoa bajar entre las sombras. Brillaba la luna; fuera de las sombras se veía todo tan claro como si fuese de día. Avancé lento durante casi una hora, con todo alrededor tan quieto y dormido como las piedras. Bueno, ya había llegado casi a la punta baja de la isla. Una pequeña brisa rizada empezó a soplar, que es como decir que la noche casi había terminado. Hice girar la canoa con el remo y la encallé en la orilla, luego cogí la escopeta y me escurrí fuera en dirección al borde del bosque. Me senté allí en un tronco y miré por entre las hojas. Veía la luna, que dejaba su turno de guardia, la oscuridad comenzaba a cubrir el río. Pero un rato después vi una raya pálida sobre las copas de los árboles y supe que estaba acercándose el día. De modo que cogí la escopeta y me fui deslizando hacia donde había tropezado con la hoguera, deteniéndome a cada minuto a escuchar. Pero no sé por qué, no tuve suerte y no pude encontrar el lugar. Sin embargo, un instante después avisté clarísimamente de lejos un fuego entre los árboles. Fui

Encallar: Dar una embarcación en arena o piedras y quedarse sin posibilidad de moverse.

Síncope: Desmayo, desvanecimiento.

derecho hacia él, cauteloso y lento. Al poco rato estuve bastante cerca como para verlo bien, y vi un hombre echado en el suelo. Casi me dio un síncope. El hombre tenía la cabeza envuelta en una manta muy cerca del fuego. Me senté tras unos matorrales a casi dos metros de él, sin quitarle los ojos de encima. Ya iba amaneciendo y había una luz gris. Un rato después, el hombre bostezó, se estiró, echó la manta a un lado y... ¡era Jim, el de la señorita Watson! Vaya si me alegré al verle. Dije:

—¡Hola, Jim! —y salí de un brinco.

Él se puso de pie de un salto y me miró con ojos de loco. Luego cayó de rodillas y juntó las manos y dijo:

—¡No me hagas daño, no! Nunca he hecho daño a un fantasma. Siempre me han gustado los muertos y les he hecho todo el bien que he podido. Vete y métete en el río otra vez, donde debes estar, y no le hagas nada al viejo Jim, que siempre fue amigo tuyo.

Bueno, no tardé mucho en hacerle entender que no estaba muerto. Me alegraba tanto ver a Jim... Ya no estaba yo solo y triste. Le dije que tampoco tenía miedo de que él fuera a contarle a la gente dónde estaba yo. Seguí hablando y hablando, pero él seguía allí mirándome, no decía nada. Luego le dije:

—Ya es de día. Vamos a desayunar. Aviva bien tu hoguera.

—¿Para qué vale avivar la hoguera, para cocer fresas y esas cosas crudas? Pero tú tienes una escopeta, ¿no? Podrás cazar algo mejor que fresas.

—¿Fresas y cosas crudas? —le pregunté—. ¿Eso es lo que comes?

—No pude conseguir nada más —dijo.

—¿Cuánto tiempo llevas en la isla, Jim?

—Vine acá la noche después de que te mataron.

—¿Qué? ¿Todo ese tiempo?

—Sí, seguro.

Broza: Conjunto de hojas, ramas, pajas, cortezas y otros desperdicios de las plantas.

—¿Y no has comido más que ese tipo de brozas?

—No, señor..., nada más.

—Pues debes estar casi muerto de hambre, ¿verdad?

—Me parece que podría comerme un caballo. Creo que podría. ¿Cuánto llevas tú en la isla?

—Llevo desde la noche en que me mataron.

—¡No! ¿Y cómo te has mantenido? Pero tienes la escopeta, claro, tienes la escopeta. Eso está muy bien. Ahora caza algo y yo voy a avivar el fuego.

Así que fuimos hasta la canoa y, mientras él hacía el fuego en un claro cubierto de hierba entre los árboles, yo llevé harina, tocino y café, la cafetera y la sartén, el azúcar y las tazas de hojalata; el negro estaba sorprendido porque creía que todo era cosa de brujería. Además, pesqué un buen bagre grande y Jim lo limpió con su cuchillo y lo frio. Cuando estuvo preparado el desayuno, nos tumbamos en la hierba y nos comimos todo, echando humo de caliente que estaba. Jim cargó su estómago cuanto pudo porque se sentía casi muerto de hambre. Luego, una vez que estuvimos bastante llenos, lo dejamos y nos dimos a la pereza.

Poco después dijo Jim:

—Pero, Huck, ¿a quién mataron en esa choza si no fue a ti?

Entonces le conté toda la historia y él dijo que era de listos el haberlo hecho así. Dijo que Tom Sawyer no podría inventar un plan mejor que el que yo había trazado. Luego le pregunté:

—¿Cómo es que tú estás aquí, Jim, y cómo llegaste?

Se puso bastante inquieto y no dijo nada durante un minuto. Luego me dijo:

—A lo mejor no debería contártelo.

—¿Por qué, Jim?

—Bueno, hay razones... Pero tú no se lo contarás a nadie si te lo digo, ¿verdad, Huck?

—Maldito si lo hiciera, Jim.

—Bueno, te creo, Huck: me escapé.

—¡Jim!

—Recuerda, dijiste que no lo contarías..., sabes que dijiste que no lo contarías, Huck.

—Bueno, sí lo dije. Dije que no lo haría y lo mantengo. Palabra de indio. Me llamarán puerco abolicionista y me despreciarán por callarlo, pero da igual. No voy a contarlo y, además, no voy a volver nunca allí. Así que cuéntamelo todo.

—Bueno, mira, pasó de esta manera. La vieja señora, la señorita Watson, estaba pinchándome todo el tiempo, dale que te pego, y me trataba con bastante dureza, pero

Abolicionista: Partidario de la abolición de la esclavitud.

siempre decía que no me vendería río abajo en Orleáns[1]. Pero me di cuenta de que estuvo un tratante de negros por allí bastantes veces en aquellos días y me empecé a preocupar. Bueno, una noche me acerqué a la puerta bastante tarde, la puerta no estaba bien cerrada y oí a la vieja señora decirle a la viuda que me iba a vender en Orleáns; que no quería hacerlo, pero que, claro, le daban ochocientos dólares por mí y era un montón tan grande de dinero que no podía resistirse. La viuda trató de convencerla para que no lo hiciera, pero yo no esperé a escuchar lo demás. Me marché deprisa, deprisa, te digo. Me fui y corrí cuesta abajo. Esperaba robar un esquife por la orilla arriba del pueblo, pero había gente andando por allí todavía, así que me escondí en el viejo taller destartalado del tonelero, en la orilla, a esperar que se fuera todo el mundo. Bueno, estuve allí toda la noche. Siempre quedaba alguien por allí. Ya a eso de las seis de la mañana, los esquifes empezaron a pasar; y a las ocho o las nueve, en cada esquife que pasaba, hablaban de cómo fue tu papá al pueblo para decir que te habían matado. Los últimos esquifes estaban llenos de señoras y caballeros que iban a ver el lugar del crimen. A veces se detenían a descansar en la orilla antes de cruzar el río; así, por lo que contaban, llegué a saber todo sobre el asesinato. Estaba muy apenado de que te hubieran matado, Huck, pero ya no lo estoy. Estuve escondido, echado allí, bajo las virutas, todo el día. Tenía hambre, pero no tenía miedo, porque sabía que la vieja señora y la viuda iban a salir para la reunión en el campo después del desayuno y que estarían fuera todo el día; y ellas sabían bien que yo me iba con el ganado al amanecer, así que no esperarían verme por la casa y no me echarían de menos hasta después del anochecer. Tampoco los otros criados me echarían de menos porque seguro que se irían de fiesta en cuanto estuvieran fuera las viejas... Bueno, pues cuando se hizo de noche, me eché a andar por el camino del río y fui unas dos millas o más

Tratante: El que compra mercancías para después venderlas.

---

[1] Aunque en Misuri, donde viven Jim y Huck, existía la esclavitud, las condiciones de vida de los esclavos eran aún peores en las grandes plantaciones situadas más al sur. Por ello, vender a un esclavo río abajo significaba condenarle a una vida todavía más dura.

hasta donde no había casas. Tenía decidido lo que iba a hacer. Si seguía tratando de huir a pie, los perros seguirían mis huellas; si robaba un esquife para cruzar el río, echarían de menos el esquife, te das cuenta, sabrían más o menos dónde desembarcaría al otro lado, y así sabrían dónde volver a encontrar mis huellas. Así que me dije que me hacía falta una balsa: una balsa no deja ninguna huella. Un rato después vi una luz que venía doblando la punta, así que me metí en el río caminando, empujé un tronco delante de mí y nadé hasta más allá del centro del río, me escondí entre los troncos que iban a la deriva, tuve escondida la cabeza y nadé un poco contra la corriente hasta que llegó la balsa. Luego nadé hacia la popa y me agarré a ella. El cielo se nubló y la noche se puso bastante oscura un rato. Así que trepé y me eché en las tablas. Los hombres estaban hacia el centro, donde estaba la linterna. El río iba creciendo y había buena corriente, así que calculé que a las cuatro de la mañana estaría a veinticinco millas río abajo y luego me echaría al agua antes del amanecer y nadaría a tierra y me escondería en el bosque en la parte de Illinois. Pero no tuve suerte. Cuando estábamos casi llegando a la punta de la isla, un hombre empezó a venir hacia la popa con la linterna. Entonces vi que era inútil esperar, así que me metí en el agua y eché a nadar hacia la isla. Bueno, pensé que podría tomar tierra en cualquier parte, pero no pude: la orilla era demasiado escarpada. Llegué casi a la punta inferior de la isla antes de encontrar un buen sitio. Me metí en el bosque y pensé que no iba a mezclarme más con las balsas mientras moviesen las linternas de acá para allá de esa manera. Tenía mi pipa, tabaco y unos fósforos en la gorra, y nada de esto se había mojado, así que estaba a gusto.

—¿Y no has comido ni carne ni pan en todo este tiempo? ¿Por qué no te conseguiste tortugas de río?

—¿Cómo iba a cogerlas? No puedes acercarte por sorpresa y agarrarlas. ¿Y cómo vas a darles con una piedra de noche? Está claro que no iba a dejarme ver en la orilla durante el día...

—Bueno, es verdad. Tenías que estar escondido en el bosque todo el tiempo, por supuesto que sí. ¿Los oíste disparar el cañón?

—Ah, sí. Sabía que te buscaban. Los vi pasar por acá, los miré entre los matorrales. Vimos venir unos pájaros jóvenes; volaban un metro o dos, se posaban, volvían a volar y volvían a posarse. Jim dijo que era señal de que iba a llover, que era una señal cuando los pollos jóvenes de gallina volaban de esa manera, y por eso pensaba que era lo mismo cuando lo hacían los pájaros jóvenes. Yo iba a coger alguno, pero Jim no me dejó. Dijo que sería la muerte, que una vez su padre estaba terriblemente malo y alguien cogió un pájaro, y su vieja abuelita dijo que moriría su padre, y eso fue lo que paso.

Y Jim dijo que no debes hablar de las cosas que vas a guisar para la comida porque eso trae mala suerte. Lo mismo pasaba si sacudías un mantel después de la puesta del sol. Y dijo que si un hombre era dueño de una colmena y ese hombre moría, había que contárselo a las abejas antes de la salida del sol la mañana siguiente, o si no, las abejas se pondrían débiles, dejarían de trabajar y morirían. Jim dijo que las abejas no pican a los tontos, pero yo no lo creía porque a mí tampoco me picaban; lo había comprobado muchas veces.

Yo había oído hablar antes de algunas de estas cosas, pero no de todas. Jim conocía cualquier clase de señales. Afirmó que lo sabía casi todo. Yo le dije que me parecía que todas las señales eran de mala suerte, así que le pregunté si no había señales que fueran de buena suerte. Entonces él dijo:

—Muy pocas... y no sirven para nada. ¿Para qué quieres saber si viene la buena suerte? ¿Quieres ahuyentarla?

—y luego dijo—: Si tienes el pecho y los brazos peludos, es señal de que vas a ser rico. Bueno, esa señal vale para algo porque podría pasar muy lejos en el futuro lo que predice. Ves, quizá tienes que ser pobre mucho tiempo y podrías perder el ánimo y matarte si no supieras por la señal que vas a ser rico pasado algún tiempo.

—¿Tú tienes los brazos y el pecho peludos, Jim?

—¿Para qué me haces esa pregunta? ¿No ves que sí?

—Bueno, ¿eres rico?

—No, pero fui rico una vez y voy a ser rico otra vez. Una vez tuve catorce dólares, pero me dio por especular y me arruiné.

Especular: Comprar un bien cuyo precio se espera que va a subir a corto plazo con el único fin de venderlo oportunamente y obtener un beneficio.

—¿Especular? ¿En qué negocios te metiste, Jim?

—Bueno, primero lo intenté con la ganadería.

—¿Qué tipo de ganadería?

—Pues, ganadería..., ganado, ya sabes. Puse diez dólares en una vaca. Pero no voy a arriesgar más dinero con la ganadería. La vaca se me quedó muerta en las manos.

—Así que perdiste los diez dólares.

—No, no los perdí todos. Solo perdí unos nueve. Vendí el pellejo y el sebo por un dólar y diez centavos.

—Te quedaban cinco dólares y diez centavos. ¿Negociaste más?

—Sí. ¿Conoces a ese negro cojo que pertenece al viejo señor Bradish? Bueno, él montó un banco y dijo que el que metiera un dólar tendría cuatro dólares más al final del año. Bueno, todos los negros metieron su dinero, pero no tenían mucho. Yo era el único que tenía algo. Así que pedí que me diera más de cuatro dólares y le dije que si no me los daba, fundaría un banco yo mismo. Bueno, claro que ese negro no quería que yo me metiera en el negocio de los bancos porque decía que no había bastante negocio como para dos bancos, así que me dijo que bien, que yo podría meter mis cinco dólares y él me pagaría treinta y cinco al final del año. Así que lo hice. Calculaba yo que iba a invertir mis treinta y cinco en seguida y que las cosas seguirían en movimiento. Había un negro llamado Bob, que había agarrado del río una barca chata, y su amo no lo sabía; y yo se la apalabré y le dije que cobraría los treinta y cinco dólares cuando llegara el final del año, pero alguien robó la barca esa noche y, al día siguiente, el negro cojo también va y dice que el banco está en quiebra. Así que ninguno de nosotros conseguimos ningún dinero.

—¿Y qué hiciste con los diez centavos, Jim?

—Bueno, iba a gastarlos, pero tuve un sueño, y el sueño me dijo que se los diera a un negro llamado Balum... Asno de Balum[2] le llaman; es uno de esos cabezotas bobos, ya sabes. Pero decían que tenía suerte y yo ya veía que no tenía ninguna suerte. El sueño me dijo que dejara

Sebo: Grasa sólida de origen animal que sirve para hacer velas, jabones y para otros usos.

Chata: Embarcación de pequeño tamaño que se utiliza en aguas poco profundas.

---

[2] Alusión a la bíblica burra de Balam *(Números* 22,22-35).

a Balum invertir los diez centavos y él me los aumentaría. Bueno, Balum tomó el dinero y, cuando estaba en la iglesia, le oyó al predicador decir que quien da a los pobres presta al Señor y que sin falta recibirá la recompensa cien veces. Así que Balum fue y les dio los diez centavos a los pobres y luego se escondió por allí a ver qué resultaba de aquello.

—Bueno, ¿y qué resultó, Jim?

—Nunca resultó nada. No pude cobrar ese dinero de ninguna manera, ni tampoco Balum. No voy a prestar más dinero sin tener en cuenta las garantías. ¡Se recibe la recompensa cien veces, dice el predicador! Pues bien, solo con que pudiera recibir los diez centavos diría yo que es un trato justo, y todos contentos.

—Bueno, no pasa nada, Jim, puesto que vas a ser rico otra vez, pronto o tarde.

—Sí, y soy rico ahora, si lo miras bien. Yo me pertenezco a mí mismo y valgo ochocientos dólares. Me gustaría tener ese dinero, no querría tener más.

Capítulo 9

Yo quería ir a ver un lugar situado casi en medio de la isla, que había encontrado mientras exploraba; así que nos pusimos en marcha y pronto llegamos porque la isla solo tenía tres millas de largo y un cuarto de milla de anchura. Este lugar era una colina o cresta empinada y larga, de unos doce metros de altura. Pasamos un rato difícil subiendo a la cima porque las laderas eran muy empinadas y la maleza muy tupida. Trepamos y caminamos por toda la colina y al poco encontramos una caverna en la roca, casi en la cima por el lado que daba a Illinois. La caverna tenía el tamaño de dos o tres cuartos grandes juntos, y Jim podía ponerse derecho dentro. Hacía allí mucho fresco. Jim era partidario de meter nuestras cosas dentro en seguida, pero yo le dije que no nos apetecería trepar y bajar por ahí todo el tiempo.

Tupida: Formada por elementos muy juntos y apretados entre sí.

Jim dijo que si tuviéramos la canoa escondida en un buen sitio y todas las cosas en la caverna, podríamos refugiarnos ahí si venía alguien a la isla y que nunca nos encontrarían sin usar perros. Y dijo además que los pajarillos habían dicho que iba a llover; me preguntó si quería yo acaso que se mojaran las cosas.

Así que regresamos, cogimos la canoa, remamos hasta la altura de la caverna y arrastramos todas las cosas hasta allá arriba. Luego buscamos cerca un lugar donde esconder la canoa, entre los sauces más espesos. Recogimos unos peces de los sedales y otra vez echamos los sedales al agua y empezamos a prepararnos para comer. La puerta de la caverna era tan amplia que se hubiera podido meter por ella rodando un tonel grande, y a un lado de la puerta el suelo sobresalía un poco, pero era plano y había un buen sitio donde hacer el fuego. Así que lo hicimos allí y cocinamos la comida.

Tendimos las mantas dentro como alfombra y comimos allí dentro. Pusimos todas las otras cosas a mano, al fondo de la caverna. Al rato empezó a oscurecerse el cielo y comenzaron los truenos y los relámpagos, así que los pájaros tenían razón. En seguida empezó a llover, y además llovió con toda la furia. ¡Yo nunca había visto soplar tanto el viento! Era de veras una de esas tempestades de verano. Se puso tan oscuro que se veía todo negro y azul fuera, muy bonito. Y la lluvia iba azotando todo, tan espesa que se veían los árboles a poca distancia como borrosos y llenos de telarañas. Venía entonces una ráfaga de viento que doblaba los árboles y descubría la parte oculta y pálida de las hojas. Y luego seguía una terrible descarga, que hacía a las ramas agitar los brazos como si estuvieran totalmente enloquecidas y, entonces, cuando estaba el cielo de lo más azul y de lo más negro..., ¡zas!, se ponía tan brillante como la gloria y te daba una estampa instantánea de las copas de los árboles corcoveando allá lejos, en la tormenta, cientos de metros más allá de lo que podías ver antes. Después volvía a estar todo oscuro como el pecado otra vez, en un segundo, y entonces oías los truenos caer con un estallido terrible y luego seguían retumbando y refunfuñando y revolcándose por todo el cielo abajo hacia el otro lado del mundo, como barriles vacíos rodando escaleras abajo... en un lugar donde las escaleras sean largas y los barriles salten bastante.

—Jim, esto es bonito —dije—. Ahora no querría estar en ningún otro lugar... Alcánzame otro trozo de pescado, quieres, y uno de esos panes de maíz calientes.

—Bueno, no estarías aquí si no fuera por Jim. Seguro que habrías estado allá abajo, en el bosque, sin comida y, además, casi ahogándote. Esa es la verdad... Los pollos, mi niño, saben cuándo va a llover, y también los pájaros.

El río siguió creciendo y creciendo durante diez o doce días, hasta que se salió de las orillas. El agua alcanzaba un metro y más de profundidad en los sitios bajos de la isla y en los terrenos bajos del lado de Illinois. A ese lado, el río cubría una anchura de bastantes millas, pero al lado de Misuri seguía igual, media milla de ancho, porque la orilla de Misuri era un muro de altas escarpaduras.

Corcovear: Saltar los animales (por ejemplo, los caballos) encorvando el lomo.

Escarpadura: Declive brusco.

Durante el día remábamos en la canoa por toda la isla. Hacía mucho fresco y había sombra en el bosque profundo, aun cuando ardía el sol afuera. Íbamos serpenteando entre los árboles y a veces las enredaderas colgaban tan espesas que teníamos que retroceder y buscar otro camino. Bueno, en cada viejo árbol destartalado se podían ver conejos y culebras y cosas así y, cuando la isla llevaba un día o dos inundada, se ponían tan mansos, a causa del hambre que tenían, que podías acercarte a ellos remando y tocarlos con la mano si querías; pero no a las culebras ni a las tortugas..., esas se deslizaban al agua. La cuesta donde estaba la caverna estaba llena de animales. Podríamos haber tenido muchos animales domésticos si hubiéramos querido.

Una noche nos apoderamos de una sección pequeña de una armadía, eran unas buenas tablas de pino. Tenía cuatro metros de ancho y unos cinco a seis metros de largo, y la parte superior sobresalía del agua unos quince centímetros: un piso sólido y plano. A veces, de día, podíamos ver pasar troncos serradizos, pero los dejábamos irse; no nos dejábamos ver de día.

Serradizo: *Adecuado* *para serrarlo.*

Otra noche, encontrándonos en la punta de la isla, un poco antes del amanecer, por el lado del oeste, vimos que venía flotando una casa de madera. Era de dos pisos y bastante inclinada en el agua. Remamos cerca, la abordamos y trepamos hasta una ventana del segundo piso. Pero estaba demasiado oscuro todavía para ver bien, así que amarramos la canoa y nos quedamos sentados en ella para esperar la luz del día.

Se estaba haciendo de día antes de llegar nosotros a la punta baja de la isla. Entonces miramos por la ventana. Podíamos distinguir una cama, una mesa, dos sillas viejas y muchas cosas tiradas en el suelo, y había ropa colgada en la pared. Había algo tumbado en el suelo en un rincón del fondo, algo que parecía un hombre. Así que dijo Jim:

—¡Eh, tú!

Pero no se movía. De modo que yo grité otra vez y luego Jim dijo:

—Ese hombre no está dormido..., está muerto. Tú no te muevas..., voy a ver.

Fue, miró y dijo:

—Es un hombre muerto. Sí, sí, de veras y, además, desnudo. Tiene un tiro en la espalda. Calculo que hace dos o tres días que está muerto. Entra, Huck, pero no le mires la cara..., es demasiado espantosa.

Yo no le miré en absoluto. Jim le echó encima unos trapos viejos para cubrirle, pero no hacía falta; yo no quería verlo. Había montones de viejos naipes grasientos tirados por todo el suelo, y viejas botellas de *whisky* y un par de máscaras hechas de tela negra, y en las paredes, por todas partes, había pintadas con carbón palabras y dibujos de esos de los más burdos e ignorantes. Colgados en la pared había dos viejos vestidos de percal sucios, un sombrero de mujer para el sol, ropa interior de mujer y también algunas ropas de hombre. Metimos todo en la canoa: podría sernos útil. Había un viejo sombrero moteado de paja adecuado para muchacho; me lo llevé también. Y había una botella que había contenido leche y que tenía un tapón de trapo para que chupara de ella un bebé. Nos hubiéramos llevado la botella, pero estaba rota. Había, además, una vieja cómoda raída y un viejo baúl de cuero con las bisagras saltadas. Estaban abiertos, pero no quedaba dentro nada útil. Por la manera de estar tiradas las cosas, calculamos que la gente había salido deprisa y no se encontraba en condiciones de llevarse la mayor parte de lo que había.

Nos hicimos con una vieja linterna de hojalata, un cuchillo de cocina que no tenía mango, una navaja nueva de bolsillo de la marca Barlow, que valía veinticinco centavos en cualquier tienda, muchas velas de sebo, un candelero de hojalata, una calabaza para el agua, una taza de hojalata, un viejo edredón andrajoso que quitamos de la cama, un bolso con agujas y alfileres y cera y botones e hilo y otras cosas por el estilo, una hachuela y unos clavos, una cuerda de pescar tan gruesa como mi dedo meñique con unos anzuelos monstruosos, un rollo de piel de ante, un collar de cuero para perros, una herradura y varios frascos de medicinas que no tenían etiquetas. Y ya estábamos a punto de irnos cuando encontré una rascadera bastante buena y Jim encontró un viejo y raído arco de violín, y una pierna de madera. Tenía las correas arrancadas, pero, fuera de eso, era una pierna bastante buena, aunque resultaba demasiado larga para mí y demasiado

Percal: Tela barata de algodón.

Bisagra: Mecanismo de metal consistente en dos piezas con un eje común. Una de las piezas se sujeta a un sostén fijo y la otra a una tapa o una puerta, por ejemplo, y al juntarlas giran una sobre la otra.

Candelero: Utensilio formado por un cilindro hueco donde se mantiene derecha una vela.

Hachuela: Hacha pequeña que se utilizaba al abordar una nave.

Rascadera: Utensilio para rascar pieles, metales...

corta para Jim. No pudimos encontrar la pareja, aun cuando buscamos por todas partes. Y así, considerado todo, juntamos un buen botín. Cuando estábamos listos para desatracar, nos encontramos a un cuarto de milla aguas abajo de la isla y era ya pleno día, de modo que le hice a Jim tenderse en el fondo de la canoa y taparse con el edredón porque, sentado, la gente podría ver desde bastante lejos que era negro. Remé hacia la orilla de Illinois y la corriente me llevó casi media milla río abajo mientras lo hacía. Fui remando con cuidado en las aguas muertas cerca de la ribera y no tuve ningún accidente ni vi a nadie. Llegamos a casa sanos y salvos.

Capítulo 10

Después del desayuno, yo quería hablar del muerto y adivinar cómo había llegado a estarlo, pero Jim no quería. Dijo que nos traería mala suerte y que, además, tal vez vendría el muerto y vagaría por allí para molestarnos; dijo que era más probable que un hombre que no estaba enterrado apareciera y vagara que uno que estaba bien plantado y cómodo. Eso me parecía razonable, así que no dije más; pero no podía evitar pensar en el asunto y quería saber quién mató al hombre a tiros y por qué lo hizo.

Registramos la ropa que habíamos llevado y encontramos ocho dólares en plata cosidos en el forro de un viejo abrigo hecho de una manta. Jim dijo que creía que la gente de esa casa había robado el abrigo porque si hubieran sabido que estaba allí el dinero, no lo habrían dejado. Yo dije que creía que ellos también habían matado al hombre, pero Jim no quería hablar del asunto. Entonces le dije:

—Tú crees que trae mala suerte, pero ¿qué dijiste cuando yo traje a casa la piel de culebra que encontré anteayer en lo alto de la cresta? Me dijiste que eso de tocar una piel de culebra con las manos traía toda la peor suerte que hay en el mundo. Bueno, ¡aquí tienes tu mala suerte! Hemos ganado todos estos trastos y, además, ocho dólares. Me gustaría que nos cayera una mala suerte como esta todos los días, Jim.

—No te preocupes, guapo, no te preocupes. No te pongas tan ancho. Ya vendrá. Hazme caso, te digo que vendrá.

Y vino de veras. Fue el martes cuando hablamos de esto, pues el viernes, después de cenar, estábamos tumbados en la hierba en lo alto de la colina y se nos acabó el tabaco. Entonces, me acerqué a la caverna para buscar más y encontré allí dentro una serpiente de cascabel. La

maté y la enrosqué a los pies de la manta de Jim, dejándo-
la muy natural y pensando que nos divertiríamos cuando
Jim la encontrara allí. Bueno, cuando llegó la noche, se
me había olvidado por completo la serpiente y, cuando
Jim se echó en la manta mientras yo encendía la luz, la
pareja de la serpiente muerta estaba allí y mordió a Jim.
Se levantó de un salto, gritando. Y la primera cosa
Bicha: Culebra. que mostró la luz fue la bicha enroscada y lista para otro
ataque. Yo la dejé muerta en un segundo con un palo y
Jim agarró el jarro de papá lleno de *whisky* y empezó a
tragar y tragar.

Estaba descalzo y la culebra le había mordido justo en
el talón. Todo eso ocurrió porque soy tan tonto que no recordé que cuando dejas una culebra muerta, la pareja
siempre viene y se le enrosca alrededor. Jim me mandó
cortar la cabeza de la culebra, tirarla y luego despellejar
el cuerpo y asar un trozo de la carne. Lo hice y él se lo co-
mió y dijo que le ayudaría a curarse. Además, me mandó
quitar los cascabeles y atárselos alrededor de la muñeca.
Dijo que eso también le ayudaría. Luego salí a escondidas y tiré las dos culebras lejos, entre los matorrales porque no iba a dejarle a Jim descubrir que yo tenía toda la
culpa, no iba a descubrirlo si podía evitarlo, claro.

Jim chupó y chupó del jarro. De vez en cuando se ponía fuera de sí y daba vueltas y gritaba; pero en cuanto se
recobraba, volvía otra vez a chupar del jarro. Se le hinchó
bastante el pie y también la pierna, pero después de un
rato le vino la borrachera, de modo que juzgué que se
pondría bien. Sin embargo, yo habría preferido la morde-
dura de una culebra al *whisky* de papá.

Jim estuvo en la cama cuatro días y cuatro noches. Después le desapareció la hinchazón y se encontraba bien otra
vez. Decidí que nunca más cogería con las manos una
piel de culebra, puesto que había visto lo que había sucedido por eso. Jim dijo que creía que la próxima vez le haría caso. Y dijo que tocar una piel de culebra traía una
mala suerte tan terrible que tal vez todavía no hubiéramos llegado al fin de esa mala suerte. Dijo que era mil
veces mejor mirar la luna nueva por encima del hombro
izquierdo que coger con la mano una piel de culebra.
Bueno, yo empecé a sentir lo mismo, aunque siempre he

pensado que mirar la luna nueva por encima del hombro izquierdo es una de las cosas más descuidadas y tontas que se pueda hacer. El viejo Hank Bunker lo hizo una vez y se jactó de ello; antes que pasaran dos años, se emborrachó y se cayó de la torre de fundición y se desparramó tanto por el suelo que quedó como una torta fina, por decirlo así; le pusieron entre dos puertas de granero, que le valieron de ataúd, y le enterraron. Eso es lo que dicen, pero yo no lo vi. Papá me lo contó. Pero, en todo caso, eso le pasó por haber mirado la luna de esa manera, como un tonto.

Bueno, fueron pasando los días, y el río bajó hasta sus riberas otra vez. Y la primera cosa que hicimos fue poner de cebo un conejo despellejado en uno de los anzuelos grandes, echamos la cuerda y pescamos un bagre tan grande como un hombre; tenía más de dos metros de largo y pesaba más de noventa kilos. No podíamos sacarle vivo, por supuesto; de un coletazo nos habría lanzado hasta el estado de Illinois. Solo nos sentamos y le miramos correr y dar coletazos por acá y por allá a todo vapor hasta que se ahogó. Luego encontramos en su estómago un botón de cobre y una pelota y muchos desechos. Abrimos la pelota con una hachuela y había dentro un carrete. Jim dijo que seguro que lo tenía allí desde hacía mucho tiempo, al ver cómo se había recubierto tanto, hasta formar una pelota. Era un pez tan grande como los mayores que se hayan pescado nunca en el Misisipi, calculo yo. Jim dijo que nunca había visto uno más enorme. Habría valido bastante dinero al otro lado, en el pueblo. Este tipo de pescado lo venden allí por libras en el mercado y todo el mundo compra un trozo. La carne es tan blanca como la nieve y frita es muy sabrosa.

Libra: Unidad de masa que equivale a 0,453 kg.

A la mañana siguiente le dije a Jim que la situación se iba volviendo lenta y aburrida y que yo quería hacer algo. Dije que pensaba cruzar el río y enterarme de lo que pasaba. A Jim le gustó la idea, pero opinó que debería ir de noche y estar alerta. Luego lo estudió un rato y me preguntó por qué no me vestía con algunas cosas viejas de esas que teníamos y me disfrazaba de chica. Esa también era una buena idea. Así que acortamos uno de los vestidos de percal, yo me remangué los pantalones hasta las rodillas y luego me puse el vestido. Jim me abrochó por detrás los corchetes y me quedaba bastante bien. Me puse el sombrero para el sol y me lo até por debajo de la barbilla. Si alguien hubiera querido asomarse y verme la cara, creo que habría sido como si mirara por un trozo del tubo de una estufa. Jim dijo que difícilmente me reconocería alguien, incluso de día. Yo practicaba a todas horas, aunque Jim dijo que no caminaba como una chica y que debía dejar de levantarme la falda para meterme la mano en el bolsillo del pantalón. Le presté atención y después lo hacía mejor.

Salí en la canoa aguas arriba por la orilla de Illinois poco después de oscurecido.

Empecé a cruzar hacia el pueblo desde algo más abajo del embarcadero del transbordador, y la fuerza de la corriente me llevó junto al pueblo. Amarré y caminé por la orilla. Vi una luz en una pequeña choza donde no había vivido nadie desde hacía mucho tiempo y me pregunté quién se habría alojado allí. Me acerqué y espié por la ventana. Había una mujer de unos cuarenta años dentro; hacía punto a la luz de una vela colocada encima de una mesa de pino. No conocía yo esa cara; era de seguro forastera porque en aquel pueblo no había cara que yo no conociese. Era una suerte porque empezaba a desanimarme, empezaba a sentir miedo de haber ido; la gente podía reconocerme por la voz y descubrirme. Pero si esa mujer llevaba dos días en un pueblo tan pequeño, podría contarme todo lo que yo quería saber. Así que llamé a la puerta y decidí no olvidar que era una chica.

Capítulo 11

—Pasa —me dijo la mujer, y yo entré. Me dijo—: Toma asiento —y lo hice. Me miró de arriba abajo con sus pequeños ojos brillantes y luego me preguntó—: ¿Y cómo te llamas?

—Sarah Williams.

—¿Dónde vives? ¿En esta vecindad?

—No, señora. En Hookerville, siete millas río abajo. He hecho a pie todo el camino y estoy muy cansada.

—Y con hambre también, supongo. Te buscaré algo.

—No, señora, no tengo hambre. Tenía tanta que tuve que entrar en una granja a dos millas aguas abajo, así que ya no tengo hambre. Por eso he tardado tanto. Mi madre está enferma y no tiene dinero ni nada, y vengo a decírselo a mi tío Abner Moore. Vive en la parte alta del pueblo, según me dijo mi madre. Nunca he estado aquí antes. ¿Usted le conoce?

—No, pero no conozco aún a todo el mundo. No llevo aquí ni dos semanas. Está bastante lejos la parte alta del pueblo. Mejor te quedas con nosotros a pasar la noche. Quítate el sombrero.

—No —dije—. Creo que descansaré un rato y luego voy a seguir camino. No me da miedo la oscuridad.

Ella me dijo que no me dejaría seguir sola; su marido vendría dentro de poco, tal vez una hora y media, y le mandaría que me acompañara. Luego comenzó a hablar de su marido y de sus parientes de río arriba y de sus parientes de río abajo y de cómo vivían mejor antes y de cómo no sabían si era un error haberse venido a nuestro pueblo en vez de dejar las cosas como estaban. Y así seguía y seguía, hasta que llegué a pensar si no había sido un error el acudir a ella para enterarme de lo que pasaba en el pueblo. Pero, al poco rato, la mujer entró en el asunto de papá y el asesinato, y entonces yo estaba dispuesto a

dejarla seguir charlando. Me contó la historia de cómo
encontramos yo y Tom Sawyer los doce mil dólares (solo
que para ella eran veinte mil) y habló de papá y de qué
mala persona era y de qué mala persona era yo y, por fin,
llegó al punto de mi asesinato. Entonces dije:

—¿Quién lo hizo? Hemos oído hablar bastante de ese
asunto allá abajo, en Hookerville, pero no sabemos quién
fue el que mató a Huck Finn.

—Bueno, supongo que hay cantidad de gente aquí
mismo que querría saber quién le mató. Algunos piensan
que le mató el propio viejo Finn.

—No, ¿es verdad?

—Casi todo el mundo lo pensó al principio. Él nunca
sabrá lo cerca que anduvo de que lo lincharan. Pero, antes de caer la noche, cambiaron de opinión y decidieron
que lo hizo un negro escapado, llamado Jim.

—Pero él...

Me contuve. Pensé que sería mejor callarme. Ella siguió y no se dio cuenta de que yo la había interrumpido:

—El negro se escapó la misma noche que mataron a
Huck. Así que ofrecen una recompensa por cogerle: trescientos dólares. Y ofrecen también una recompensa por
el viejo Finn: doscientos dólares. Resulta que vino al pueblo la mañana después del asesinato, lo contó y fue con
toda la gente en el transbordador a buscar al muchacho y
después, en seguida, se fue. Antes de caer la noche querían lincharle, pero ya se había ido. Bueno, al día siguiente se enteraron de que se había escapado el negro; supie-
ron que no se le había visto desde las diez de la noche
del día del asesinato. Así que, ya ves, le acusaron a él. Y
mientras estaban metidos en eso, al día siguiente, volvió
el viejo Finn y comenzó a llorar al juez Thatcher para que
le diera dinero con que buscar al negro por todo el estado de Illinois. El juez le dio algún dinero y esa tarde se
emborrachó y paseó hasta después de medianoche con
un par de forasteros de muy mala pinta y luego se fue
con ellos. Bueno, no ha vuelto desde entonces y no espe-
ran verle hasta que se calme este asunto un poco, porque
ahora otra vez la gente piensa que mató a su hijo y que
arregló las cosas para que pensara la gente que lo hicieron ladrones y así él conseguiría el dinero de Huck sin

tener que molestarse mucho rato con un pleito. La gente dice que no es tan buena persona como para no ser capaz de hacerlo. Ah, es astuto, creo yo. Si no vuelve dentro de un año, le saldrá bien. No se puede probar nada en su contra, sabes; todo se calmará entonces y se apoderará del dinero de Huck sin ninguna dificultad.

—Sí, creo que así es, señora. No veo que se le pudiera oponer nada. ¿Han dejado entonces todos de pensar que lo hizo el negro?

—Pues no, no todos. Hay bastantes que aún creen que lo hizo. Pero dentro de poco cogerán al negro y tal vez le asustarán y él dirá la verdad.

—Entonces, ¿le persiguen todavía?

—¡Pues sí que eres inocente, de veras! ¿Es que la gente todos los días puede coger trescientos dólares? Hay quien cree que el negro no está lejos de aquí. Yo soy de esos..., pero no he hablado mucho del asunto. Hace pocos días charlaba yo con un matrimonio viejo que vive al lado, en la choza de troncos, y por casualidad dijeron que casi nadie va a esa isla que llaman la isla de Jackson. «¿No vive allí nadie?», les pregunté entonces. «No, nadie», me dijeron. Yo me callé, pero me puse a pensar. Estaba casi segura de que había visto humo allá, en la punta de la isla, hacía un día o dos, así que me dije a mí misma: «Es probable que ese negro esté escondido allí; en todo caso, bien vale la pena investigar el sitio». No he visto humo desde entonces, así que calculo que tal vez se haya ido, si era él. Pero mi marido y otro hombre van a averiguarlo. Mi marido andaba río arriba, pero ha regresado hoy y se lo conté tan pronto como llegó, hace dos horas.

Me había preocupado tanto al oír a la mujer que no podía quedarme quieto. Tenía que hacer algo con las manos, así que cogí de la mesa una aguja y empecé a enhebrarla. Me temblaban las manos y lo estaba haciendo mal. Cuando dejó de hablar la mujer, levanté los ojos y me estaba mirando de un modo bastante extraño, sonriéndose un poco. Dejé en la mesa la aguja y el hilo y, mostrándome muy interesado —y lo estaba—, dije:

—Trescientos dólares es una cantidad muy grande de dinero. Me gustaría que lo pudiera conseguir mi madre. ¿Su marido va a ir allá esta noche?

—Claro que sí. Fue al centro con el hombre que te dije para conseguir un bote y ver si podían pedir prestado otro fusil. Irán allá después de medianoche.

—¿No podrían ver mejor si esperaran hasta que se hiciera de día?

—Sí. ¡Y también los podría ver mejor el negro! Después de medianoche estará dormido, probablemente, y ellos pueden deslizarse por el bosque y buscar su fuego, y es mucho mejor en la oscuridad si el negro tiene fuego.

—No lo había pensado.

La mujer seguía mirándome de un modo bastante extraño y yo no me sentía nada cómodo. Un poco después dijo:

—¿Cómo has dicho que te llamas, guapa?

—M... Mary Williams.

Por alguna razón, no me parecía que había dicho antes que me llamaba Mary, así que no levanté los ojos. Me parecía que había dicho Sarah, de manera que me sentía acosado y, además, tenía miedo de que me lo descubriera en la cara. Quería que la mujer dijera algo más; cuanto más quieta estaba ella, más preocupado estaba yo. Pero entonces me dijo:

—Guapa, pensaba que, al entrar, habías dicho que te llamabas Sarah.

—Ah, sí, señora, es verdad. Sarah Mary Williams. Sarah es mi primer nombre. Unos me llaman Sarah; otros me llaman Mary.

—Ah, ¿es eso verdad?

—Sí, señora.

Ya me sentía mejor, pero cómo me habría gustado estar fuera de allí, de todas maneras. No podía levantar los ojos todavía.

Bueno, la mujer empezó a hablar de lo mal que estaban los tiempos y de lo pobremente que vivían y de cómo las ratas andaban tan libres como si fueran las dueñas de la casa, y siguió así un rato y yo me sentí cómodo otra vez. Tenía razón en cuanto a las ratas. A cada momento veías a una asomar el morro por un agujero en un rincón. Ella dijo que tenía que tener cosas a mano para tirárselas cuando estaba sola o no la dejaban en paz. Me mostró una barra de plomo retorcido en forma de nudo y dijo que normalmente tenía buena puntería al tirarla, pero que se había torcido el brazo hacía un par de días y ahora no sabía si podría hacer blanco. Sin embargo, esperó la oportunidad y en seguida la lanzó sobre una rata, pero falló por mucho y gritó porque el esfuerzo hizo que le doliera mucho el brazo. Luego me dijo que lo intentara yo con la próxima. Yo quería largarme antes de que regresara el viejo, pero me lo callé, claro. Cogí la barra y a la primera rata que mostró el morro se la disparé, y si la rata se hubiera quedado donde estaba, habría sido una rata bastante enferma. La mujer dijo que era un tiro de primera clase y que creía que a la próxima acertaría. Fue y recogió la barra de plomo y la trajo junto con una madeja de lana para que yo le ayudara con ella. Extendí las dos manos y ella puso en ellas la madeja y siguió hablando de los asuntos de su marido y de ella. Pero se interrumpió y dijo:

—No pierdas de vista a las ratas. Mejor que tengas el plomo en el regazo, a mano.

Así que dejó caer la barra en mi regazo en ese momento y yo cerré de golpe las piernas, atrapándola, y ella siguió hablando. Pero solo un minuto. Luego quitó de mis manos la madeja y me miró directamente a los ojos y con voz muy cariñosa me preguntó:

—Ven, dime, ¿cómo te llamas de veras?

—¿Co... cómo, señora?

—¿Cómo te llamas? ¿Te llamas Bill o Tom o Bob?... ¿O cómo?

Creo que temblaba como una hoja y casi no sabía qué hacer. Pero dije:

—Por favor, no se burle de una pobre muchacha como yo, señora. Si aquí estorbo, me...

—No, no lo harás. Siéntate y quédate donde estás. No te voy a hacer daño ni voy a contárselo a nadie. Tú cuéntame el secreto y confía en mí. Yo lo guardaré y, lo que es más, te ayudaré. También mi marido te ayudará, si quieres. Eres un aprendiz que se ha escapado; no es más que eso. No es gran cosa. No haces daño a nadie. Te han tratado mal y decidiste largarte. ¿No es verdad? Que Dios te ayude, niño, yo no te denunciaría. Cuéntamelo ahora, anda, como un buen muchacho...

Así que le dije que sería inútil intentar fingir más y que se lo confesaría todo y que le contaría toda la historia, pero que ella tenía que cumplir su promesa. Luego le conté que habían muerto mis padres y que los tribunales me habían entregado a un granjero viejo y mezquino, que vivía en el campo a treinta millas del río y que me trataba tan mal que ya no podía aguantarlo. Le dije que él se había ido, que iba a estar fuera un par de días y que aproveché la oportunidad, robé unas ropas viejas de su hija, me marché y tardé tres noches en caminar las treinta millas. Viajaba de noche, y de día me ocultaba y dormía, y la bolsa de pan y carne que traía de casa me duró para todo el camino y tuve de sobra. Dije que creía que me cuidaría mi tío Abner Moore y, por eso, me había encaminado hacia este pueblo de Goshen.

Mezquino:
Miserable
Despreciable.

—¿Goshen, hijo? Esto no es Goshen. Esto es San Petersburgo. Goshen está a diez millas de aquí, río arriba. ¿Quién te ha dicho que esto es Goshen?

—Un hombre que encontré esta mañana, al amanecer, cuando iba a meterme en el bosque a dormir. Me dijo que, cuando llegara adonde se bifurca el camino, debía ir a la derecha y que a cinco millas estaba Goshen.

—Estaría borracho. Te dijo todo equivocado.

—Sí que parecía estar borracho, pero ya no tiene importancia. Tengo que marcharme. Llegaré a Goshen antes del amanecer.

—Espera un momento. Te voy a preparar un bocado. Tal vez te haga falta.

Así que me preparó un bocado y dijo:

—Dime, cuando está echada una vaca, ¿qué parte se levanta primero? Contéstame pronto, no te pares a pensarlo. ¿Qué parte se levanta primero?

—La trasera, señora.

—Bueno, ¿y si hablamos de un caballo?

—La parte delantera, señora.

—¿En qué lado del árbol crece el musgo?

—En el lado norte.

—Si hay quince vacas paciendo en una ladera, ¿cuántas tienen la cabeza en la misma dirección?

—Las quince, señora.

—Bueno, creo que sí que es verdad que has vivido en el campo. Pensé que tal vez trataras de engañarme otra vez. ¿Cómo te llamas de veras?

—George Peters, señora.

—Bueno, intenta recordarlo, George. No vayas a olvidarlo y decirme que te llamas Elexander antes de marcharte, para luego, cuando te pille, disculparte diciéndome que eres George Elexander. Y no te acerques a las mujeres llevando ese percal viejo. Haces de muchacha bastante mal, pero tal vez podrías engañar a los hombres. Y ten cuidado, niño, cuando te pongas a enhebrar una aguja, no sostengas el hilo quieto y luego arrimes la aguja hacia él; mantén la aguja fija y empuja el hilo hacia el ojo; así es como lo hacen las mujeres, pero los hombres lo hacen al revés. Y cuando le tires con algo a una rata, levántate de puntillas y alza la mano por encima de la cabeza tan torpemente como puedas y falla el tiro por dos metros o más. Tira con el brazo estirado, desde el hombro, como si tuviera un pivote para girar, como lo hace una chica; no tires como un muchacho con un movimiento de la muñeca y el codo, con el brazo a un lado. Y mira, cuando una chica intenta coger algo en el regazo, abre bien las rodillas; no las cierra de golpe como hiciste tú al coger esa barra de plomo. Yo descubrí que eras un chico cuando ibas a enhebrar la aguja e ideé todo lo demás para estar segura. Ahora muévete y vete a buscar a tu tío, Sarah Mary Williams George Elexander Peters, y si te metes en algún lío, manda buscar a la señora Judith Loftus, que soy yo, y haré lo que pueda para sacarte de él. Sigue el camino del río todo derecho, y la próxima vez que des una caminata, llévate zapatos y calcetines. El camino del río es pedregoso y cuando llegues a Goshen, supongo que tendrás los pies hechos polvo.

Seguí la orilla arriba unos cincuenta metros y luego volví sobre mis huellas y me escabullí hasta donde estaba la canoa, un buen trecho río abajo de la choza. Salté dentro y hui deprisa. Remé aguas arriba lo bastante para poder llegar a la punta de la isla y luego empecé a cruzar. Me quité el sombrero porque no quería llevar anteojeras en ese momento. Cuando iba por el centro del río, oí que daban las campanadas en el reloj, así que me paré y escuché; el ruido vino débil sobre el agua, pero claro: las once. Cuando alcancé la punta de la isla, no me paré para jadear, aunque estaba casi sin aliento; me metí entre

Anteojeras: Piezas de cuero que se les ponen a las caballerías junto a los ojos para que miren de frente.

los árboles donde había estado mi viejo campamento y encendí un buen fuego allí, en un sitio alto y seco. Luego salté a la canoa y remé tan fuerte como pude hacia nuestro campamento, una milla y media abajo. Desembarqué y me lancé por entre los árboles y la maleza, subí la cuesta y llegué a la caverna. Allí estaba Jim, echado y bien dormido en el suelo. Le desperté y le dije:

—¡Levántate y date prisa, Jim! No hay un minuto que perder. ¡Nos persiguen!

Jim no hizo preguntas, no dijo ni una palabra, pero su manera de trabajar durante la media hora siguiente mostraba claramente el miedo que tenía. Ya todo con lo que contábamos en el mundo estaba encima de la balsa, y la balsa estaba lista para que la desatracáramos del recodo de sauces donde la habíamos escondido. Apagamos la hoguera de la caverna, como primera medida, y después no utilizamos fuera ni la luz de una vela.

Me aparté con la canoa un trecho de la orilla y eché un vistazo. Si había un bote por allí, yo no podía verlo porque las estrellas y las sombras no valen para alumbrar. Luego sacamos la balsa y en ella nos deslizamos aguas abajo en la sombra, más allá de la punta baja de la isla, y todo en un silencio absoluto, sin decirnos ni una palabra.

Capítulo 12

Sería cerca de la una de la mañana cuando dejamos atrás la isla. Nos parecía que la balsa iba terriblemente lenta. Si veíamos venir un barco, pensábamos meternos en la canoa y lanzarnos hacia la orilla de Illinois. Fue una suerte que no pasara un barco, porque no se nos había ocurrido poner en la canoa la escopeta ni un sedal de pesca ni nada de comer. Estábamos demasiado apurados para pensar en tantas cosas. No era razonable haber puesto todo en la balsa.

Si los hombres habían ido a la isla, supongo que habrían encontrado la hoguera que encendí y se habrían pasado toda la noche vigilándola, esperando que apareciera Jim. En todo caso, no se acercaron y, si no les había engañado la hoguera que prendí, yo no tenía la culpa. Intenté hacerles la mejor jugarreta que pude.

Cuando vimos la primera luz del día, amarramos en un banco de arena que había en un gran recodo en la parte de Illinois, cortamos con la hachuela unas ramas de álamos y con ellas cubrimos la balsa, de forma que pareciera que se había derrumbado un trozo de orilla. En tales bancos de arena crecen los álamos tan juntos como las púas de un rastrillo.

Álamo: Árbol de tronco erecto, corteza gris o gris verdoso, hojas caducas de color verde oscuro por el haz y blanco grisáceo en el envés.

En la orilla de Misuri el terreno es montañoso, en el lado de Illinois es muy boscoso, y el canal navegable pasa junto a la orilla de Misuri en ese lugar, de manera que no teníamos miedo de que nos descubriera nadie. Nos quedamos allí todo el día y mirábamos las armadías y los barcos de vapor que corrían río abajo por la orilla de Misuri, y los barcos de vapor que iban río arriba luchando contra la corriente por el centro del gran río. Le conté a Jim el largo rato que pasé charlando con aquella mujer, y Jim dijo que era lista y que si nos persiguiera ella, no se sentaría a vigilar una hoguera, no, señor, ella llevaría un perro. Bueno, entonces, le pregunté por qué no le podía haber dicho a su marido que llevara un perro. Jim dijo que juraría que se le ocurrió cuando estaban los hombres a punto de salir y que él creía que habían ido al centro a buscar un perro y por eso perdieron mucho tiempo y que, si no, no estaríamos allí, a dieciséis o diecisiete millas aguas abajo del pueblo, no, señor, estaríamos en el mismo pueblo de siempre. De manera que yo le dije que no me importaba la razón por la que no nos cogieron, mientras no consiguieran cogernos.

Cuando empezaba a oscurecer, asomamos la cabeza por entre la espesura de los álamos y miramos arriba y abajo y de frente: nada a la vista. Así que Jim arrancó unos tablones de la balsa y construyó un *wigwam*[1], donde podríamos protegernos del sol y de la lluvia y tener secas las cosas. Jim hizo un suelo para el *wigwam* y lo elevó como a treinta centímetros por encima del nivel de la balsa, de modo que las mantas y todas las cosas estaban fuera del alcance de las olas que hacían los barcos de vapor. En el suelo del centro del *wigwam* pusimos una capa de tierra de unos doce o catorce centímetros de profundidad, con un marco alrededor para mantenerla fija en su sitio; ahí encenderíamos el fuego cuando el tiempo fuera lluvioso o frío; la choza ocultaría el fuego y no se podría ver desde fuera. Además, construimos otro timón, por si se nos rompían los otros que teníamos al chocar contra un tronco sumergido o contra algo. Clavamos un palo corto con forma de horquilla para colgar la vieja linterna porque siempre había que encenderla cuando veíamos un barco de vapor corriendo aguas abajo, para que no nos atropellara; pero no hacía falta encenderla cuando los barcos subían el río, salvo en caso de que estuviésemos en lo que llaman un cruce, porque el río estaba crecido todavía y las riberas bajas estaban sumergidas, así que los barcos que remontaban la corriente no siempre seguían el canal navegable, sino que buscaban las aguas fáciles.

Esta segunda noche navegamos entre siete y ocho horas, con una corriente que iba a más de cuatro millas por

---

[1] Vivienda en forma de cúpula y de una sola estancia, utilizada por algunas tribus nativas de América.

hora. Pescamos y charlamos y de vez en cuando nos metíamos a nadar para mantenernos despiertos. Era bastante solemne flotar aguas abajo en el gran río silencioso, de
espaldas y mirando las estrellas. No teníamos ganas de hablar en voz alta y no era frecuente que nos riéramos..., a
no ser con una risa baja y ahogada. Tuvimos muy buen
tiempo en general y no nos pasó nada esa noche ni la siguiente ni la siguiente.

Cada noche pasábamos delante de pueblos, algunos
muy altos sobre las laderas negras de las colinas. No se
veía nada salvo un brillante lecho de luces, no se podía
distinguir ni una casa. La quinta noche pasamos delante
de San Luis[2] y era como ver el mundo entero iluminado de
repente. En San Petersburgo solían decir que había veinte
o treinta mil personas en San Luis, pero yo nunca lo había
creído hasta que vi esa maravillosa extensión de luces a
las dos de la madrugada de aquella noche silenciosa. No
se oía ni un ruido, todo el mundo estaba durmiendo.

Todas las noches, a eso de las diez, me deslizaba hacia
la orilla cerca de alguna aldea y compraba diez o quince
centavos de harina o tocino u otra cosa de comer; a veces
me alzaba con un pollo que no estaba cómodo en su per-
cha y me lo llevaba. Papá siempre decía: «Coge un pollo
cuando tengas la oportunidad, porque si no lo quieres
tú, es fácil encontrar a alguien que lo quiera y no se olvi-
da nunca una buena obra». Nunca vi que papá no quisiera el pollo para sí, pero eso es lo que él decía.

Alzarse: Apoderarse
indebidamente de
algo.

Por las mañanas, al alba, me deslizaba por los maiza-
les y cogía prestada una sandía o un melón, una calabaza,
unas mazorcas tiernas o cosas por el estilo. Papá siempre
decía que no hacías daño al coger cosas prestadas si tenías
intención de devolverlas alguna vez, pero la viuda decía
que eso no era más que disfrazar el robo bajo otro nombre y que una persona decente no lo haría. Jim me dijo
que algo de razón tenía la viuda y algo de razón papá,
así que lo mejor para nosotros sería tachar dos o tres cosas de la lista y decir que no volveríamos a cogerlas prestadas; de este modo, él creía que no haría ningún daño
coger prestadas las demás cosas. Lo discutimos una no-

---

[2] La ciudad más grande del estado de Misuri.

che, mientras flotábamos río abajo, y tratamos de decidir si debíamos tachar las sandías o los melones o las calabazas o qué. Pero, hacia el amanecer, resolvimos todo de manera satisfactoria y decidimos tachar las manzanas silvestres y los caquis. Antes no nos sentíamos tranquilos, pero ahora todo marchaba bien. Y yo me alegré del resultado porque las manzanas silvestres no son buenas nunca y los caquis no estarían maduros hasta dentro de dos o tres meses.

Caqui: Fruto comestible, carnoso y dulce del árbol del mismo nombre.

De vez en cuando cazábamos un ave acuática que se había levantado demasiado temprano por la mañana o una que no se había acostado bastante temprano por la noche. Mirándolo bien, vivíamos con bastante lujo.

La quinta noche, después de pasar San Luis, tuvimos una fuerte tempestad a medianoche, con buena cantidad de truenos y relámpagos, y la lluvia caía formando una cortina sólida. Nos quedamos dentro de la choza y dejamos que la balsa se fuera por donde quisiera. Cuando relumbraban los relámpagos, podíamos ver el río muy grande en línea recta y las altas orillas escarpadas y rocosas a los lados. Después de un rato dije: «¡Mira, Jim, mira allá lejos!». Era un barco de vapor que se había estrellado contra una roca. La corriente nos llevaba derechos hacia él. Los relámpagos lo mostraban con mucha claridad. Estaba inclinado, con una parte de la cubierta superior por encima del agua. Cuando llegaban los relámpagos, se podía ver, limpia y claramente, hasta los pequeños cables de la chimenea y, junto a la campana grande, una silla que tenía un viejo sombrero de alas anchas colgado en el respaldo.

Cubierta: Cada uno de los pisos de una nave y, especialmente, el superior.

Cable: Maroma gruesa.

Como era muy de noche y había tormenta y todo resultaba tan misterioso, yo sentía lo que hubiera sentido cualquier muchacho cuando vi el barco naufragado, flotando tan triste y solitario en medio del río. Quería abordarlo y recorrerlo un poco a ver qué había en él. Así que dije:

—Vamos a abordarlo, Jim.

Al principio, Jim se opuso rotundamente, diciendo:

—Yo no quiero ir tonteando por ningún barco naufragado. Estamos bien, maldita sea, y sería peor menearlo, como dice el libro santo. Probablemente hay un vigilante en ese barco.

—Como no vigile tu abuela... —dije—. No hay nada que vigilar salvo la cubierta y la timonera. ¿Y crees que alguien va a arriesgar la vida en una noche como esta para guardar una cubierta y una timonera cuando el barco puede romperse en pedazos de un momento a otro y ser arrastrado por la corriente?

Timonera: En una nave, lugar donde estaban la bitácora y la barra para mover el timón.

Jim no podía contestar nada a eso, así que no intentó replicarme.

—Y además —dije—, tal vez podamos coger prestada del camarote del capitán alguna cosa que valga la pena. Juraría que hay puros, de los que cuestan cinco centavos cada uno en dinero contante y sonante. Los capitanes de los barcos de vapor siempre son ricos, ganan sesenta dólares al mes y no les importa lo que cuesta una cosa, sabes, mientras tengan ganas de comprarla. Métete una vela en el bolsillo. Jim, yo no puedo estar tranquilo hasta que lo registremos bien. ¿Crees tú que Tom Sawyer pasaría de largo ante una cosa semejante? Por nada del mundo. Diría que esto es una aventura, así es como lo llamaría, y abordaría ese barco naufragado aunque le costara la vida. ¡Y qué teatro le echaría! ¡Cómo se entusiasmaría! Parecería que era Cristóbal Colón descubriendo el Reino de los Cielos. ¡Ojalá Tom Sawyer estuviera aquí!

Jim refunfuñó un poco, pero cedió. Dijo que no debíamos hablar más de lo necesario, y eso en voz baja. Los relámpagos nos mostraron el barco naufragado justo a tiempo, alcanzamos la cabria de estribor y amarramos a ella la balsa.

Cabria: Máquina para levantar pesos.

La cubierta sobresalía por ese lado. Fuimos con cuidado pendiente abajo a babor, en la oscuridad, hacia el camarote del capitán; caminábamos lentamente, tanteando con los pies y con las manos extendidas para no tropezar con los cables, porque era tan oscura la noche que no podíamos distinguirlos. Poco después llegamos a la parte delantera de la claraboya y trepamos encima de ella. Y al dar el siguiente paso nos encontramos delante de la puerta del camarote del capitán. Estaba abierta y, ¡diablos!, allá lejos, en el camarote, vimos una luz y, al mismo tiempo, nos pareció oír voces bajas dentro.

Babor: Lado izquierdo de una embarcación mirando de popa a proa.

Claraboya: Ventana situada en el techo o en la zona alta de una pared.

Jim me susurró que se sentía muy mal y me dijo que le siguiera. Yo le contesté que bueno y ya íbamos a volver a la balsa cuando en ese momento oí una voz que decía chillando:

—Por Dios, muchachos, ¡juro que jamás os delataré!

Otra voz dijo bastante fuerte:

—Es mentira, Jim Turner. Ya nos has hecho lo mismo antes. Siempre quieres más de lo que te corresponde y siempre lo consigues porque juras que, si no, nos delatarás. Pero esta vez te has pasado. Eres el canalla más miserable y traicionero que hay en este país.

Ya se había ido Jim en busca de la balsa. Pero yo estaba muerto de curiosidad y me dije a mí mismo: «Tom Sawyer no se volvería atrás en este momento, de modo que yo tampoco lo haré. Voy a ver qué pasa aquí». Así que me puse a gatas en el pasillo y fui avanzando hacia popa en la oscuridad, hasta que ya no me separaba del cruce de pasillos de la cubierta más que un solo camarote. Luego vi allí dentro a un hombre estirado en el suelo y atado de pies y manos. Había dos hombres en pie a su lado, uno de ellos tenía en la mano una linterna de luz débil y el otro tenía una pistola. Este apuntaba con la pistola a la cabeza del hombre que estaba en el suelo y decía:

—¡Me gustaría hacerlo! Y, además, debería hacerlo... ¡Eres una bestia asquerosa!

El hombre en el suelo se retorcía y rogaba:

—¡Ay!, por favor, no lo hagas, Bill; jamás os denunciaré.

Y cada vez que decía eso, el hombre de la linterna se reía y replicaba:

—¡Claro que no lo harás! Nunca has dicho mayor verdad, puedes jurarlo.

Y una vez dijo:

—¡Cómo nos ruega ahora! Pero si no hubiéramos podido más que él y lo hubiéramos atado, nos habría matado a los dos. ¿Y por qué? Por nada. Solo porque hemos reclamado nuestros derechos, por eso. Pero te juro, Jim Turner, que no volverás a amenazar a nadie. Guarda esa pistola, Bill.

Bill le dijo:

—No quiero, Jake Packard. Voy a matarlo. ¿No mató él al viejo Hatfield de la misma manera?... ¿Y acaso no lo merece?

—Pero yo no quiero que le matemos, y tengo mis razones.

—¡Bendito seas por esas palabras, Jake Packard! ¡No te olvidaré mientras viva! —dijo el hombre en el suelo, con una especie de llanto.

Packard no se dio por enterado; colgó la linterna de un clavo y echó a andar hacia donde yo estaba oculto en la oscuridad y le hizo señas a Bill para que lo siguiera. Yo me arrastré a gatas hacia atrás, tan rápido como pude, unos dos metros. Pero estaba tan inclinado el barco que no podía correr mucho, así que, para que no me atropellaran y me cogieran, me deslicé dentro de un camarote al otro lado. El hombre vino tanteando en la oscuridad y, cuando llegó Packard hasta mi camarote, dijo:

—Aquí..., entra aquí.

Y él entró y Bill le siguió. Antes de que entraran, ya estaba yo en la litera superior, acorralado y arrepentido de haber abordado el barco. Ellos se quedaron allí, apoyando las manos en el borde de la litera, y hablaron. No podía verlos, pero sabía dónde estaban por el olor al *whisky* que habían tomado. Me alegré de no beber *whisky*, pero, de todos modos, no habría importado mucho, ya que la mayor parte del tiempo no me hubieran podido descubrir porque no respiraba. Tenía demasiado miedo. Además, no se podía respirar y al mismo tiempo escuchar tales palabras. Hablaban en voz baja y con seriedad. Bill, el que quería matar a Turner, dijo:

—Ha dicho que nos delatará, y lo hará. Aunque le diéramos ahora la parte que nos corresponde, daría igual después del lío y del trato que le hemos dado. Tan seguro como que has nacido que nos delataría para salvarse a sí mismo. Escucha. Soy partidario de liberarle de sus penas.

—Yo también —dijo Packard, muy bajo.

—Maldita sea, había empezado a creer que no lo eras. Bueno, entonces, está bien. Vamos.

—Espera un momento; no he terminado. Escúchame. Un tiro está bien a veces, pero hay medios más silenciosos, si es que hay que hacerlo. Lo que yo digo es que no es razonable ir haciendo la corte a un dogal si puedes conseguir lo que quieres de una manera igualmente eficaz y, al mismo tiempo, sin meterte en peligros. ¿No es verdad?

Dogal: Cuerda que se emplea para ahorcar a un reo.

—Desde luego. Pero ¿cómo vas a arreglártelas?

—Bueno, mi idea es esta: damos otra vuelta, deprisa, y recogemos lo que se nos haya pasado en los camarotes, remamos a tierra y escondemos las cosas. Luego esperamos. Yo creo que no pasarán dos horas antes de que se rompa este barco en pedazos y se vaya arrastrado río abajo. ¿Ves? Se ahogará y no podrá echarle la culpa a nadie salvo a sí mismo. Creo que es bastante mejor que matarle. No soy partidario de matar a un hombre cuando lo puedes evitar; no es una muestra de buen sentido ni de moralidad, claro. ¿No tengo razón?

—Sí, creo que sí. Pero ¿si no se hace pedazos ni lo arrastra el río?

—Bueno. Podemos esperar dos horas a ver, ¿no?

—Está bien. Vamos.

Así que se fueron y yo me eché a andar todo sudoroso y frío y trepé y gateé hacia la proa. Estaba más oscuro que boca de lobo, pero con un susurro ronco dije: «¡Jim!», y él me contestó con una especie de quejido, justo a mi lado, y yo dije:

—Deprisa, Jim, no hay tiempo que perder. Hay una cuadrilla de asesinos ahí dentro y si no buscamos su bote y lo echamos a la deriva río abajo para que no puedan irse del barco, uno de ellos va a verse en un aprieto terrible. Pero si encontramos su bote, podemos dejarlos a todos en el aprieto porque seguro que los agarrará el *sheriff*. Date prisa, ¡rápido! Yo miro por el lado de babor, tú por el de estribor. Empieza desde donde está amarrada la balsa y...

—¡Ay, Señor, Señor! ¿La balsa? Ya no tenemos balsa. ¡Se rompió la amarra y se la llevó la corriente!... ¡Y nosotros aquí!

Capítulo 13

Bueno, contuve el aliento y casi me desmayé. ¡Encerrados en un barco naufragado con una cuadrilla como esa! Pero no era momento de sentimentalismos. Teníamos que encontrar ese bote, nos hacía falta a nosotros. Así que fuimos temblando y tiritando por el lado de estribor. Resultaba una faena lenta y difícil y nos pareció que había pasado una semana antes de que llegáramos a popa. Ni rastro del bote. Jim dijo que no creía que pudiera continuar buscando más... Me dijo que estaba tan asustado que casi no le quedaban fuerzas. Pero yo le dije que me siguiera, porque si nos quedábamos abandonados en el barco, estaríamos en un buen aprieto, seguro. Así que nos pusimos en marcha otra vez. Buscamos la popa de la cubierta superior, la encontramos y luego trepamos por allí, gateando sobre la claraboya, agarrándonos de contraventana en contraventana porque estaba sumergido el borde de la claraboya. Cuando llegamos bastante cerca de la puerta del pasillo, ¡allí estaba el bote, en efecto! Yo apenas lo distinguía. Me sentía realmente agradecido. En un segundo habría estado a bordo del bote, pero justo entonces se abrió la puerta. Uno de los hombres sacó la cabeza a menos de un metro de donde estaba yo, y me creí perdido. Pero volvió a meterla y dijo:

—¡Bill, quita de ahí esa maldita linterna!

Tiró un saco de algo dentro del bote y luego se metió y se sentó. Era Packard. Después salió Bill y se metió en el bote. Packard dijo en voz baja:

—Listos... ¡Desatraca!

Apenas podía agarrarme a las contraventanas, de tan débil como estaba. Entonces Bill dijo:

—Espera... ¿Le has cacheado?

—No. ¿No lo has hecho tú?

—No. Seguro que tiene su parte del dinero todavía.

—Bueno, entonces, sígueme. No vale de nada coger las cosas y dejar el dinero...

—Oye, ¿no le hará sospechar lo que vamos a hacer?

—Tal vez. Pero hay que llevarse el dinero de todos modos. Vamos.

Así que salieron del bote y se metieron en el barco. La puerta se cerró de golpe porque estaba en el lado que sobresalía del agua y medio segundo después yo salté al bote y Jim me siguió dando tumbos. Saqué el cuchillo, corté la cuerda y nos fuimos de allí.

No tocamos ni un remo, tampoco hablamos ni un susurro, apenas respirábamos. Fuimos deslizándonos deprisa por el agua, en un silencio absoluto, más allá del tambor de la rueda de paletas[1], más allá de la popa. Después de un segundo o dos estábamos cien metros río abajo. La oscuridad absorbió hasta el último rastro del barco naufragado. Estábamos a salvo y lo sabíamos.

Cuando ya nos encontramos a trescientos o cuatrocientos metros río abajo, vimos que aparecía la linterna un segundo, como una pequeña chispa de luz, en la puerta de la cubierta superior y supimos que esos bellacos habían echado de menos su bote y que empezaban a entender que se encontraban ahora en tantas dificultades como Turner.

Luego, Jim manejó los remos y nos lanzamos en busca de nuestra balsa. Entonces, por primera vez, comencé a preocuparme por los tres hombres..., creo que no había tenido tiempo antes. Comencé a pensar en lo espantoso que era, incluso para asesinos, verse en un apuro semejante. Me dije a mí mismo que uno no sabía nunca, que tal vez yo mismo podría llegar a ser un asesino algún día y, en ese caso, ¿me gustaría que me pasara algo semejante? Así que le dije a Jim:

—En cuanto veamos la primera luz, nos pegamos a tierra cien metros aguas abajo o aguas arriba de un sitio en el que tú y el esquife podáis quedar bien escondidos. Entonces buscaré a gente, les contaré alguna historia y haré que alguien vaya en busca de esos hombres de la

Tambor: En un barco de vapor, cubierta de las ruedas.

Paleta: Cada una de las tablas de madera o planchas metálicas que se fijan sobre una rueda para mover algo o para que sean movidas por el agua o por otra fuerza.

---

[1] El llamado «vapor de ruedas» era un tipo de barco de vapor que llevaba dos ruedas con paletas a ambos lados del casco. Esta clase de embarcación es la que circulaba habitualmente por el Misisipi.

cuadrilla para que los saque del lío y para que los puedan ahorcar cuando llegue su hora.

Pero esa idea no valió para nada porque poco después empezó la tormenta otra vez y peor que nunca. Caía la lluvia y no se veía ni una luz; seguro que todo el mundo estaba en la cama. Seguimos corriendo rápido río abajo, buscando luces y también nuestra balsa. Después de un rato largo, amainó algo la lluvia, pero quedaron las nubes, y los relámpagos seguían gimiendo. Pasado un rato, un destello nos mostró una cosa negra flotando delante y nos lanzamos hacia ella.

Era nuestra balsa y nos dio muchísima alegría trepar a bordo de ella otra vez. Entonces vimos una luz en la orilla de la derecha, muy lejos, así que decidí ir hacia allá. En el esquife estaba el botín que aquella cuadrilla había robado en el barco naufragado. Rápidamente lo amontonamos encima de la balsa y le dije a Jim que flotara aguas abajo, que mostrara una luz cuando le pareciera que había avanzado unas dos millas y que la mantuviera encendida hasta que yo llegara. Luego cogí los remos y me alejé hacia aquella luz. Cuando estaba llegando, se vieron tres o cuatro luces más arriba, en la ladera de una colina. Era una aldea. Me acerqué a la orilla antes de llegar a la luz, levanté los remos y seguí flotando. Al pasar la luz, vi que era una linterna colgada del asta de la bandera de un transbordador de doble casco[2]. Corrí alrededor buscando al vigilante y preguntándome dónde dormiría. Al poco rato le encontré descansando en los abitones de proa, con la cabeza entre las rodillas. Le di en el hombro dos o tres empujones y me puse a llorar.

Asta: Palo del que se cuelga una bandera.

Abitón: En una nave, madero que se coloca de forma vertical y que sirve para sujetar cabos.

Se despertó algo sobresaltado, pero, al ver que solo era yo, bostezó, se estiró bien y luego dijo:

—Hola, ¿qué pasa? No llores, chaval. ¿Qué ocurre?

Dije:

—Papá y mamá y mi hermana y...

Entonces empecé a sollozar. Él me dijo:

---

[2] El casco es el cuerpo de una embarcación sin las máquinas y sin el aparejo. Una embarcación de doble casco es aquella que está provista de una barrera de separación doble a lo largo de toda la eslora de carga.

—Anda, muchacho, no te pongas así; todos tenemos
que tener nuestros problemas, pero este se arreglará. ¿Qué
les pasa?

—Están..., están... ¿Es usted el vigilante del barco?

—Sí —dijo, con bastante satisfacción—. Soy el capitán
y el dueño y el maestre y el piloto y el vigilante y el marinero principal de cubierta. Y, a veces, soy la carga y los
pasajeros. Pero no soy tan rico como el viejo Jim Hornback y no puedo ser tan manirroto y bueno con todo el
mundo como es él ni puedo tirar el dinero por ahí como
lo hace él, pero ya le he dicho muchas veces que no me
cambiaría por él porque lo que a mí me va es la vida del
marinero y maldita la gracia que tendría vivir a dos millas del pueblo, donde nunca pasa nada. No lo haría ni
por todo el dinero que tiene él ni por mucho más que se
le añadiera. Digo yo...

Le interrumpí por fin y dije:

—Están en un apuro espantoso y...

—¿Quiénes?

—Pues, papá y mamá y mi hermana y la señorita Hooker, y si usted pudiera ir en su transbordador y subir allí...

—¿Dónde? ¿Dónde dices que están?

—En el barco naufragado.

—¿Qué barco?

—No hay más que uno.

—¿Qué? ¿Quieres decir que están en el *Walter Scott*?

—Sí, señor.

—¡Dios mío! ¿Qué hacen allí? ¡Por el amor de Dios!

—Bueno, no fueron allí aposta.

—¡Ya me imagino!... ¡Pero, por los clavos de Cristo,
no hay esperanza para ellos si no se van de allí en seguida! ¿Cómo diablos se han metido en ese lío?

—Muy fácil. La señorita Hooker estaba de visita en el
pueblo...

—Sí, en Booth's Landing. Sigue.

—Pues estaba de visita en Booth's Landing y justo al
oscurecer salió con su criada negra y empezó a cruzar en
el transbordador de caballos para pasar la noche en casa
de una amiga suya, la señorita..., no sé cómo se llama, no
me acuerdo del nombre..., y perdieron el timón, el barco
viró en redondo, se fue a la deriva, popa adelante, unas

Maestre:
El encargado
de las cuestiones
económicas
de la nave.

Piloto: El que
dirige y gobierna
una embarcación.

dos millas y chocaron con el barco naufragado, el barquero, la negra y los caballos se perdieron, pero la señorita Hooker se agarró y trepó al barco naufragado. Bueno, pues, una hora después del anochecer, nosotros pasamos en la chalana y era tan oscura la noche que no vimos el barco hasta que estábamos casi encima, así que chocamos, pero todos nos salvamos menos Bill Whipple... Ay, era el mejor hombre del mundo... Mire, de veras que casi preferiría que me hubiera pasado a mí...

Chalana: Pequeña embarcación que se utiliza en aguas poco profundas.

—¡Cielos! Es la cosa más rara que he visto. ¿Y qué hicisteis luego?

—Pues gritamos y gritamos, pero es tan ancho allí el río que no pudimos hacernos oír. Así que papá dijo que alguien tenía que llegar a tierra y pedir ayuda de alguna manera. Yo era el único que sabía nadar, así que me eché rápido al agua, y la señorita Hooker dijo que si no encontraba ayuda antes de llegar hasta aquí, que viniera y buscara a su tío y que él arreglaría el asunto. Tomé tierra cerca de una milla aguas abajo y he tardado mucho, tratando de convencer a la gente de que hiciera algo, pero me decían: «¿Qué? ¿En una noche como esta y con esa corriente? No es posible, vete a buscar el transbordador». Si usted quisiera ir...

—¡Por Dios! Me gustaría hacerlo, maldita sea. Y creo que lo haré, pero quién diablos va a pagarlo. Tú crees que tu padre...

—Ah, por eso no pase cuidado. La señorita Hooker me dijo claramente que su tío el señor Hornback...

—¡Válgame Dios! ¿Es su tío? Mira, vete corriendo hacia esa luz de allá lejos, tira al oeste al llegar allí y como a un cuarto de milla encontrarás la taberna. Diles que te lleven volando a la casa de Jim Hornback y él pagará la cuenta. Y no te entretengas ni un momento porque querrá saber las noticias. Dile que tendré a salvo a su sobrina antes de que él pueda llegar al centro. Anda, corre. Yo voy aquí, a la vuelta de la esquina, a despertar a mi maquinista.

Salí corriendo hacia la luz, pero tan pronto como doblé la esquina, me di la vuelta, me metí en el esquife, achiqué el agua y luego fui remando unos seiscientos metros río arriba por las aguas mansas y me escondí entre unos bar-

Achicar: Sacar agua de una mina, una embarcación, etcétera.

cos cargados de madera porque no podía estar tranquilo hasta ver salir el transbordador. Pero, bien mirado, me sentía bastante a gusto a causa de todas las molestias que estaba pasando por esa cuadrilla, porque no hay muchos que lo hubieran hecho. Me habría gustado que la viuda lo supiera. Juzgué que ella se sentiría orgullosa de mí por ayudar a esos bribones, porque son los bribones y los gorrones la clase de gente de la que más se preocupan la viuda y las otras buenas personas.

Bueno, antes de que pasara mucho rato, ¡vi venir el barco naufragado, oscuro y triste, deslizándose río abajo! Sentí una especie de escalofrío y luego me lancé y me acerqué hacia él. Estaba muy sumergido y vi pronto que no había muchas esperanzas de que alguien estuviera vivo dentro. Di una vuelta alrededor del barco y grité un poco, pero no hubo respuesta; todo estaba en un silencio de muerte. Me sentía algo abatido por lo que le podría haber pasado a la cuadrilla, pero, la verdad, no mucho, porque pensé que si ellos podían soportarlo, también podría yo.

Luego vi venir el transbordador, así que fui remando *Al sesgo:* hacia el centro del río al sesgo, aguas abajo. Y cuando Oblicuamente. creí que ya estaba fuera del alcance de su vista, levanté los remos y miré atrás y vi al transbordador husmeando alrededor del barco naufragado, en busca de los restos de la señorita Hooker, porque el capitán sabía que los querría recuperar su tío el señor Hornback. Y yo me puse a trabajar con los remos y volé río abajo.

Me pareció que había pasado un tiempo larguísimo hasta que descubrí la luz de Jim. Y cuando la distinguí, se veía como a mil millas allá lejos. Cuando llegué, el cielo empezaba a agrisar un poco en el este, así que remamos hacia una isla, escondimos la balsa, hundimos el esquife, nos acostamos y caímos dormidos como muertos.

Capítulo 14

Después de un rato, cuando nos levantamos, nos pusimos a revolver las cosas que la cuadrilla había robado en el barco naufragado y encontramos botas, mantas, ropa y toda clase de objetos, y un montón de libros y un catalejo y tres cajas de puros. Nunca habíamos sido tan ricos en nuestra vida. Los puros eran de primera. Suspendimos el trabajo y pasamos toda la tarde en el bosque charlando y yo leía los libros y lo pasamos muy bien. Le conté a Jim todo lo que había ocurrido dentro del barco naufragado y en el transbordador y le dije que esta clase de cosas eran aventuras, pero Jim repuso que no quería más aventuras. Me contó que mientras yo entraba en el camarote del capitán, él regresó a gatas en busca de la balsa y se encontró con que la balsa se había escapado y casi se murió porque juzgó que, en cualquier caso, ya todo había terminado para él, porque si no le salvaban, se ahogaría; y si le salvaban, el salvador le mandaría a casa para cobrar la recompensa y, luego, seguro que la señorita Watson le vendería río abajo, hacia el sur. Bueno, tenía razón. Jim casi siempre tenía razón; para ser negro, era bastante sensato.

Yo le leí a Jim bastantes cosas sobre reyes y duques y condes y tal, y le conté con qué charrerías se vestían y el tono que se daban, llamándose su majestad y vuestra alteza y su señoría y cosas semejantes en vez de señor. A Jim se le saltaban los ojos de lo mucho que le interesaba esto. Me dijo:

—Yo no sabía que eran tantos. Nunca he oído hablar de ninguno de ellos, salvo del viejo rey Salomón[1], y sin contar los reyes de la baraja. ¿Cuánto gana un rey?

Catalejo: Aparato que consiste en un tubo extensible y que sirve para ver cosas a distancia.

Charrería: Adorno de mal gusto.

----

[1] Tercer rey de Israel. Mandó construir el templo de Jerusalén y fue célebre por su sabiduría, su riqueza y poder.

—¿Que cuánto gana? —dije—. Pues, si quieren, ganan mil dólares al mes. Pueden tener lo que quieran, todo les pertenece.

—¡Vaya suerte! ¿Y qué tienen que hacer, Huck?

—¡No hacen nada! ¡Qué cosas dices! No hacen más que sentarse por ahí.

—No me digas. ¿Es verdad?

—Claro que es verdad. Solo están sentados..., salvo cuando hay guerra, tal vez; entonces, van a la guerra. Pero otras veces solo pasan el tiempo holgazaneando o practicando la cetrería, solo la cetrería... ¡Chis! ¿No oyes un ruido?

Cetrería: Arte de criar y adiestrar aves rapaces para la caza.

Corrimos fuera del bosque y miramos. No era más que el ruido que hacía la rueda de un barco de vapor que venía lejos, río abajo, por el recodo, así que regresamos.

—Sí —dije yo—, y otras veces, cuando todo se pone aburrido, se meten a armar pequeños líos con el parlamento. Y si todo el mundo no lo hace exactamente como debe, ¡zas!, le cortan la cabeza. Pero la mayor parte del tiempo, haraganean en el harén.

Haraganear: Holgazanear.

—¿En el qué?

—En el harén.

—¿Qué es el harén?

—El lugar donde el rey tiene a sus mujeres. ¿No sabes de qué va eso del harén? Salomón tenía uno; tenía como un millón de mujeres.

—Pues sí, es verdad; yo..., yo lo había olvidado. Un harén es como una pensión, creo yo. Probablemente hay ratos de gritería en los cuartos de los críos. Y calculo que las mujeres se pelearán bastante, y eso aumentará el barullo. Sin embargo, dicen que Salomón era el hombre más sabio que jamás ha existido. Pero yo no tengo ninguna confianza en esa opinión porque... ¿querría un hombre sabio pasar la vida entre tal barahúnda todo el tiempo? No..., seguro que no. Un sabio iría y se construiría una fábrica de calderas y de esa manera podría cerrar la fábrica cuando quisiera descansar.

Barahúnda: Gran ruido y confusión.

—Bueno, pero, de cualquier manera, era el hombre más sabio porque la viuda misma me lo contó.

—No me importa lo que dice la viuda; no era ningún sabio. Tenía uno de los más extraños y malditos modos de obrar que he visto nunca. ¿Tú sabes eso de la criatura que iba a cortar por la mitad?[2]

—Sí, la viuda me lo contó todo.

—Pues ahí lo tienes. ¿No es la idea más rara del mundo? Tú ponte a considerarla un minuto: ese tronco es una de las mujeres y aquí estás tú, que eres la otra mujer. Yo soy Salomón y este billete de un dólar es la criatura. Las dos lo reclaman. ¿Qué hago yo? ¿Voy a preguntar entre los vecinos para enterarme de quién es el dueño del billete y luego entregarlo a la persona debida sano y salvo, como haría cualquiera que tuviera dos dedos de frente? No, yo cojo y corto el billete por la mitad y te doy una mitad a ti y una mitad a la otra mujer. Eso es lo que Salomón iba a hacer con la criatura. Y yo te pregunto: ¿para qué vale medio billete?... No puedes comprar nada con él. ¿Para qué vale media criatura? Yo no daría un comino por un millón de ellas.

—Pero, por Dios, Jim, no has comprendido el verdadero sentido, maldita sea, no lo has entendido en absoluto.

—¿Quién? ¿Yo? Anda. No me hables a mí de sentido. Yo creo que reconozco el sentido de algo cuando lo veo. Y todas esas ocurrencias no tienen sentido. La disputa no era por media criatura. La disputa era por una criatura entera, y el hombre que cree que puede poner fin a una disputa sobre una criatura entera con media criatura no sabe nada de nada. No me hables de Salomón, Huck, le conozco como un libro abierto.

—Pero te digo que no comprendes el sentido.

—¡Al diablo con el sentido! Yo creo que sé lo que sé. Y hazme caso a mí: el sentido verdadero es más profundo..., es más hondo. Está en la manera en que fue criado Salomón. Fíjate en un hombre que solo tiene una o dos criaturas: ¿te parece que ese hombre va a desperdiciar criaturas? No, no lo hará; no puede permitirse ese lujo. Sabe darles el valor que tienen. Pero mira a un

---

[2] Se refiere al juicio de Salomón. En una ocasión, el rey Salomón tuvo que resolver una disputa entre dos mujeres que afirmaban ser madres de un mismo niño. Para averiguar cuál de las dos decía la verdad, Salomón mandó que cortaran al niño por la mitad para dar un trozo a cada mujer. Entonces, una de ellas, aterrorizada, pidió al rey que se lo entregara a la otra mujer, pero que no lo matara. Así supo Salomón que ella era la verdadera madre (*1 Reyes* 3,16-28).

hombre que tiene retozando por la casa como a cinco millones de criaturas, es distinto. Él cortaría a una criatura por la mitad igual que lo haría con un gato. Le quedan muchas más. Una criatura más o menos, eso le tenía sin cuidado a Salomón, ¡que le lleve el diablo!

Nunca he visto a un negro semejante. Si una vez se le metía a Jim una idea en la cabeza, no había manera de sacársela. Jamás he visto a un negro que la hubiera tomado tanto con Salomón como Jim. Así que me puse a hablar de otros reyes y dejé a un lado a Salomón. Le conté de Luis XVI, a quien cortaron la cabeza en Francia hace mucho tiempo, y de su hijito el delfín[3], que hubiera sido rey, pero le cogieron y le metieron en la cárcel y algunos dicen que murió allí.

—Pobre mocito.

—Pero algunos dicen que se escapó y salió del país y vino a América.

—¡Eso está bien! Pero se encontrará bastante solo... No hay reyes por aquí, ¿verdad, Huck?

—No.

—Entonces no puede colocarse. ¿En qué va a trabajar?

—Pues no lo sé. Algunos se meten a policías, y otros enseñan a la gente a hablar francés.

—Pero, Huck, ¿no habla la gente francesa igual que nosotros?

—No, Jim. No podrías comprender ni una palabra de lo que dicen, ni una palabra siquiera.

—Pues ¡que me parta un rayo! ¿Cómo puede ser eso?

—No lo sé, pero es verdad. Yo cogí algo de su jerigonza de un libro. Suponte que un hombre se te acerca y te dice: «*Pali-vufransi*»[4]... ¿Qué pensarías?

—No pensaría nada. Le daría un puñetazo en la cabeza, si no es blanco, claro. Yo no dejaría que un negro me llamara eso.

—Bah, no es llamarte nada. Solo quiere decir: «¿Sabe hablar francés?».

—Bueno, entonces, ¿por qué no puede decirlo?

Jerigonza: Lenguaje complicado y difícil de entender.

---

[3] El delfín Luis Carlos sobrevivió a la ejecución de su padre, Luis XVI, en 1793 y murió en prisión. Más adelante, Huck alude a una leyenda según la cual el delfín logró escapar.

[4] Correctamente escrito, «*Parlez-vous français?*».

—Te lo está diciendo. Esa es su manera de decirlo.

—Bueno, es una manera malditamente ridícula y no quiero oír más del asunto. No tiene sentido.

—Mira, Jim. ¿Habla como nosotros un gato?

—No, un gato, no.

—Bueno, ¿y una vaca?

—No, una vaca no habla así.

—¿Habla un gato como una vaca, y una vaca como un gato?

—No, no hablan igual.

—Es natural y justo que hablen de distinta manera unos que otros, ¿verdad?

—Claro.

—¿Y no es natural y justo que hablen un gato y una vaca de distinta manera que nosotros?

—Pues claro que sí.

—Bueno, entonces, ¿por qué no es natural y justo que un francés hable de distinta manera que nosotros?

—¿Es un gato un hombre, Huck?

—No.

—Bueno, entonces, no tiene sentido que hable un gato como un hombre. ¿Es una vaca un hombre? ¿O es una vaca un gato?

—No. No es ni lo uno ni lo otro.

—Bueno, entonces, no tiene por qué hablar ni como el uno ni como el otro. ¿Es un francés un hombre?

—Sí.

—Bueno, entonces, maldita sea, ¿por qué no habla como un hombre? ¡Contéstame a eso!

Vi que no valía la pena desperdiciar palabras... Sé de sobra que no puedes enseñar a un negro a discutir. Así que renuncié a esforzarme.

Capítulo 15

Pensamos que en tres noches más llegaríamos a Giro, al punto sur de Illinois, en la confluencia con el río Ohio[1], y que esa sería nuestra meta. Venderíamos la balsa, nos embarcaríamos en un vapor y subiríamos por el Ohio hasta muy arriba, por los estados libres, donde ya no tendríamos dificultades.

Bueno, la segunda noche empezó a levantarse niebla y nos dirigimos hacia un banco de arena para amarrar porque no convenía seguir entre la niebla. Pero cuando remé adelantándome en la canoa, con la cuerda para amarrar preparada, no encontré más que arbolillos tiernos. Pasé la cuerda por el tronco de uno, justo en el borde de la orilla acantilada, pero había una fuerte corriente y la balsa se escapó corriendo tan vivamente que lo arrancó de raíz. Veía yo que la niebla iba envolviéndolo todo, y eso me puso tan mal y tan asustado que durante medio minuto me pareció que no podía ni moverme. Ya no se veía la balsa, no se podía ver ni a veinte metros delante. Salté a la canoa, corrí hacia la popa, agarré el remo y di una paletada para alejarme. Pero no avanzó. Tenía tanta prisa que ni siquiera la había desamarrado. Me levanté e intenté desatarla, pero estaba tan nervioso que me temblaban las manos de tal forma que apenas podía usarlas.

Tan pronto como pude arrancar, salí en busca de la balsa, remando deprisa y recio, justo bordeando el banco de arena. Todo fue bien a lo largo del banco, pero media menos de sesenta metros de largo y, en cuanto pasé volando por la punta, me adentré en una niebla densa y blanca y no tenía más idea de dónde me encontraba que la que hubiera tenido un muerto.

[1] Uno de los principales afluentes del Misisipi.

Pensaba yo: «No conviene remar porque la primera cosa que pasará será que chocaré contra la orilla o contra un banco de arena o contra algo. Tengo que quedarme quieto y dejarme llevar flotando. Y, sin embargo, es un asunto complicado tener que aguantarse con las manos quietas en un momento como este». Grité y escuché. Allá abajo, lejos, en alguna parte, oí un pequeño grito, y mis ánimos revivieron. Me lancé corriendo hacia allá, escuchando atento por si volvía a oírlo. La siguiente vez que lo oí, vi que no me dirigía hacia el grito, sino que me desviaba hacia su derecha. Y la siguiente vez iba hacia la izquierda y, además, no me acercaba bastante porque volaba de acá para allá, de un lado a otro, pero el grito seguía siempre delante de mí, en línea recta todo el tiempo.

Pensé: «Ojalá al tonto ese se le ocurra golpear en un cacharro de hojalata y seguir golpeando sin parar». Pero no lo hizo y eran los silencios entre los gritos los que me causaban dificultades. Bueno, luché para avanzar y en seguida oí un grito detrás de mí. Ya estaba metido en un buen lío. O ese grito era de otra persona o yo estaba confundido.

Tiré el remo. Oí el grito otra vez; estaba aún detrás de mí, pero en otro sitio. Siguió avanzando el grito y siguió cambiando de lugar, y yo seguí contestando, hasta que, poco después, el grito volvió a estar delante de mí otra vez, y yo sabía que la corriente había girado la canoa, que ya iba cabeza adelante, y que yo estaba bien encaminado si era Jim quien gritaba y no otro balsero cualquiera. No se pueden entender las voces en medio de la niebla porque nada se ve normal ni se oye normal entre la niebla.

Seguían los gritos y en un minuto me acerqué zumbando hacia un banco acantilado con grandes árboles que parecían fantasmas humosos. La corriente me echó a la izquierda y pasé como una flecha entre muchos troncos sumergidos que casi bramaban entre la rápida corriente que se arrastraba encima de ellos.

En otro segundo o dos, todo volvió a ser de un blanco sólido y silencioso otra vez. Me quedé sentado completamente quieto y escuché los golpes de mi corazón y creo que no respiré una sola vez mientras contaba cien latidos.

Humoso: Que exhala humo o algún vapor.

Entonces me di por vencido. Ya comprendía qué pasaba. Ese banco acantilado era, sin duda, una isla, y Jim iba bajando, pero por el otro lado. No era un banco de arena que se pudiera dejar atrás en diez minutos. Tenía el arbolado grande de una isla de tamaño regular; tal vez fuera una isla de cinco o seis millas de largo y más de media milla de ancho.

Me quedé quieto, con el oído atento, creo que unos quince minutos. Iba flotando hacia adelante, seguro que a cuatro o cinco millas por hora, pero nunca te parece que sea así. No, tienes la sensación de estar absolutamente quieto en el agua y, si echas una pequeña ojeada a un tronco que se desliza, no piensas que eres tú quien va deprisa, sino que contienes el aliento y te dices: «¡Ay! Cómo corre ese tronco». Y si alguien cree que no es triste y solitario encontrarse en una niebla así, solo en la noche, pues que lo pruebe alguna vez y verá lo que es.

Durante media hora grité de vez en cuando. Por fin oí la respuesta, que venía de muy lejos, y traté de seguirla, pero no pude. Y a continuación creí haberme metido en un verdadero nido de bancos de arena, porque los avisté breve y oscuramente a ambos lados. A veces solo había un canal estrecho entre los bancos y había otros bancos que no veía, pero sabía que estaban allí porque oía cómo la corriente se arrastraba por entre la maleza muerta y las ramas que colgaban de las orillas. Bueno, no tardé mucho en dejar de oír los gritos entre los bancos de arena y solo traté de perseguirlos otro rato porque era peor que perseguir fuegos fatuos. Yo no sabía que un ruido podía dar saltos de esa manera y cambiar de sitio tantas veces y tan rápido.

Tuve que darle al remo vivamente cuatro o cinco veces para no ir a parar a las islas, fuera del río, a golpes de canoa y pensé que la balsa debía estar igualmente topando con la orilla a cada rato porque, si no, avanzaría más y estaría fuera del alcance del oído, ya que flotaría un poco más rápido que yo.

Bueno, un rato después parecía que me encontraba en el río abierto, pero no podía oír gritos por ningún lado. Pensé que Jim quizá había chocado contra un tronco sumergido y que todo había terminado para él. Yo estaba bien cansado, así que me acosté en la canoa y me dije que

Fuego fatuo: Resplandor causado por la combustión de ciertas materias procedentes de sustancias animales o vegetales en putrefacción.

no iba a preocuparme más. No quería dormirme, por supuesto, pero tenía tanto sueño que no pude evitarlo y pensé echarme solo una pequeña siesta.

Pero creo que fue más que una siestecita porque, cuando me desperté, las estrellas brillaban claramente, la niebla se había disipado y yo iba zumbando por un gran recodo con la popa adelante. Al principio no sabía dónde estaba, pensé que soñaba y, cuando se me fueron aclarando las cosas, era como si se tratara de un oscuro recuerdo de algo sucedido la semana anterior.

El río por allí era monstruosamente grande, con una arboleda de lo más alta y espesa en ambas orillas; no era más que un muro sólido, por lo que podía distinguir a la luz de las estrellas. Miré lejos, río abajo, y vi una manchita negra sobre el agua. Me lancé hacia ella, pero cuando la alcancé, no era más que un par de troncos serradizos atados juntos. Luego vi otra manchita y la perseguí; luego otra, y esta vez acerté. Era la balsa.

Cuando llegué a ella, vi a Jim sentado con la cabeza entre las rodillas, dormido, con el brazo derecho descansando sobre el timón. El otro timón se había hecho pedazos, y la balsa estaba cubierta de hojas y ramas y barro. Debía haberlo pasado muy mal.

Amarré, me acosté en la balsa debajo de las narices de Jim, empecé a bostezar y a estirar los puños contra él y dije:

—Hola, Jim. ¿Me he dormido? ¿Por qué no me has despertado?

—¡Dios mío! ¿Eres tú, Huck? ¿Y no estás muerto..., no estás ahogado..., has vuelto? ¿Cómo puede ser, cómo puede ser verdad? Déjame mirarte, criatura, déjame tocarte. ¡No, no estás muerto! ¡Has vuelto sano y salvo, el mismo Huck, el mismo viejo Huck de siempre, gracias a Dios!

—¿Qué te pasa, Jim? ¿Has bebido?

—¿Bebido? ¿Que si he bebido? ¿He tenido un segundo para beber?

—Bueno, entonces, ¿qué te hace decir cosas tan locas?

—¿Qué cosas locas digo yo?

—¿Qué cosas? ¿Pues no has hablado de que he vuelto y todo eso, como si hubiera estado fuera?

—Huck..., Huck Finn, mírame a los ojos; mírame a los ojos. ¿No has estado fuera?

—¿Fuera? Pero ¿qué diablos quieres decir? No me he ido a ninguna parte. ¿Adónde podía irme?

—Bueno, mira, algo va mal aquí, seguro. ¿Yo soy yo? ¿O quién soy yo? ¿Estoy aquí o dónde estoy? Eso es lo que quiero saber.

—Bueno, creo que estás aquí, de veras, pero me parece que eres un pobre tonto con la cabeza hecha un lío, Jim.

—¿Lo soy, eh? Pues contéstame a esto: ¿no fuiste tú en la canoa con la cuerda para amarrar en el banco de arena?

—No, no lo hice. ¿Qué banco? No he visto ningún banco de arena.

—¿No has visto ningún banco? Mira, ¿no se soltó la cuerda y se fue zumbando la balsa río abajo, dejándote solo con la canoa, perdido en la niebla?

—¿Qué niebla?

—Pues la niebla..., la niebla que nos ha envuelto toda la noche. ¿Y no gritaste tú y no grité yo, hasta que nos metimos entre las islas, y uno se perdió y el otro lo mismo que si se hubiera perdido porque no sabía dónde estaba? ¿Y no choqué contra esas islas y pasé un rato terrible y casi me ahogué? ¿No es verdad todo eso? ¿No es verdad? Contéstame.

—Bueno, Jim, esto es demasiado. No he visto ninguna niebla ni islas ni dificultades ni nada. He estado sentado aquí toda la noche hablando contigo hasta que te dormiste hace diez minutos, y calculo que yo hice lo mismo. No puedes haberte emborrachado en ese rato, así que está claro que lo has soñado todo.

—¡Diablos! ¿Cómo voy a soñar todo eso en diez minutos?

—Ay, maldita sea, que sí lo has soñado, porque nada de eso ocurrió de veras.

—Pero, Huck, todo lo tengo tan claro como...

—No importa nada lo claro que esté, no hay nada de eso. Yo lo sé porque he estado aquí todo el tiempo.

Jim no dijo nada durante cinco minutos, se quedó pensándolo mucho. Luego dijo:

—Bueno, entonces, creo que sí lo soñé, Huck; pero válgame Dios si no es el sueño más vivo que he tenido nunca. Y jamás he tenido ningún sueño que me haya cansado tanto como este.

—Ah, bueno, eso es porque a veces un sueño le deja a uno rendido. Pero este ha debido ser un sueño realmente poderoso; cuéntamelo todo, Jim.

Así que Jim se puso en marcha y me contó toda la historia hasta el fin, exactamente como pasó, salvo que lo adornó bastante. Luego dijo que se tenía que poner a interpretarlo porque, sin duda, había sido un sueño enviado como un aviso. Dijo que el primer banco de arena representaba a un hombre que intentaría hacernos algún bien, pero que la corriente era otro hombre que nos separaría del primero. Los gritos que dábamos eran avisos que nos llegarían de cuando en cuando, y si no nos esforzábamos por desenredarlos y entenderlos, nos llevarían hacia la mala suerte en vez de alejarnos de ella. La cantidad de bancos de arena eran dificultades en que nos meteríamos con gente camorrista y con toda clase de personas mezquinas, pero si no nos metíamos en cosas ajenas y no les respondíamos ni los provocábamos, iríamos tirando y saldríamos de la niebla a un río grande y claro, que representaba los estados libres, y ya no tendríamos más dificultades.

Se había nublado bastante poco después de mi llegada a la balsa, pero ahora se despejaba otra vez.

—Bueno, pues todo lo has interpretado bastante bien dentro de lo que cabe, Jim —dije—, pero ¿qué significa todo esto?

Le señalé las hojas y los desperdicios que había encima de la balsa, y el remo destrozado. Se podían ver muy bien en ese momento.

Jim miró la basura y luego me miró a mí y volvió a mirar la basura. Se le había metido tanto y tan fijo ese sueño en la cabeza que ahora no parecía capaz de sacudírselo y poner los hechos en su sitio otra vez en tan poco tiempo. Pero cuando ya tenía la cosa enderezada, me miró fijamente sin sonreír y dijo:

—¿Qué representan? Yo te lo voy a decir. Cuando me había agotado de trabajar y de llamarte y me quedé dormido, casi se me rompía el corazón porque estabas perdido y ya no me importaba nada lo que pudiera pasar

Camorrista: Persona que suele causar disputas.

conmigo y con la balsa. Y cuando me desperté y vi que habías vuelto, sano y salvo, se me saltaron las lágrimas y me hubiera puesto de rodillas para besarte los pies de lo agradecido que estaba. Y todo lo que a ti se te ocurrió entonces fue poner en ridículo al viejo Jim con una mentira. Esas cosas que ves ahí son basura. Y basura es también la gente que echa tierra en la cabeza de los amigos y les hace sentir vergüenza.

Luego se levantó lentamente y se fue a la choza y se metió dentro sin decir más. Pero bastaba. Me hizo sentirme tan despreciable que casi le hubiera besado también yo a él los pies con tal que retirara sus palabras.

Me costó quince minutos de lucha conmigo mismo poder ir a humillarme ante un negro. Pero lo hice y nunca me he arrepentido de ello. No volví a gastarle bromas tan miserables y no le hubiera gastado esa de haber sabido que iba a hacerle tanto daño.

Capítulo 16

Dormimos durante casi todo el día y de noche nos pusimos en marcha, un poco por detrás de una armadía monstruosamente larga, que tardó tanto en pasar como una procesión. Tenía cuatro largos remos a proa y cuatro a popa, así que pensamos que seguramente llevaba por lo menos treinta hombres. Encima se veían cinco grandes chozas, muy separadas entre sí, una hoguera al aire libre en el centro y un asta alta en cada extremo. Era una armadía con estilo, muy distinguida. Ser balsero en una nave como esa realmente debía dar categoría.

Fuimos flotando río abajo hacia un gran recodo. La noche se cubrió de nubes y se hizo calurosa. El río era muy ancho y estaba amurallado a los dos lados por densas arboledas; casi nunca se podía ver un claro ni una luz. Hablamos de Cairo[1] y nos preguntamos si lo reconoceríamos al llegar allí. Yo dije que probablemente no porque había oído decir que no había más que una docena de casas, así que si por casualidad no estaban encendidas las luces, ¿cómo íbamos a saber que pasábamos por un pueblo? Jim dijo que si allí se juntan dos grandes ríos, eso se podría ver. Pero yo le contesté que tal vez pensáramos que estábamos pasando por la punta baja de una isla y entrando en el mismo río otra vez. Eso le dejó inquieto a Jim..., y a mí también. Así que el problema era: ¿qué podíamos hacer? Yo dije que debíamos remar hacia la orilla en cuanto viéramos la primera luz y decirle a la gente que papá venía detrás en su chalana de comerciante, pero que, como era novato en el negocio, quería saber a qué distancia de allí estaba Cairo. A Jim le pareció buena la idea, así que nos pusimos a fumar, pensándolo, y esperamos.

---

[1] Esta localidad, situada en el extremo sur de Illinois, era el último punto de un estado libre que podían encontrar Huck y Jim.

No había nada que hacer salvo estar atentos para descubrir el pueblo, no fuéramos a cruzar por delante sin verlo. Jim dijo que él lo vería seguro porque sería un hombre libre en el momento de verlo, pero que si pasaba por delante sin verlo, estaría otra vez en la región de la esclavitud y sin ninguna oportunidad más de quedar libre. A cada rato se ponía en pie de un salto y decía:

—¿No está allí?

Pero no era el pueblo. Eran fuegos fatuos o cocuyos, así que se sentaba otra vez y se ponía a vigilar igual que antes. Me dijo que verse tan cerca de la libertad le hacía temblar y sentirse febril. Bueno, a mí también me hacía temblar y sentirme febril oírle porque empecé a comprender que era de veras casi un hombre libre... ¿Y quién tenía la culpa? Pues yo. No podía sacármelo de la conciencia de ninguna manera, de ningún modo. Llegó a preocuparme tanto que no podía descansar, no podía estarme quieto en un sitio. Antes no había comprendido así de claro lo que estaba haciendo. Pero ahora sí lo comprendía y se me quedó clavado adentro y me quemaba más y más. Intenté convencerme de que yo no tenía la culpa porque yo no había incitado a Jim a escaparse de su dueña legítima. Pero no me consolaba nada, mi conciencia iba y me decía cada vez: «Pero tú sabías que se escapaba buscando la libertad y podías haberte acercado a la orilla para contárselo a alguien». Era verdad..., no podía quitarme eso de encima de ninguna manera. Era exactamente lo que me molestaba. La conciencia me decía: «¿Qué te ha hecho la pobre señorita Watson para que tú, sin decir ni una palabra, pudieras ver a su negro escaparse delante de tus propias narices? ¿Qué te ha hecho esa pobre vieja para que la trates tan mezquinamente? Ella se esforzó por enseñarte las lecciones y se esforzó por enseñarte modales y se esforzó por ser buena contigo de cuantas maneras supo. Eso es lo que hizo».

Llegué a sentirme tan mezquino y tan desdichado que casi hubiera querido estar muerto. Me movía nervioso de un lado a otro de la balsa, insultándome a mí mismo, y Jim se cruzaba conmigo, también nervioso. No podíamos estarnos quietos, ni el uno ni el otro. Cada vez que Jim bailaba alrededor y decía: «¡Ahí está Cairo!», me atrave-

Cocuyo: Insecto coleóptero que de noche despide una luz azulada.

saba como un tiro y pensaba que si de verdad era Cairo,
seguro que me moriría de desdicha. Jim hablaba en voz alta todo el tiempo mientras yo
me hablaba a mí mismo. Él decía que lo primero que ha-
ría al llegar a un estado libre sería ahorrar dinero y nunca
gastar un centavo y que, cuando hubiese ahorrado bastante, compraría a su mujer, cuyo dueño tenía una granja
cerca de la casa de la señorita Watson. Y, luego, los dos
trabajarían para comprar a los dos hijos y, si su dueño se
negaba a venderlos, buscaría a un abolicionista que fuera
a robarlos.
Casi se me heló la sangre al escuchar tales palabras.
Jamás en su vida se habría atrevido a decir tales cosas.
Era de ver el cambio que se obró en él cuando creyó estar
a punto de ser libre. Todo estaba ocurriendo según el viejo dicho: «Dale una mano al negro y se tomará todo el
brazo». Yo pensaba: «Esto es lo que resulta por no medi-
tar bien las cosas». Allí tenía yo ahora a este negro a
quien prácticamente había ayudado a escaparse y que
había dicho sin pestañear que se proponía robar a sus hijos... Unos niños que pertenecían a un hombre que yo ni
siquiera conocía, a un hombre que nunca me había hecho
ningún daño.
Sentí mucho cuando le oí decir eso a Jim, porque mostraba cómo se estaba degradando. Mi conciencia empezó
a pincharme con más fuerza que nunca, hasta que por fin
me dije: «Aguarda un poco, aún no es demasiado tarde...
A la primera luz remo hasta la orilla y le denuncio». En
seguida me sentí aliviado, feliz y tan ligero como una
pluma. Todas mis penas se esfumaron. Me puse a vigilar
con cuidado buscando una luz mientras canturreaba
para mis adentros. Al poco rato vimos una luz. Jim gritó:
—¡Estamos a salvo, Huck, a salvo! ¡Salta y taconea!
¡Ahí está Cairo, por fin, seguro!
Yo le dije:
—Iré con la canoa a ver, Jim. Puede que no lo sea.
Se puso en pie de un salto, preparó la canoa, extendió
en el fondo su viejo abrigo para que me sentara encima,
me dio el remo y, mientras desatracaba, me dijo:
—Dentro de poco estaré gritando de alegría y, enton-
ces, diré: «Todo se lo debo a Huck; soy un hombre libre,

pero no lo habría conseguido nunca a no ser por Huck; Huck lo consiguió». Jim jamás te olvidará, Huck. Eres el mejor amigo que Jim ha tenido nunca y eres el único amigo que tiene el viejo Jim ahora.

Yo había empezado a remar, todo impaciente por denunciarle, pero cuando dijo eso, parecía que se me hubieran apagado los fuegos. Entonces seguí avanzando lentamente y no estaba muy seguro de si me alegraba de haber empezado con aquello o no. Cuando ya me encontraba a cincuenta metros de la balsa, Jim dijo:

—Ahí va el leal Huck, el único caballero blanco que ha cumplido su promesa al viejo Jim.

Yo, sencillamente, me sentía enfermo. Pero me dije: «Tengo que hacerlo, no puedo evitarlo». En ese momento pasaba un esquife con dos hombres dentro que llevaban escopetas, se pararon y yo me paré. Uno de ellos dijo:

—¿Qué es aquello que hay allá?

—Un trozo de balsa —dije.

—¿Tú vas en ella?

—Sí, señor.

—¿Lleva hombres encima?

—Solo uno, señor.

—Bueno, se han escapado cinco negros esta noche, de allá, arriba del recodo. ¿Es blanco o negro tu hombre?

No le contesté rápidamente. Traté de hacerlo, pero las palabras no me salían. Durante un segundo o dos intenté cobrar ánimo y decirlo, pero no era yo lo bastante hombre, no tenía ni la espina dorsal de un conejo. Veía que flaqueaba, así que dejé de intentarlo y de repente dije:

—Es blanco.

—Creo que vamos a comprobarlo.

—Me gustaría que lo hicieran —dije— porque es mi padre el que está allí, y tal vez me ayudarían a remolcar la balsa a tierra, donde está esa luz. Está enfermo... y también mi madre y Mary Ann.

—¡Ah, diablos! Tenemos prisa, muchacho. Pero supongo que debemos hacerlo. Ven, agárrate a tu remo y vamos hacia allá.

Así lo hice y ellos también cogieron los remos. Cuando habíamos dado un par de golpes, dije:

—Mi padre les estará muy agradecido, se lo aseguro. Todo el mundo se aleja cuando quiero que alguien me ayude a remolcar la balsa a tierra, y yo solo no puedo con ella.

—Pero eso es infernal y mezquino por parte de la gente. Y extraño también. Oye, muchacho, ¿qué tiene tu padre?

—Es la..., la..., bueno, no es gran cosa.

Dejaron de remar. Ya quedaba muy, muy poco para llegar a la balsa. Uno dijo:

—Muchacho, nos has mentido. ¿Qué es lo que tiene tu padre? Contéstame la verdad y te irá mejor.

—Lo haré, señor, lo haré honradamente, pero no nos dejen, por favor. Es la..., la... Señores, si solo avanzan un poco hacia delante y me dejan tirarles la amarra, no tendrán que acercarse a la balsa, por favor.

—¡Échate para atrás, John, atrás! —dijo uno. Dieron la vuelta—. Aléjate, muchacho, ponte a babor. Maldita sea, supongo que el viento lo ha soplado hacia nosotros. Tu padre tiene la viruela[2] y tú lo sabes de sobra. ¿Por qué no lo has dicho? ¿Quieres contagiar a todo el mundo?

—Bueno —dije yo, lloriqueando—, antes se lo contaba a todo el mundo y, al oírlo, se marchaban y nos dejaban solos.

—Pobre diablo, tiene algo de razón. Nos das mucha pena, pero nosotros..., pues, maldita sea, no queremos coger la viruela. Mira, te voy a decir lo que debes hacer. No trates de tomar tierra tú solo o lo romperás todo en pedazos. Deja flotar la balsa aguas abajo unas veinte millas y llegarás a un pueblo de la orilla izquierda del río. Entonces ya habrá amanecido y, cuando pidas ayuda, diles que toda tu familia está mala con fiebre y escalofríos. No hagas de nuevo el tonto dejando adivinar lo que les pasa. Estamos intentando hacerte un favor, así que aléjate veinte millas de nosotros, sé un buen muchacho. No valdría la pena tomar tierra allí donde está la luz: solo es

---

[2] Enfermedad infecciosa, causada por el *Variola virus*. En algunos casos puede llegar a causar la muerte. No hay tratamiento especial para esta enfermedad y solo se puede prevenir gracias a la vacuna que desarrolló el científico Edward Jenner (1749-1823).

una maderería. Oye, me imagino que tu padre es pobre y ya se ve que ha tenido mala suerte. Mira, voy a poner una moneda de veinte dólares en oro sobre esta tabla. Cógela cuando pase flotando. Me siento muy mal dejándote así, pero, ¡por Dios!, no conviene jugar con la viruela, ¿lo comprendes?

—Espera, Parker —dijo el otro hombre—, aquí tienes otra de veinte para que la pongas en la tabla de mi parte. Adiós, muchacho. Haz lo que te ha dicho el señor Parker y todo irá bien.

—Es verdad, hijo mío..., adiós, adiós. Si ves a algún negro fugitivo, busca ayuda y cógelo. Con eso ganarás algún dinero.

—Adiós, señor —dije—. No dejaré pasar ningún negro fugitivo si puedo evitarlo.

Se marcharon y yo regresé a la balsa, hundido y triste, porque sabía muy bien que había obrado mal, y veía que era inútil tratar de aprender a obrar bien. Cuando no se ha empezado bien de pequeño, ya no se tiene oportunidad. Cuando llega un problema, uno no tiene en qué apoyarse ni nada que le haga seguir adelante, así que sale derrotado. Luego pensé un minuto y me dije: «Espera, suponte que hubieras obrado bien y hubieras denunciado a Jim, ¿te sentirías mejor de como te sientes ahora? No —me dije—, me sentiría mal..., me sentiría exactamente igual que ahora». Bueno, y entonces me dije: «¿Para qué te vale aprender a obrar bien, cuando es dificultoso obrar bien y no es nada difícil obrar mal y el pago es igual en los dos casos?». Estaba confundido. No podía contestar la pregunta. Así que pensé que no debía seguir preocupándome del asunto, sino que siempre haría lo que en el momento me viniera más a mano.

Me metí en la choza. Jim no estaba allí. Miré por todos lados, no le encontraba en ninguna parte. Le llamé:

—¡Jim!

—¡Aquí estoy, Huck! ¿Ya se han ido? No hables alto.

Lo vi sumergido en el río, debajo del remo de popa, asomando solo la nariz. Le dije que estaban fuera del alcance de la vista, así que trepó a bordo. Dijo:

—Estaba escuchándolo todo, me deslicé al río y me iba a lanzar hacia la orilla si subían a bordo. Iba a regre sar nadando a la balsa cuando se hubieran marchado. Pero ¡santo Dios! ¡Cómo los engañaste, Huck! ¡Era la excusa más astuta que he oído nunca! Te lo digo, niño, creo que con eso has salvado al viejo Jim..., y el viejo Jim no te olvidará.

Luego hablamos del dinero. Era un aumento de sueldo bastante grande: veinte dólares cada uno. Jim dijo que ahora podríamos comprar un pasaje de cubierta en un barco de vapor y que el dinero nos duraría hasta tan lejos como quisiéramos llegar en los estados libres. Dijo que veinte millas más en la balsa no era mucho, pero que le gustaría estar allí ya.

Hacia el amanecer amarramos y Jim tuvo mucho cuidado de esconder bien la balsa. Luego trabajó todo el día atando las cosas en bultos y preparándose para dejar de viajar en la balsa.

Esa noche, a eso de las diez, vimos las luces de un pueblo allá abajo, en un recodo que quedaba hacia la izquierda.

Me acerqué en la canoa a averiguarlo. Al poco rato encontré a un hombre que iba en un esquife y que estaba echando un palangre. Me arrimé y le dije:

Palangre: Utensilio para pescar consistente en un cordel del que cuelgan ramales con anzuelos en los extremos.

—Señor, ¿es Cairo ese pueblo?

—¿Cairo? No. Tú debes ser condenadamente tonto.

—¿Qué pueblo es, señor?

—Si quieres saberlo, acércate y entérate. Si te quedas aquí molestándome medio minuto más, te daré algo que seguro que no quieres que te dé.

Fui remando hasta la balsa. Jim estaba muy desilusionado, pero yo dije que no se preocupara, que Cairo sería, sin duda, el próximo pueblo.

Pasamos delante de otro pueblo antes de que se hiciera de día y yo iba a acercarme, pero era tierra alta, así que no lo hice. Jim dijo que no había tierra alta alrededor de Cairo. Yo lo había olvidado. Nos instalamos para pasar el día en un banco de arena bastante cerca de la orilla izquierda. Empecé a sospechar algo. A Jim le ocurrió lo mismo. Dije:

—Tal vez pasamos delante de Cairo esa noche de niebla.

Él me contestó:

—No hablemos de eso, Huck. Los pobres negros no pueden tener suerte. Yo siempre había sospechado que esa piel de serpiente de cascabel no había terminado su obra.

—Ojalá que nunca hubiera visto esa piel de culebra, Jim... Cómo me gustaría no haberla visto nunca.

—Tú no tienes la culpa, Huck; no lo sabías. No te eches la culpa por eso.

Cuando se hizo de día, junto al margen vimos las aguas claras del Ohio, seguro que eran del Ohio, mientras que por fuera corrían las aguas del viejo río turbio, el Misisipi. Así que se nos acabaron todas las ilusiones respecto a Cairo.

Lo discutimos. No convenía viajar por tierra y, por supuesto, no podíamos remontar la corriente en la balsa. No había otra cosa que hacer salvo esperar a que se hiciera de noche y tratar de regresar en la canoa, corriendo el riesgo. Así que dormimos todo el día entre la arboleda de álamos, a fin de estar descansados para trabajar esa noche, y cuando regresamos a la balsa al oscurecer, ¡la canoa había desaparecido!

No abrimos la boca durante un rato largo. No había nada que decir. Los dos sabíamos bastante bien que aquello era una obra más de la piel de la serpiente de cascabel, así que ¿para qué valía hablar de ello? Solo parecería que estábamos criticando, y eso nos traería peor suerte, seguro, y, además, seguiría trayéndola hasta que aprendiéramos a callarnos.

Después de un rato hablamos de lo que deberíamos hacer y no encontramos otra solución más que seguir río abajo en la balsa hasta que tuviéramos la oportunidad de comprar una canoa en la que pudiéramos regresar. No íbamos a tomarla prestada aprovechando un descuido de la gente, como haría mi padre, porque eso podría dar lugar a que nos persiguieran.

De modo que, después del anochecer, desatracamos la balsa.

Cualquiera que todavía no crea que es cosa de tontos tocar una piel de culebra con las manos, después de todo lo que nos hizo esa piel de culebra, se convencerá si sigue leyendo y se enterará de lo que nos hizo luego.

Atracar: Arrimar una embarcación a tierra o a otra embarcación.

Arrecife: Roca.

Donde venden canoas es en las armadías atracadas a la orilla. Pero no vimos ninguna armadía atracada; por eso seguimos adelante durante más de tres horas. Bueno, la noche se puso gris y bastante espesa, lo cual es una cosa casi tan miserable como la niebla. No logras distinguir la forma del río y no puedes ver nada a ninguna distancia. Se hizo muy tarde y todo estaba silencioso. Después vino hacia arriba un barco de vapor. Encendimos la linterna, pensando que la vería. Normalmente, los barcos que remontaban la corriente no se acercaban a nosotros. Solían ir por fuera, siguiendo los bancos, en busca de aguas fáciles por entre los arrecifes. Pero en noches como aquella no se apartaban del canal y embestían contra el río entero.

Podíamos oírlo avanzar pesadamente, pero no lo vimos bien hasta que estuvo cerca. Se dirigía derecho hacia nosotros. Muchas veces hacen eso, a ver cuánto pueden acercarse sin tocarte. De vez en cuando, la rueda rompe de un mordisco un remo largo de una balsa y, entonces, el piloto asoma la cabeza y se ríe y se cree muy gracioso. Bueno, venía hacia nosotros y creíamos que iba a tratar de rozarnos, pero no parecía desviarse ni tan solo un poco. Era un vapor grande y, además, venía con prisas. Parecía una nube negra con filas de luciérnagas alrededor, pero de pronto se agrandó, enorme y espantoso, con una larga fila de puertas de horno brillando como dientes al rojo vivo, y con su proa monstruosa y las barandillas colgando directamente encima de nosotros. Se oyó un grito dirigido hacia nosotros y un retintín de campanas dando orden de parar los motores y una cantidad de maldiciones y el silbar del vapor... y, mientras Jim se tiraba al agua por un lado y yo por el otro, el vapor se abrió paso atravesando la balsa.

Me zambullí. Tenía intención de llegar hasta el fondo porque sabía que había de pasarme por encima una rueda de diez metros y yo quería darle mucho margen. Siempre había podido quedarme bajo el agua un minuto; esta vez creo que me quedé sumergido minuto y medio. Luego salté deprisa hacia la superficie porque estaba casi a punto de reventar. Salí disparado, sacando el cuerpo hasta los sobacos, y soplé el agua de la nariz y jadeé un poco.

Claro que retumbaba la corriente y que el vapor puso en marcha los motores de nuevo como diez segundos después de haberlos parado, porque esos hombres no tienen mucho cariño a los balseros. Así que, ahora, el vapor iba surcando el río hacia arriba, ya fuera del alcance de la vista, en la espesura de la noche, aunque yo lo podía oír todavía.

Grité una docena de veces buscando a Jim, pero no obtuve respuesta, de modo que me agarré a una tabla que me había rozado mientras trataba de sostenerme pedaleando en el agua y me lancé hacia la orilla empujando la tabla delante de mí. Pero pronto me di cuenta de que el rumbo de la corriente iba hacia la orilla izquierda, lo que significaba que estaba en un cruce, así que cambié de dirección y seguí la corriente.

Era uno de esos cruces largos y oblicuos, de dos millas. Por eso tardé mucho rato en llegar. Tomé tierra bien y trepé por el ribazo. No podía ver a mucha distancia, pero caminé lentamente como un cuarto de milla o más sobre un terreno difícil y luego, antes de que pudiera darme cuenta, me encontré frente a una casa grande de troncos, de doble cuerpo y estilo antiguo. Iba a pasar de largo rápidamente y a escapar, pero muchos perros saltaron hacia mí y se pusieron a ladrarme y a aullarme, y yo sabía que mejor sería no mover ni un pelo.

Ribazo: Terreno elevado y en declive.

Capítulo 17

Un momento después, alguien habló por una ventana sin asomar la cabeza y dijo:

—¡Basta ya! ¡Quietos! ¿Quién está ahí?

Dije:

—Soy yo.

—¿Quién es yo?

—George Jackson, señor.

—¿Qué quieres?

—No quiero nada, señor. Solo quiero pasar por aquí, pero los perros no me dejan.

—¿Qué haces rondando por aquí a esta hora de la noche, eh?

—No iba rondando, señor. Me caí al agua de un barco de vapor.

—¿Ah, sí? ¿De veras? Encended una luz alguno de vosotros. ¿Cómo has dicho que te llamas?

—George Jackson, señor. No soy más que un muchacho.

—Mira, si estás diciendo la verdad, no tienes por qué asustarte, nadie te va a hacer daño. Pero no se te ocurra moverte; estate ahí quieto. Despertad a Bob y a Tom y que traigan los fusiles. George Jackson, ¿hay alguien contigo?

—No, señor, nadie.

Entonces, oí el ruido de la gente moviéndose en la casa y vi una luz. El hombre gritó:

—Quita esa luz de ahí, Betsy, tonta, ¿dónde tienes la cabeza? Ponla en el suelo, detrás de la puerta de la sala. Bob, si estáis listos, tú y Tom ocupad vuestros puestos.

—Todos listos.

—Ahora, George Jackson, ¿conoces a los Shepherdson?

—No, señor, nunca he oído hablar de ellos.

—Bueno, eso puede ser verdad o no. Ahora, todos listos. Acércate, George Jackson. Y cuidado, no tengas prisa, acércate con mucha lentitud. Si hay alguien contigo, que se quede atrás; si se deja ver, dispararemos sobre él. Ahora ven hacia acá. Acércate lentamente, empuja y abre tú la puerta, lo justo para que puedas pasar de costado, ¿me oyes?

No me di prisa; no habría podido, aun queriendo hacerlo. Avancé lentamente, paso a paso, y no se oía ni un ruido, pero yo creía oír mi corazón. Los perros estaban tan silenciosos como los seres humanos, pero me siguieron un poco por detrás. Cuando llegué a los tres peldaños de troncos, oí que abrieron la cerradura, desatrancaron y descorrieron el cerrojo. Puse la mano en la puerta y la empujé un poco y luego un poco más hasta que alguien dijo: «Ya, basta ya. Asoma la cabeza». Lo hice, aunque pensé que podrían quitármela de un tiro.

La vela se encontraba en el suelo y allí estaban todos mirándome y yo los miré a ellos durante un cuarto de minuto: tres hombres grandes apuntándome con fusiles, lo cual puedo asegurar que me hizo retroceder; el mayor, con canas y de unos sesenta años, y los otros dos de unos treinta o más, todos fuertes y guapos, y una vieja de lo más dulce, con pelo canoso, y detrás de ella dos mujeres jóvenes, a quienes yo no podía ver bien. Entonces, el señor viejo dijo:

—Ya. Creo que está bien. Pasa.

Tan pronto como había entrado, el señor viejo cerró la puerta con llave, la atrancó y corrió los cerrojos y dijo a los jóvenes que le siguieran con los fusiles, y todos entraron en una sala grande que tenía en el suelo una alfombra nueva de las que se hacen en casa, y se juntaron en un rincón fuera del alcance de las ventanas de la fachada porque a ese lado no había ventanas. Sostenían la vela en alto y me miraron bien y todos dijeron: «Pues no es un Shepherdson, no. No tiene rasgo alguno de los Shepherdson». Luego, el viejo dijo que esperaba que no me importara que me cachearan en busca de armas porque no lo hacían con intención de ofenderme, sino que solo era una medida de seguridad. Ni siquiera curioseó por mis bolsillos; solo me pasó las manos por fuera y dijo que estaba bien. Me dijo que me pusiese cómodo y que me sintiera allí como en casa y que les contara toda mi historia. Pero la señora vieja dijo:

—Pero, por Dios, Saúl, el pobre está calado hasta los huesos. ¿Y no crees que puede tener hambre?

—Tienes toda la razón, Rachel... Se me olvidó.

Así que, entonces, la señora vieja dijo:

—Betsy —esa era la negra—, vuela y prepárale al pobre algo de comer, y tan deprisa como puedas. Y una de vosotras, chicas: id a despertar a Buck y decidle..., ah, aquí está. Buck, llévate a este pequeño forastero y ayúdale a quitarse la ropa mojada y vístele con ropa tuya que esté seca.

Buck parecía tener mi edad, unos trece o catorce años, aunque era un poco más grande que yo. No llevaba puesta más que una camisa y tenía el pelo todo enmarañado. Entró bostezando y restregándose los ojos con el puño de una mano y arrastrando el fusil con la otra. Dijo:

—¿No hay por ahí ningún Shepherdson?

Le dijeron que no, que era una falsa alarma.

—Bueno —dijo—, si hubieran sido ellos, creo que me habría cargado a uno.

Todos se rieron y Bob dijo:

—Pero, Buck, podrían habernos quitado el cuero cabelludo a todos, con lo lento que has sido en llegar.

—Claro, nadie me llamó y eso no está bien. Siempre se me deja apartado; no me dais una oportunidad.

—No te preocupes, Buck, hijo —dijo el viejo—, tendrás oportunidades de sobra, todo a su tiempo; no te pongas impaciente por eso. Ahora vete y haz lo que te ha mandado tu madre.

Cuando llegamos a su cuarto en el piso de arriba, me dio una camisa burda, una chaqueta corta y unos pantalones y yo me los puse. Mientras lo hacía, él me preguntó mi nombre, pero, antes de que pudiera contestarle, empezó a hablarme de un arrendajo azul y de un conejillo que había atrapado hacía dos días en el bosque y me preguntó dónde estaba Moisés[1] cuando se apagó la vela. Le dije que no lo sabía; no había oído nunca hablar de eso antes.

—Pues adivínalo —dijo.

—¿Cómo voy a poder adivinarlo —repuse— cuando nunca he oído hablar de ello?

Burda: Basta, tosca.

Arrendajo: Ave americana del orden de las Paseriformes.

---

[1] Véase nota 2, capítulo 1.

—Pero puedes adivinarlo, ¿no? Es muy fácil.

—¿Qué vela? —dije.

—Pues cualquier vela —me contestó.

—Yo no sé dónde estaba —dije—. ¿Dónde estaba?

—¡Pues estaba en la oscuridad! ¡Ahí es donde estaba!

—Bueno, si sabías dónde estaba, ¿por qué me lo preguntas a mí?

—¡Ay! Diablos. Es un acertijo, ¿no entiendes? Oye, ¿cuánto vas a quedarte aquí? Tienes que quedarte para siempre. Podemos pasarlo estupendamente: ahora no hay escuela. ¿Tienes perro? Yo sí, tengo un perro y se echa al río a traerte palos que has tirado dentro. ¿Te gusta arreglarte y peinarte los domingos y todas esas tonterías? A mí no me gusta nada, claro, pero mamá me obliga a hacerlo. ¡Malditos pantalones! Me imagino que tengo que ponérmelos, aunque no me gusten, con el calor que hace... ¿Estás listo? Bien. Vamos.

Pan de maíz frío, carne salada fría, mantequilla y leche cremosa, eso es lo que me pusieron para comer y hasta ahora no he encontrado nada mejor. Buck y su madre y todos, salvo la negra, que ya no estaba, y las dos mujeres jóvenes, todos fumaban en pipas hechas de cándalo de maíz. Todos fumaban y hablaban, y yo comía y hablaba. Las jóvenes llevaban edredones sobre los hombros y el pelo les colgaba largo por la espalda. Todos me hacían preguntas y les conté cómo papá y yo y toda la familia vivíamos en una granja pequeña en el sur de Arkansas[2], y mi hermana Mary Ann se escapó y se casó y nunca supimos más de ella, y Bill fue a buscar a los novios y nunca supimos más de él, y murieron Tom y Mort, y luego no quedó nadie salvo yo y papá, y él estaba hecho un esqueleto a causa de sus desgracias. Así que, cuando él murió, yo recogí lo que quedaba, viendo que no nos pertenecía la granja, y empecé a viajar río arriba con un pasaje de cubierta y me caí al agua; así fue como llegué hasta allí. Me dijeron que podría vivir con ellos tanto tiempo como quisiera. Luego, ya casi había amanecido y todos se fueron a la cama y yo me acosté con Buck y cuando me desperté por la mañana, demonios, había olvidado cómo me lla-

Cándalo: Mazorca de maíz desgranada.

[2] Estado de los EE. UU. situado en el sudeste del país.

maba. Así que me quedé echado allí casi una hora, intentando pensar, y cuando Buck se despertó, le dije:

—¿Sabes deletrear, Buck?

—Sí.

—Te apuesto algo a que no puedes deletrear mi nombre —le dije.

—Te apuesto lo que quieras a que sí —repuso él.

—Bien —dije—. Adelante.

—G-e-o-r-g-e J-a-x-o-n, ¡ya está! —dijo.

—Bueno —dije yo—, lo has hecho, pero no creía que pudieras hacerlo. No es cosa de juego deletrear ese nombre así, de corrido, sin estudiarlo.

Lo escribí en un papel, a solas, porque alguien podría pedirme a mí que lo deletreara, así que quería sabérmelo de memoria y poder decirlo de carrerilla, como si estuviera acostumbrado.

Era una familia estupenda, y también la casa era estupenda. Hasta entonces no había visto ninguna casa en el campo tan estupenda y con tanto estilo. No tenía en la puerta de entrada un cerrojo de hierro ni de madera con una cuerda de cuero, sino un pomo de bronce que giraba, igual que las casas de los pueblos grandes. No había camas en la sala, ni rastro de ellas, aunque hay en los pueblos montones de salas que las tienen. Había una chimenea grande con el fondo de ladrillos, que mantenían limpios y rojos vertiéndoles agua y frotándolos con otro ladrillo; a veces los lavaban con una pintura de agua roja que llaman «marrón de España»[3], igual que lo hacen en los pueblos. Tenían en la chimenea grandes morillos de bronce, capaces de sostener un tronco serradizo. Y en el centro de la repisa de la chimenea había un reloj, en cuyo cristal delantero había dibujado un pueblo, y tenía un redondel en medio que representaba el sol, y se podía ver el péndulo balanceándose detrás del cristal. Era bonito escuchar el tictac de ese reloj; y a veces, cuando uno de esos buhoneros había pasado por allí y lo había limpiado y puesto en buena forma, empezaba a dar campanadas y llegaba a dar ciento cincuenta antes de

Morillo: Caballete de hierro que se coloca en la chimenea para sostener la leña.

Buhonero: Vendedor ambulante.

[3] En el original, *Spanish-brown* (literalmente, «marrón español»), tipo de tierra de tono rojizo que se utiliza para elaborar pinturas.

cansarse. No lo habrían vendido por todo el dinero del mundo.

Bueno, a cada lado del reloj había un papagayo extravagante, hecho de algo como yeso y pintado de colores chillones. Junto a uno de los papagayos había un gato hecho de loza, y un perro de loza al lado del otro; cuando uno los apretaba, chillaban, pero no abrían la boca ni cambiaban de expresión ni mostraban interés. Chillaban por debajo. Había un par de abanicos hechos de alas de pavos salvajes, extendidos detrás de las otras cosas. Encima de la mesa, en el centro de la sala, había una linda cesta de loza que tenía dentro manzanas y naranjas y melocotones y uvas, más rojos y amarillos y más bonitos que la fruta verdadera, pero se notaba que no eran reales, porque se podían ver los trozos por donde estaba desconchado el yeso blanco, o lo que fuera lo de debajo.

La mesa tenía un tapete hecho de bonito hule, en el cual había pintada un águila roja y azul con las alas abiertas, y un ribete todo alrededor[4]. Venía de Filadelfia[5], de tan lejos, decían. También había unos libros, amontonados en pilas exactas en cada esquina de la mesa. Uno era una gran Biblia familiar llena de dibujos. Otro era *El viaje del peregrino*, que hablaba de un hombre que dejó a su familia, pero no contaba por qué. Yo a veces leía largos ratos ese libro. Lo que decía era interesante, pero difícil. Otro libro era *La ofrenda de la amistad*, lleno de cosas bellas y de poesía, pero no leí la poesía. Otro era *Los discursos* de Henry Clay, y otro era la *Medicina familiar*[6] del doctor Gunn, que contaba todo lo que había que hacer si alguien estaba enfermo o muerto. Había un libro de himnos, y muchos otros libros. Y había sillas de asiento de mimbre muy bonitas y, además, completamente enteras, no hundidas en el centro y reventadas, como una cesta vieja.

---

[4] En dos de los símbolos nacionales estadounidenses, el Gran Sello y el escudo, la figura principal es un águila que lleva sobre su pecho un escudo con trece barras rojas y blancas, representación de los trece estados fundadores del país.

[5] Ciudad del estado de Pensilvania (EE. UU.).

[6] *El viaje del peregrino* (1678) es una alegoría religiosa del predicador y escritor inglés John Bunyan (1628-1688). *La ofrenda de la amistad* (1843) es una antología de poesía y prosa sentimental. *Henry Clay* (1777-1852), estadista norteamericano, era famoso por sus dotes como orador. La *Medicina familiar* (1830) era una enciclopedia médica.

Tenían cuadros en las paredes, la mayor parte de ellos de Washington y La Fayette, de batallas, de María la escocesa, y uno llamado *Firma de la Declaración de Independencia*[7]. Había unos que llamaban «hechos a lápiz», que una de las hijas, ahora muerta, había hecho cuando solo tenía quince años. Eran distintos de cualquier dibujo que yo hubiera visto antes: la mayoría eran más negros de lo que es corriente. Uno era de una mujer con vestido negro y fino muy ceñido, con un cinturón debajo de los sobacos y con bultos como repollos en mitad de las mangas, y con un sombrero negro como una pala ancha del que colgaba un velo negro; la mujer tenía unos tobillos blancos y delgados, cruzados con cintas negras, y tenía unas zapatillas negras muy pequeñitas, como de forma de escoplo, y apoyaba pensativa el codo derecho en la lápida de un sepulcro, bajo un sauce llorón; y a la mujer le caía el otro brazo a un costado y tenía en la mano un pañuelo blanco y una bolsa de labores; y al pie del dibujo decía: «Ya nunca más volveré a verte, ay de mí». Otro era de una señorita joven con el pelo peinado recto hacia lo alto de la cabeza y anudado allí a un peine alto como el respaldo de una silla, y la joven se secaba las lágrimas con un pañuelo y en la otra mano tenía un pájaro muerto caído de espaldas, patas arriba, y estaba escrito: «Ya nunca más oiré tu dulce trino, ay de mí». Había otro dibujo con una señorita joven que, asomada a una ventana, miraba la luna y le corrían las lágrimas por las mejillas y en una mano tenía una carta abierta, en cuyo borde se veía el lacre negro del sello; y la señorita se estrujaba contra la boca un medallón con una cadenita y debajo estaba escrito: «Y te has ido, sí, te has ido, ay de mí». Yo supongo que eran todos dibujos simpáticos, pero por alguna razón no me caían muy bien, porque si yo estaba un poco triste,

Escoplo: Herramienta utilizada por escultores y carpinteros, hecha de hierro acerado y normalmente provista de un mango de madera.

Lacre: Pasta hecha con goma laca, trementina y bermellón u otro color, que, derretida, servía para sellar cartas.

[7] George *Washington,* véase nota 2, capítulo 5. Marie Joseph de Motier, marqués de *La Fayette* (1757-1834), general francés, participó en la Guerra de la Independencia de Estados Unidos contra Gran Bretaña. *María la escocesa* era la novia muerta del poeta escocés Robert Burns (1759-1796). La *Declaración de Independencia* de los Estados Unidos es el documento mediante el cual, en 1776, las trece colonias inglesas norteamericanas, en guerra entonces contra Gran Bretaña, declararon su independencia y explicaron sus razones para ello. El contenido fue elaborado por Thomas Jefferson y la *Declaración* fue ratificada por el Congreso Continental el día 4 de julio de 1776 en Filadelfia.

siempre me daban escalofríos. Todo el mundo sentía la muerte de esa hija porque seguro que ella tenía en proyecto muchos más dibujos de esta clase, y cualquiera que viese lo que había dibujado en vida se daría cuenta de lo que había perdido la familia. Pero yo creo que, con el temperamento que tenía, lo estaría pasando mucho mejor en el cementerio. Decían que estaba trabajando en lo que llamaban su obra maestra cuando cayó enferma, y que todos los días y todas las noches rezaba pidiendo que se le permitiera vivir hasta poder acabarla, pero no tuvo la oportunidad. Era un dibujo de una mujer joven con una larga túnica blanca, de pie sobre la barandilla de un puente, lista para tirarse; tenía el pelo todo suelto por la espalda y, con lágrimas corriéndole por la cara, miraba la luna y tenía dos brazos cruzados sobre el pecho, y dos brazos extendidos hacia adelante, y dos más levantados hacia la luna..., y la idea era que iba a ver qué par de brazos quedaba mejor y luego borrar todos los otros, pero, como digo, murió antes de decidirse y ahora tenían este dibujo colgado sobre la cabecera de la cama de su cuarto y en cada aniversario suyo ponían flores alrededor de él. Fuera de estos días, escondían el dibujo detrás de una cortina pequeña. La joven del dibujo tenía una cara bastante dulce y simpática, pero tantos brazos le daban un aspecto como de araña, eso me parecía a mí.

Esta joven tenía un álbum de recortes cuando estaba viva y solía pegar en él recortes del *Presbyterian Observer*, de necrologías y accidentes y casos de paciencia en el sufrimiento, y sobre estos temas escribía poemas sacados de su propia cabeza. Era poesía muy buena. Esto escribió de un muchacho llamado Stephen Dowling Bots, que se cayó en un pozo y se ahogó:

ODA A STEPHEN DOWLING BOTS, FALLECIDO

¿Y enfermó el joven Stephen?
¿Y el joven Stephen murió?
¿Los corazones se espesaron?
¿Y todo el pueblo lloró?
No. No era tal el destino

del joven Stephen Dowling Bots;
pese a que así se apenaban,
él de enfermedad no murió.

No le atacó la tos ferina,
no le atacó el sarampión[8];
estos males no abatieron
al noble Stephen Dowling Bots.
No a los desgraciados amores
Testa: Cabeza.   *la bella testa sucumbió,*
ni la indigestión maligna
segó a Stephen Dowling Bots.
Oh, no. Escuchadme llorando
el triste fin que le llevó.
Del frío mundo voló su alma
cuando en un pozo se cayó.

Lo sacaron y lo vaciaron,
mas, ¡ay!, cuán tarde se llegó,
pues su espíritu huyó tan alto
que el reino divino alcanzó.

Si Emmeline Grangerford era capaz de hacer poesías como esa antes de cumplir los catorce años, no se sabe lo que podría haber hecho después de pasado algún tiempo. Buck dijo que ella se sacaba los versos de carrerilla, como si tal cosa. Nunca tenía que pararse a pensarlos. Dijo que escribía un verso de un tirón y, si no encontraba otro para rimar con él, lo tachaba y escribía otro y así seguía. No tenía preferencias; podía escribir de cualquier cosa que le indicaran, con tal que fuera un tema tristón. Cada vez que moría un hombre o moría una mujer o moría un niño, aparecía ella con su «homenaje» antes de que se enfriara el muerto. Los llamaba «homenajes». Los vecinos decían que primero llegaba el médico, luego Emmeline y luego la funeraria... Nunca se le adelantó la

---

[8] *Tos ferina:* enfermedad infectocontagiosa aguda que se caracteriza por la inflamación de la tráquea y de los bronquios y por los accesos de tos violenta y espasmódica. *Sarampión:* enfermedad infecciosa, exantemática, como la rubeola y la varicela. Ambas enfermedades, para las que actualmente existen vacunas, fueron causa en el pasado de una elevada mortalidad.

funeraria a Emmeline, salvo una vez, y fue porque ella se atascó en una rima con el nombre del muerto, que era Whistler. A partir de entonces dejó de ser la misma; nunca se quejaba, pero comenzó como a languidecer y ya vivió poco. La pobre. Como sus dibujos me habían fastidiado y yo sentía un poco de amargura por la opinión que tenía de ella, muchas veces me obligué a mí mismo a subir al cuartito que había sido suyo y a sacar su pobre álbum de recortes y leerlo. Me gustaba toda aquella familia, incluyendo también a los muertos, y no iba yo a dejar que nada nos separara. La pobre Emmeline cuando estaba viva hacía esos poemas para todos los muertos y no me parecía bien que no hubiera ahora nadie que hiciera algunos para ella, así que intenté sacarme a fuerza de sudor unos cuantos versos, pero por alguna razón el asunto no marchaba... Conservaban el cuarto de Emmeline limpio y bonito y todas las cosas colocadas allí exactamente como le gustaba a ella tenerlas cuando estaba viva, y nadie dormía en él nunca. La vieja señora se encargaba personalmente del arreglo del cuarto, aunque tenía muchos criados negros; y, además, ella se metía allí a coser bastantes veces y casi siempre era allí donde leía la Biblia.

Bueno, como iba diciendo sobre la sala, había cortinas bonitas en las ventanas; eran blancas, con dibujos de castillos con enredaderas por los muros, y ganado que bajaba a beber. Había también un viejo piano pequeño, que, según creo, tenía dentro unos cacharros de hojalata; y no había nada más lindo que eso de escuchar a las señoritas jóvenes cuando cantaban *El último eslabón se ha roto* y tocaban *La batalla de Praga*. Para más señas de aquella casa diré que las paredes de todos los cuartos estaban enyesadas y que en casi todos había alfombras en el suelo y que la casa entera estaba enjalbegada por fuera.

Era una de esas casas de doble cuerpo, y el gran pasillo abierto entre las dos partes tenía suelo de madera y techo y, a veces, al mediodía ponían la mesa allí porque era un sitio fresco y cómodo. No podía haber nada mejor. ¡Y qué buena era la comida y, además, en tal cantidad que hasta sobraba!

Enjalbegar: Blanquear las paredes con cal o yeso.

Capítulo 18

Mira, el coronel Grangerford era todo un caballero.
Era un caballero de pies a cabeza, y también lo era su familia. Era bien nacido, como suele decirse, y eso tiene
tanto valor en un hombre como en un caballo, como decía la viuda Douglas, y nadie negó nunca que ella fuera
de la primera aristocracia de nuestro pueblo; y también
papá lo decía siempre, aunque él no tenía más clase que
un bagre de cabeza chata. El coronel Grangerford era
muy alto y muy delgado, y tenía la tez de un color more-
no pálido, sin un asomo de rojo en la cara; se hacía afei-
tar toda su delgada cara cada mañana; y tenía los labios
de los más finos que he visto, y las aletas de la nariz de lo

Nariz aguileña:
La que es delgada
y un poco curva.

más delgadas, y la nariz aguileña y las cejas muy pobla-
das, y los ojos de lo más negros y hundidos tan profundamente que parecían mirarte como desde cavernas, si
puede decirse así. Tenía la frente alta, y su pelo era canoso y lacio y le caía hasta los hombros. Sus manos eran
largas y delgadas, y todos los días de su vida se ponía
una camisa limpia y un traje entero de pies a cabeza, he-

Lino: Tela hecha de
la planta herbácea
del mismo nombre.

cho de lino tan blanco que te hería los ojos mirarlo; y los
domingos llevaba un frac azul con botones de cobre.
Usaba un bastón de caoba con empuñadura de plata. No
había nada de frivolidad en él, ni una pizca, pero nunca
levantaba la voz. Era todo lo bondadoso que podía ser;
lo podías sentir, sabes, y te daba confianza. A veces se
sonreía, y era bueno verlo; pero cuando se ponía derecho
como un asta de bandera y empezaba a echar relámpagos por debajo de las cejas, querías trepar primero a un
árbol y solo después enterarte de lo que pasaba. No hacía falta decirle a nadie que se comportara; todo el mundo tenía buenos modales cuando él estaba delante. Y a
todo el mundo le gustaba también su compañía; era casi
siempre como la luz del sol; quiero decir que daba la im-

presión de que hacía buen tiempo. Cuando se convertía en un montón de nubes, se ponía todo terriblemente oscuro durante medio minuto, y eso bastaba; nada volvía ya a ir mal durante una semana.

Cuando él y la vieja señora bajaban a desayunar por las mañanas, toda la familia se ponía de pie y les daba los buenos días y no se sentaba nadie otra vez hasta que ellos no se hubieran sentado. Luego, Tom y Bob se acercaban al aparador donde estaba la garrafa y preparaban un vaso de bíter y se lo entregaban a él, y él lo sostenía en la mano y esperaba hasta que Tom y Bob preparaban los suyos, y luego estos se inclinaban y decían: «Nuestros respetos, señor y señora», y ellos se inclinaban un poquito y daban las gracias y entonces bebían los tres; y, al fin, Bob y Tom vertían una cucharada de agua sobre el azúcar y la chispa de *whisky* o *brandy* de manzana que había quedado en el fondo de sus propios vasos y nos lo daban a mí y a Buck, y también nosotros bebíamos a la salud de los viejos.

Bíter: Bebida amarga que resulta de la maceración de varias sustancias en ginebra.

Brandy: Tipo de coñac elaborado fuera de Francia.

Bob era el hermano mayor y luego venía Tom; los dos eran hombres altos y hermosos, con los hombros muy anchos y las caras morenas y el pelo largo y negro y los ojos negros. Se vestían de lino blanco de pies a cabeza, como el viejo señor, y llevaban sombreros de Panamá[1].

Después venía la señorita Charlotte; tenía veinticinco años y era alta y orgullosa y espléndida, buenísima cuando no estaba irritada; pero cuando se enfadaba, tenía una mirada que te hacía querer que te tragara la tierra, igual que le pasaba a su padre. Era de veras hermosa.

Lo era también su hermana, la señorita Sophia, pero de otro modo. Ella era apacible y dulce como una paloma, y solo tenía veinte años.

Cada persona tenía su propio negro para servirle, y Buck también. Para mi negro resultaba todo monstruosamente fácil porque yo no estaba acostumbrado a que me hicieran las cosas, pero el negro de Buck estaba atareado la mayor parte del tiempo.

[1] Sombrero con ala que se hace de las hojas trenzadas de la *Carludovica palmata*. Es originario de Ecuador, pero su nombre se debe a la fama que alcanzó durante la construcción del Canal de Panamá, cuando se importaron millares de sombreros de este tipo de Ecuador para el uso de los trabajadores.

Estos eran entonces todos los miembros de la familia, pero antes había más personas... Tres hijos que murieron asesinados, y Emmeline, que murió.

El viejo señor era dueño de muchas granjas y de más de cien negros. A veces, un montón de gente venía a la casa, a caballo, desde diez o quince millas a la redonda, y se quedaban cinco o seis días, y tenían festejos por ahí y en el río, y de día hacían bailes y excursiones por los bosques, y de noche hacían grandes bailes en la casa. La mayor parte de la gente que venía eran parientes de la familia. Los hombres traían con ellos sus fusiles. Se juntaba una cantidad impresionante de personas de clase, te lo aseguro.

Había también otro clan de aristócratas que vivía por allí cerca, cinco o seis familias, en su mayoría con el apellido de Shepherdson. Eran tan elegantes y bien nacidos y ricos y espléndidos como la tribu de los Grangerford. Los Shepherdson y los Grangerford usaban el mismo embarcadero de vapores, que estaba a unas dos millas río arriba de nuestra casa, así que a veces yo me acercaba hasta allí con muchos de los nuestros a observar a muchos de los Shepherdson que montaban en sus finos caballos.

Un día, Buck y yo estábamos cazando lejos, en el bosque, y oímos acercarse un caballo. Cruzamos el camino y Buck dijo:

—¡Deprisa! ¡Escóndete en el bosque!

Nos escondimos y luego nos asomamos a mirar a través de las hojas. Después de un rato, un joven espléndido vino galopando por el camino, montando bien y con aires de soldado. Llevaba el fusil cruzado en el arzón. Yo creo que le había visto antes. Era el joven Harney Shepherdson. Oí junto a mi oreja el disparo del fusil de Buck y el sombrero de Harney se le cayó de la cabeza. Agarró el fusil y cabalgó derecho al lugar donde estábamos escondidos. Pero no esperamos. Echamos a correr por el bosque. El bosque no era espeso, así que miré por encima del hombro para tratar de esquivar las balas y por dos veces vi cómo Harney apuntaba a Buck y luego vi que Harney se marchaba por donde había venido, me imagino que para recoger el sombrero, pero yo no podía verlo. No dejamos

Arzón: Parte delantera o trasera de una silla de montar.

de correr hasta que llegamos a casa. Los ojos del viejo señor llamearon un minuto, creo que de satisfacción sobre todo. Luego se le suavizó la cara y dijo algo bondadoso:

—No me gusta eso de tirar desde detrás de un matorral. ¿Por qué no saliste al camino, hijo?

—Los Shepherdson no lo hacen, padre. Siempre juegan con ventaja.

La señorita Charlotte mantenía la cabeza erguida como una reina mientras Buck contaba la historia, y se le dilataban las aletas de la nariz, y sus ojos echaban chispas. Las dos jóvenes tenían la cara sombría, pero no dijeron nada. La señorita Sophia se puso pálida, pero le volvió el color cuando se enteró de que el hombre no estaba herido.

Tan pronto como pude apartarme con Buck a solas y llevarle junto a los graneros de maíz que había bajo los árboles, le dije:

—¿Querías matarle, Buck?

—Pues claro que sí.

—¿Qué te ha hecho?

—¿Él? Nunca me ha hecho nada.

—Pues, entonces, ¿por qué querías matarle?

—Pues por nada... Solo es a causa de la venganza.

—¿Qué quieres decir?

—Pero ¿dónde te han criado? ¿No sabes lo que significa eso?

—No, nunca he oído hablar de venganzas de este tipo. Cuéntamelo.

—Bueno —dijo Buck—, la venganza es así: un hombre tiene un altercado con otro hombre y le mata; luego, el hermano del otro mata al primero; luego, los otros hermanos, de los dos lados, van a por los otros; luego, los primos entran en el juego... y poco a poco todo el mundo se mata y ya no hay más venganza. Pero todo eso va un poco lento y cuesta mucho tiempo.

—¿Esta dura ya mucho tiempo, Buck?

—¡Pues ya lo creo! Empezó hace treinta años o cosa así. Hubo un lío sobre algo y luego un pleito para arreglarlo. Y el juicio salió en contra de uno de los hombres, y así él fue y mató al hombre que había ganado, como era natural, claro. Cualquiera lo habría hecho.

—¿Cuál fue la causa del lío, Buck? ¿Tierras?

—Creo que sí... No lo sé.

—Pero ¿quién empezó con los tiros? ¿Fue un Grangerford o un Shepherdson?

—Por Dios, ¿cómo voy a saberlo yo? Fue hace tanto tiempo...

—¿No lo sabe nadie?

—Oh, sí, papá lo sabe, supongo, y algunos de los viejos; pero ahora no saben el motivo de la pelea por la que empezó el asunto.

—¿Se han matado muchos, Buck?

—Sí, la mar de entierros. Pero no se matan siempre. Papá tiene unas postas en el cuerpo, pero a él no le importa, seguramente porque pesa tan poco. A Bob le hicieron unas marcas con un cuchillo de caza, y Tom ha estado herido un par de veces.

Posta: Bala pequeña de plomo.

—¿Alguien ha muerto asesinado este año, Buck?

—Sí; nosotros liquidamos a uno, y ellos liquidaron a otro. Hace como tres meses, mi primo Bud, de catorce años, iba a caballo por el bosque al otro lado del río y no llevaba armas; fue una maldita tontería por su parte, y en un sitio solitario oyó que venía alguien a caballo detrás de él y vio al viejo Baldy Shepherdson que le perseguía con el fusil en la mano y el pelo blanco volando al viento; y en vez de saltar del caballo y meterse entre los matorrales, Bud pensó que podía correr más que él; así siguió la carrera, muy reñida, durante cinco millas o más y con el viejo ganando cada vez más terreno, así que, por fin, Bud vio que era inútil y paró y se dio la vuelta para recibir las balas de frente, sabes, y el viejo se acercó al galope y lo derribó a tiros. Pero no tuvo mucha oportunidad de gozar de su suerte porque, una semana después, nuestra gente le mató a él.

—Yo creo que aquel viejo era un cobarde, Buck.

—Yo creo que no era ningún cobarde. No, ni muchísimo menos. No hay ni un cobarde entre esos Shepherdson, ni uno. Y no hay ningún cobarde entre los Grangerford tampoco. Ese viejo se defendió durante media hora un día en una pelea contra tres Grangerford y salió ganando. Todos iban a caballo y él saltó del caballo y se metió detrás de un pequeño montón de leña y puso el caballo delante de él para detener las balas, pero los Grangerford seguían montados y caracoleaban alrededor del viejo y le acribillaron a él, y él a ellos. El viejo y su caballo volvieron a casa con bastantes agujeros y cojeando, pero a los Grangerford hubo que llevarlos a casa, y uno estaba muerto y otro murió al día siguiente. No, señor; si alguien está a la caza de cobardes, no querrá gastar el tiempo con esos Shepherdson porque entre ellos no se cría ninguno de esa especie.

El domingo siguiente fuimos todos a la iglesia; todo el mundo a caballo, unas tres millas. Los hombres llevaban fusiles, y también Buck, y los tenían entre las rodillas o muy a mano apoyados contra la pared. Los Shepherdson hicieron lo mismo. El predicador nos dio bastante duro: habló cuanto pudo sobre el amor fraternal y aburrimientos por el estilo. Pero a la salida todo el mundo dijo que había sido un buen sermón, y hablaron de él durante el regreso a casa y tenían tal cantidad de cosas que decir sobre la fe y las buenas obras y la gracia ilimitada y la predestinación y no sé cuántas cosas más que de veras me pareció a mí aquel uno de los domingos más pesados que he encontrado hasta ahora en mi vida.

Predestinación: Ordenación de la voluntad de Dios, que decide desde el principio de los tiempos quiénes están destinados a la salvación eterna.

Alrededor de una hora después de comer, todo el mundo estaba somnoliento, algunos en las sillas y otros en sus cuartos, y la cosa se puso bastante aburrida. Buck y uno de los perros estaban profundamente dormidos, estirados en la hierba bajo el sol. Subí a nuestro cuarto y pensé echarme yo también una siesta. Encontré a la dulce señorita Sophia de pie en la puerta de su cuarto, que estaba junto al nuestro, y ella me llevó dentro de su cuarto y cerró suavemente la puerta y me preguntó si yo le tenía cariño y dije que sí; y me preguntó si yo sería capaz de hacer algo por ella, sin contárselo a nadie, y dije que sí lo haría. Luego dijo que había olvidado su libro de Evangelios, que lo olvidó en la iglesia, en el asiento, entre otros dos libros, y me pidió que saliera muy en silencio y fuera a traérselo y que no le dijera nada a nadie. Prometí que lo haría. Así que me fui y me alejé por el camino adelante y cuando llegué no había nadie en la iglesia, salvo quizá un cerdo o dos, porque la puerta no tenía cerradura y a los cerdos les gusta en el verano un suelo de tablas gruesas de madera, porque está fresco. Si te fijas bien, la mayoría de la gente no asiste a la iglesia salvo cuando tiene la obligación de asistir, pero un cerdo es distinto. Me dije a mí mismo: «Algo pasa aquí, no es natural que una muchacha se ponga toda angustiada por un libro de Evangelios». Así que sacudí el libro y cayó un pedacito de papel en que estaba escrito con lápiz: «A las dos y media». Remiré el libro por todas partes, pero no encontré nada más. No podía entender nada del asunto, así que volví a meter el papel en el libro y, cuando llegué a casa y subí arriba, allí estaba la señorita Sophia en la puerta, esperándome. Me metió dentro y cerró la puerta; luego miró en el libro de Evangelios hasta encontrar el papel; y tan pronto como lo leyó, se puso contenta y, antes de que pudiera darme cuenta, me agarró y me abrazó y dijo que era el mejor muchacho del mundo y que no se lo contara a nadie. Durante un minuto tenía la cara muy roja y se le encendieron los ojos, y eso la ponía muy bonita. Yo estaba bastante asombrado, pero cuando recobré el aliento, le pregunté qué decía el papel y ella me preguntó si lo había leído y dije que no y ella me preguntó si sabía leer lo escrito a mano y le dije: «No, solo las letras de molde»; y luego me explicó que el papel no era nada más que un marcador y que podía irme ya a jugar.

Yo me fui hacia el río, pensando en esto, y pronto me di cuenta de que mi negro venía siguiéndome. Cuando estuvimos fuera de la vista de la casa, él miró un segundo hacia atrás y por todo alrededor y luego se me acercó corriendo y me dijo:

—Señorito George, si vienes abajo al pantano, te mostraré una gran cantidad de culebras de agua.

Pensé yo: «Es muy extraño; ayer me propuso lo mismo. Y él debe saber que nadie quiere tanto a las culebras de agua como para ir a buscarlas. ¿En qué estará metido?». Así que dije:

—Muy bien; corre adelante.

Le seguí media milla; luego se fue por el pantano y caminó como media milla más con el agua hasta los tobillos. Llegamos a un trozo de terreno que estaba seco y cubierto de árboles y de matorrales y enredaderas, y él dijo:

—Métete, si quieres, ahí dentro unos pasos no más, señorito George; ahí es donde están. Las he visto antes y no tengo ganas de verlas ahora.

Luego chapoteó adelante, se fue deprisa y al poco rato se perdió de vista entre los árboles. Me adentré un poco por aquel sitio y llegué a un pequeño claro tan grande como un cuarto de dormir, todo con enredaderas colgantes, y encontré a un hombre tumbado allí, dormido... y, diablos, ¡era mi viejo Jim!

Le desperté y creí que iba a ser una gran sorpresa para él verme otra vez, pero no lo fue. Casi lloró, de tan contento como estaba, pero no se sorprendió. Dijo que aquella noche había nadado siguiéndome y que me había oído gritar cada vez, pero que no se atrevió a contestarme porque no quería que le recogieran a él y le llevaran otra vez a la esclavitud. Dijo luego:

—Me había hecho un poco de daño y no podía nadar rápido, así que al final estaba un poco por detrás de ti; cuando llegaste a tierra pensé que podría alcanzarte sin tener que dar voces, pero cuando vi aquella casa, empecé a ir más despacio. Estaba demasiado lejos y no podía oír lo que te decían... Yo tenía miedo de los perros; pero cuando todo se calmó otra vez, sabía que estabas en la casa, así que me fui hacia el bosque para esperar la luz del día. Temprano por la mañana, algunos de los negros pasaron por ahí, camino de los campos, y me recogieron y me mostraron este lugar, donde los perros no pueden seguirme las huellas a causa del agua, y me traen cosas de comer todas las noches y me cuentan cómo te va a ti.

—¿Por qué no le dijiste a mi Jack que me trajera aquí antes, Jim?

—Bueno, no tenía sentido molestarte, Huck, hasta que pudiéramos hacer algo... Pero ya estamos bien. He ido comprando cacharros y comida, cuando he podido, y por las noches he reparado la balsa...

—¿Qué balsa, Jim?

—Nuestra vieja balsa.

—¿Quieres decir que nuestra vieja balsa no quedó hecha astillas?

—No, no tanto, estaba bastante estropeada..., un extremo de ella. Pero no hubo grandes daños, solo que se perdieron casi todas las cosas. Si no hubiéramos buceado tan hondo y nadado tan lejos debajo del agua, y si la noche no hubiera sido tan oscura y si no hubiéramos tenido tanto miedo y si no hubiéramos sido tan cabezas de chorlito, como se dice, pues habríamos visto la balsa. Pero ha salido casi mejor así, porque ya la balsa está arreglada y casi como nueva, y tenemos muchas otras cosas en lugar de las que se perdieron.

—Pero ¿cómo has conseguido hacerte con la balsa otra vez, Jim? ¿La cogiste del río?

—¿Cómo la iba a coger, si yo estaba en el bosque? No; algunos de los negros la encontraron atascada en unos troncos y la escondieron en un riachuelo entre los sauces, y había tanta discusión sobre quién se quedaría con ella que después de un rato yo me enteré del asunto, y cojo y arreglo el lío diciéndoles que no pertenece a ninguno de ellos, sino a ti y a mí. Y les pregunté si iban a coger la propiedad de un joven señor blanco y recibir una paliza a causa de ello. Luego les di diez centavos a cada uno y quedaron bien satisfechos y con ganas de que aparecieran más balsas para hacerlos ricos otra vez. Son muy buenos conmigo estos negros y hacen cualquier cosa que les pido, y no tengo que pedírsela dos veces. Ese Jack es un buen negro y bastante listo.

—Sí, es cierto. No me había dicho que estabas aquí; me dijo que viniera y me mostraría muchas culebras de agua. Así, si pasa algo, él no se ve mezclado en el asunto. Puede decir que nunca nos ha visto juntos y será la verdad.

No quiero hablar mucho del día siguiente. Creo que lo acortaré bastante. Resulta que me desperté al amanecer y estaba a punto de darme la vuelta y dormirme otra vez, cuando me di cuenta del silencio que había... No parecía que nadie se moviera. Aquello no era normal. Luego me di cuenta de que Buck se había levantado y se había ido. Bueno, me levanté, preguntándome qué podría ser, y bajé las escaleras y no vi a nadie por allí; todo tan callado como un ratón. Igual de silencioso fuera de la casa. «¿Qué significa todo esto?», pensaba yo. Hasta que abajo, cerca del montón de leña, encontré a mi Jack y le pregunté:

—¿Qué es lo que pasa?

Y él dijo:

—¿No lo sabes, señorito George?

—No —dije—, no lo sé.

—Bueno, pues, ¡la señorita Sophia se ha escapado! De veras. Se escapó por la noche y nadie sabe a qué hora; se escapó para casarse con ese joven Harney Shepherdson, sabes... Por lo menos, eso es lo que creen. La familia se enteró hace como media hora, tal vez un poco más, y te aseguro que no perdieron tiempo. ¡Tanta prisa en sacar fusiles y caballos como no has visto nunca! Las mujeres han ido a avisar a los parientes, y el viejo señor Saul y los muchachos cogieron los fusiles y se fueron a caballo por el camino del río para buscar a ese joven y matarle antes de que pueda cruzar el río con la señorita Sophia. Creo que vamos a pasar un rato muy duro.

—Buck se fue sin despertarme.

—¡Pues ya lo creo! No querían mezclarte a ti en el asunto. El señorito Buck cargó el fusil y juró que iba a liquidar a un Shepherdson o a reventar. Bueno, habrá muchos allá, creo yo, y seguro que cazará a uno si tiene ocasión.

Salí corriendo por el camino del río adelante, tan rápido como pude. Después de un poco, empecé a oír tiros a bastante distancia. Cuando vi la tienda hecha de troncos y el montón de leña donde atracaban los barcos de vapor, me metí por entre árboles y matorrales hasta encontrar un buen sitio y luego trepé a las ramas de un álamo que era lo bastante alto para estar fuera del alcance y desde allí miré. Había una pila de leña de casi metro y medio un poco delante del árbol y al principio pensé esconderme detrás, pero tal vez tuve más suerte no haciéndolo.

Había cuatro o cinco hombres caracoleando con sus caballos en el lugar abierto delante de la tienda de troncos, maldiciendo y gritando y tratando de alcanzar a un par de jóvenes parapetados detrás del montón de leña junto al embarcadero, pero no podían conseguirlo. Cada vez que uno de los muchachos se ponía al descubierto por el lado del montón cercano al río, tiraban sobre él. Los dos estaban agazapados espalda contra espalda detrás de la pila de leña, así que podían vigilar a ambos lados.

Después de un rato, los hombres dejaron de hacer cabriolas con los caballos y de gritar. Fueron avanzando hacia la tienda; entonces se levantó uno de los muchachos, apuntó fríamente por encima del montón de leña y derribó a uno de su silla. Todos los hombres saltaron de sus caballos y agarraron al herido y empezaron a llevarle hacia la tienda y en ese instante los dos muchachos echaron a correr. Antes de que los hombres se dieran cuenta, llegaron a la mitad del camino en dirección al árbol donde estaba yo. Entonces, los hombres los vieron y saltaron a los caballos y salieron en su persecución. Ganaban terreno a los muchachos, pero no les valía de nada porque los muchachos les llevaban demasiada ventaja; llegaron al montón de leña que estaba delante de mi árbol y se escondieron detrás y así dominaban otra vez el terreno. Uno de los muchachos era Buck, y el otro era un chico delgado de unos diecinueve años.

Los hombres dieron unas vueltas, maldiciendo, y luego escaparon al galope. Tan pronto como desaparecieron de la vista, le grité a Buck y le conté por dónde se habían ido. Al principio, Buck no podía comprender que mi voz saliera del árbol. Le sorprendió muchísimo. Me dijo que vigilara con cuidado y que le dijera cuándo estaban los hombres otra vez a la vista; dije que temía que fueran a tenderles alguna trampa y hacer alguna maldad dentro de poco. ¡Cómo deseaba no haber estado en ese árbol! Pero no me atrevía a bajar. Buck comenzó a llorar y a maldecir y juró que él y su primo Joe (ese era el otro joven) tomarían venganza de lo que había pasado. Dijo que su padre y sus dos hermanos estaban muertos, y también dos o tres de los enemigos. Dijo que los Shepherdson les tendieron una emboscada. Buck dijo que su padre y sus hermanos debieron haber esperado a los parientes, pues los Shepherdson eran demasiados. Yo le pregunté qué les había ocurrido al joven Harney y a la señorita Sophia. Dijo que llegaron a cruzar el río y estaban a salvo. De eso me alegré, pero cómo se desesperaba ahora Buck recordando que no había conseguido matar a Harney aquel día cuando disparó sobre él... Nunca he oído cosa semejante.

De repente, ¡pum!, ¡pum!, ¡pum!, tres o cuatro fusiles dispararon... Los hombres se habían deslizado por el

Cabriola: Salto que ejecuta un caballo, dando coces, mientras se mantiene en el aire.

bosque y atacaban desde detrás sin los caballos. Los muchachos saltaron al río... Los dos iban heridos y, mientras nadaban corriente abajo, los hombres corrían por la orilla y les disparaban y gritaban: «¡Mátalos! ¡Mátalos!». Aquello me puso tan enfermo que casi me caí del árbol. No voy a contar todo lo que pasó... Me pondría enfermo de nuevo si tuviera que contarlo. Ojalá que nunca hubiera ido a tierra aquella noche y no hubiera visto cosas semejantes. Jamás voy a encontrarme libre de ellas... Muchas veces sueño con aquellas cosas.

Me quedé en el árbol hasta que empezó a oscurecer; tenía miedo de bajar. A veces oía disparos allá lejos, en el bosque; y dos veces vi pequeñas cuadrillas de hombres con fusiles pasar al galope por delante de la tienda, por eso pensé que seguía la pelea. Yo estaba muy abatido, así que decidí no acercarme nunca más a esa casa porque creía que yo, en cierto modo, tenía la culpa. Me di cuenta de que aquel trozo de papel quería decir que la señorita Sophia iba a reunirse con Harney en algún lugar a las dos y media de la madrugada para escaparse con él; y pensé que debí haberle contado a su padre eso del papel y la extraña manera en que se comportaba ella, y entonces tal vez el padre la hubiera encerrado bajo llave, y ese terrible lío nunca habría ocurrido.

Cuando bajé del árbol, me deslicé un trecho por la orilla del río y encontré los dos cadáveres caídos al borde del agua y tiré de ellos hasta sacarlos a tierra; luego les cubrí la cara y me fui de allí tan pronto como pude. Lloré un poco cuando le tapé la cara a Buck porque fue buenísimo conmigo.

Acababa de oscurecer. No me acerqué a la casa, sino que me adentré por el bosque y me fui al pantano. Jim no estaba en su isla, así que me dirigí deprisa hacia el riachuelo y me abrí paso entre los sauces, ansioso de saltar a bordo y escapar de ese lugar terrible. Pero ¡la balsa no estaba! Dios mío, ¡qué miedo tenía! No pude recobrar el aliento durante casi un minuto. Luego di un grito. Una voz a no más de ocho metros me contestó:

—¡Por Dios! ¿Eres tú? No hagas ruido.

Era la voz de Jim... Nunca había oído nada tan bueno como esa voz. Corrí un trecho por la orilla y salté a bordo, y Jim me agarró y me abrazó; estaba tan contento de verme... Dijo:

—El Señor te bendiga, criatura. Yo tenía la seguridad de que estabas muerto otra vez. Jack vino; dijo que creía que te habían matado de un tiro, porque no volviste a la casa, así que ahora mismo estaba yo llevando la balsa hacia la boca del riachuelo para estar listo para desatracar y marcharme tan pronto como regresara Jack a decirme de cierto que era verdad que estabas muerto. ¡Señor! Estoy muy contento de tenerte aquí de vuelta otra vez, mi niño.

Dije:

—Está bien, está muy bien porque así no me encontrarán y pensarán que me han matado y que he flotado río abajo... Hay algo allá arriba que les ayudará a pensar eso, así que no pierdas tiempo, Jim; lleva la balsa hacia el agua profunda tan rápido como puedas.

No me sentí cómodo hasta que la balsa llegó a dos millas río abajo de aquel sitio y estábamos ya en medio del Misisipi. Entonces colgamos nuestra linterna de aviso y pensamos que estábamos libres y a salvo una vez más. Yo no había comido ni un bocado desde el día anterior, así que Jim sacó unas tortas de maíz y leche cremosa y cerdo y repollo y verduras —no hay nada tan bueno en este mundo cuando está bien guisado—, y mientras cenaba yo, hablábamos y lo pasamos bien. Estaba realmente contento de escaparme de esas venganzas, y también Jim lo estaba de escaparse del pantano. Dijimos que no había hogar mejor que una balsa, después de todo. De veras, otros sitios parecen tan apretados y asfixiantes, pero una balsa, no. Te sientes muy libre y suelto y cómodo en una balsa.

Capítulo 19

Pasaron dos o tres días con sus noches, creo que podría decir que pasaron nadando, porque se deslizaron silenciosos y serenos y amables. Era así como pasábamos el tiempo: el río era monstruosamente grande allá abajo..., a veces una milla y media de ancho; por las noches corríamos en la balsa y luego, durante el día, parábamos y nos escondíamos; tan pronto como estaba a punto de acabar la noche, dejábamos de navegar y amarrábamos la balsa, casi siempre en las aguas muertas de un banco de arena; cortábamos unos álamos jóvenes y sauces y con ellos escondíamos la balsa. Luego echábamos los sedales de pescar. Después nos deslizábamos dentro del río y nadábamos un rato para lavarnos y refrescarnos un poco; luego nos sentábamos en el fondo arenoso, donde el agua solo nos llegaba a las rodillas, y mirábamos cómo llegaba la luz del día. No había ni un sonido, un silencio perfecto, como si todo el mundo durmiera, solo a veces el gorgoteo de las ranas toro[1]. Mirando lejos sobre el agua, la primera cosa que podías ver era una especie de línea oscura: eso era el bosque al otro lado; no podías distinguir nada más; luego, un lugar pálido en el cielo; luego, más palidez que se extendía; entonces, el río comenzaba a suavizarse lejos, allá arriba, y ya no era negro, sino gris; podías ver pequeñas manchas oscuras flotando allá, lejísimos: chalanas y esas cosas, y unas rayas largas y negras: armadías; a veces podías oír el crujir de un remo largo o voces confusas, porque todo estaba muy silencioso y los sonidos llegaban de muy lejos; y, al poco rato, podías ver una raya en el agua y por su aspecto sabías que allí iba un tronco sumergido en la corriente rá-

[1] La rana toro americana es un anfibio grande que puede alcanzar los 15 centímetros de longitud y un peso de 750 gramos.

pida que se rompía encima; y veías la neblina subir rizándose sobre el agua y enrojecerse el este, y también el río; y distinguías una cabaña de troncos al borde del bosque, allá lejos, en la orilla opuesta, y sería seguramente un almacén de maderas, con las pilas tan mal hechas por aquellos tramposos que podrías echar un perro a través de ellas por cualquier hueco. Y luego se levantaba una brisa simpática y venía abanicándote la brisa desde allí, tan fresca y pura y de olor tan dulce a causa de los bosques y las flores; pero a veces no llegaba así de buena porque por allí habían dejado peces muertos, peces aguja[2] y otros, que se ponen bastante malolientes; y luego ya tenías el día pleno, con todo sonriéndose a la luz del sol, ¡y los pájaros cantando enloquecidos!

Sabíamos que a esa hora no podría notarse un poco de humo, así que recogíamos unos peces de los sedales y preparábamos un desayuno caliente. Y después mirábamos la soledad del río y nos dábamos a la pereza, y poco a poco la pereza se convertía en sueño. Nos despertábamos después de un rato y, al mirar para averiguar qué era lo que nos despertaba, tal vez veíamos un barco de vapor, tosiendo en su marcha río arriba, y estaba tan lejos al otro lado que no podías distinguir nada de él, si era de rueda de popa o de rueda lateral[3]; luego, durante una hora, no había nada que oír ni ver..., solo la pura soledad. Entonces veías una armadía pasar deslizándose allá lejos, y quizá a un novato cortando leña, porque siempre es lo que están haciendo en una armadía; veías brillar el hacha y caer dando el golpe..., y no oías nada; veías el hacha subir de nuevo y cuando ya estaba por encima de la cabeza del hombre, entonces oías ¡chunk!... Había tardado todo ese rato el extenderse el sonido sobre el agua. Así pasábamos los días, perezosos y escuchando el silencio. Una vez hubo una niebla espesa y en las armadías u otros barcos que pasaban iban dando golpes en cacharros de hojalata para avisar y que no los atropellaran los barcos

---

[2] Peces de la familia *Syngnathidae,* de pequeño tamaño, que guardan un lejano parecido con los caballitos de mar.
[3] Aunque los vapores fluviales solían tener dos ruedas laterales, algunos llevaban una sola rueda en la popa.

de vapor. Una chalana o una balsa pasó tan cerca que podíamos oírlos hablar y maldecir y reírse, los oíamos claramente, pero no podíamos ver ni rastro de la gente; te ponía la carne de gallina; era como si los espíritus estuvieran armando ese escándalo en el aire. Jim dijo que él creía que eran espíritus, pero yo dije:

—No. Los espíritus no dirían: «Maldita sea esta maldita niebla».

En cuanto se hacía de noche, nos poníamos en marcha. Cuando llegábamos más o menos al centro, dejábamos que la balsa flotara en paz por donde quisiera llevarla la corriente; luego encendíamos las pipas, nos sentábamos con las piernas colgando en el agua y hablábamos de toda clase de cosas. Siempre íbamos desnudos, día y noche, cuando nos dejaban los mosquitos; la ropa nueva que me había hecho la familia de Buck era demasiado buena para ser cómoda y, además, yo, en todo caso, no era muy partidario de la ropa.

A veces, durante un rato muy largo teníamos para nosotros todo ese ancho río. Allá lejos, sobre el agua, estaban las orillas y las islas y quizá una chispa en la ventana de una cabaña; y, a veces, sobre el agua podías ver también una llamita o dos encima de una balsa o de una chalana; y tal vez podías oír un violín o una canción que llegaba de uno de esos barcos. Es maravilloso vivir en una balsa. Teníamos el cielo allá arriba, todo salpicado de estrellas, y solíamos tumbarnos de espaldas y mirar las estrellas y discutir sobre si fueron hechas o solo ocurrieron. Jim creía que fueron hechas, pero yo creía que ocurrieron; pensaba que habría costado demasiado tiempo hacer tantas. Jim me dijo que la luna podría haberlas puesto; bueno, eso parecía bastante razonable, así que no dije nada en contra de la idea, porque he visto a una rana poner casi tantos huevos y por eso estaba claro que una cosa así se podía hacer. Solíamos mirar también las estrellas que caían y verlas trazar sus rayas. Jim creía que se habían estropeado y que por eso las habían tirado del nido.

Una o dos veces durante la noche veíamos un vapor deslizándose en la oscuridad y de cuando en cuando arrojaba un mundo entero de chispas por las chimeneas; caían como lluvia al río y se veía muy bonito; luego, a lo mejor doblaba un recodo, y sus luces se apagaban parpadeantes y el jadeo del motor desaparecía y se quedaba el río silencioso de nuevo; y poco a poco sus olas llegaban todavía hasta nosotros un largo rato después de que el barco se había ido, sacudían un poco la balsa y después ya no oías nada durante no se sabía cuánto tiempo, salvo las ranas o quién sabe qué.

Después de medianoche la gente que vivía a las orillas del río se acostaba y entonces, durante dos o tres horas, las orillas estaban negras: ya no había más chispas en las ventanas de las cabañas. Esas chispas eran nuestro reloj... La primera que se veía quería decir que se acercaba el amanecer, así que buscábamos un sitio donde escondernos y amarrábamos en seguida.

Una mañana, al apuntar el día, encontré una canoa y en ella crucé por una pequeña corriente hacia la orilla principal, que estaba solo a doscientos metros, y remé una milla remontando un riachuelo entre los bosques de cipreses, a ver si podía recoger unas bayas. Al pasar un lugar donde una especie de sendero de vacas cruzaba el riachuelo, vi a un par de hombres que venían por el sendero corriendo todo lo que daban de sí sus piernas. Pensé que estaba perdido, porque cuando cualquiera perseguía a cualquiera, yo pensaba que me perseguían a mí... o tal vez a Jim. Estuve a punto de salir corriendo a toda prisa, pero ellos entonces se encontraban ya bastante cerca de mí y me gritaron y me rogaron que les salvara la vida; dijeron que no habían hecho nada y que por eso los perseguían; dijeron que venían detrás hombres y perros. Querían saltar dentro de la canoa, pero yo dije:

—No lo hagáis. No oigo los perros ni los caballos todavía; tenéis tiempo de meteros por entre los matorrales y subir un trecho junto al riachuelo; luego os metéis en el agua y venís caminando por ella y entonces podéis subir; así los perros perderán el rastro.

Lo hicieron y, tan pronto como estuvieron a bordo, lancé la canoa hacia nuestro banco de arena y en unos cinco o diez minutos oímos los perros y los gritos lejanos de los hombres. Los oímos acercarse al riachuelo, pero no podíamos verlos; parecían detenerse y curiosear un rato; luego, como íbamos alejándonos todo el tiempo, casi no podíamos oír nada; ya cuando habíamos cruzado una milla de bosque y habíamos llegado al río, todo estaba en silencio y remamos hasta el banco de arena y nos escondimos entre los álamos y me di cuenta de que estábamos a salvo.

Uno de aquellos tipos contaría como setenta años o más y tenía la cabeza calva y la barba muy canosa. Llevaba un viejo sombrero gacho desaliñado y una grasienta camisa azul de lana y unos pantalones de dril azul, viejos y hechos harapos, metidos dentro de las botas, y unos tirantes tejidos en casa..., no, solo tenía un tirante. Y llevaba sobre el brazo una vieja levita de dril azul con botones lisos de cobre, y cada uno de aquellos tipos traía además una maleta andrajosa de tela de alfombra en la mano.

Gacho: Que está inclinado hacia abajo.

Dril: Tela fuerte de hilo o de algodón.

Levita: Prenda masculina, ajustada en el talle y con faldones largos.

El otro tipo tendría como treinta años y vestía casi de la misma manera vil. Después del desayuno, nos tumbamos y nos pusimos a charlar, y la primera cosa de la que nos enteramos fue que estos dos sujetos no se conocían.

—¿Cómo te metiste tú en el lío? —le preguntó el calvo al otro tipo.

—Pues había estado vendiendo un producto que quitaba el sarro de los dientes y que, además, lo quita de veras y por regla general se lleva también por delante el esmalte; pero me quedé una noche más de lo que debía y ya estaba a punto de escabullirme cuando te encontré a ti en el sendero a este lado del pueblo, y fue cuando me dijiste que venían detrás de ti y me rogaste que te sacara del lío. Así que te dije que yo mismo esperaba verme en otro lío y que por eso me largaría contigo. Esa es toda mi historia... ¿Y la tuya?

—Pues llevaba una semana haciendo una campaña contra la bebida y era el ídolo de las mujeres, grandes y chicas, porque estaba arremetiendo con mucho calor contra los bebedores, te lo juro, y sacaba tanto como cinco o seis dólares cada noche, a diez centavos por cabeza, niños y negros gratis, y el negocio siempre crecía. Pero, de algún modo, anoche corrió por ahí la información de que yo tenía la costumbre de pasar el tiempo con un jarro a solas y a escondidas. Un negro me despertó esta mañana y me dijo que la gente se andaba reuniendo calladamente

Embrear: Untar con brea.

Emplumar: Cubrir a alguien con plumas a modo de castigo o de afrenta.

Oficial: Operario que ha finalizado el aprendizaje de su oficio, pero que aún no es maestro.

con sus perros y sus caballos y que llegarían dentro de un rato y me echarían, dándome como media hora de ventaja, y luego me darían caza si podían; y si me agarraban, me iban a embrear y a emplumar y luego a echarme de veras del pueblo. Yo no esperé al desayuno... No tenía hambre, claro.

—Viejo —dijo el joven—, creo que tú y yo podríamos formar un equipo de dos, ¿qué te parece?

—No estoy falto de entusiasmo. ¿Cuál es, principalmente, tu ramo de negocios?

—Soy oficial de impresor; me meto un poco en medicamentos patentados; actor de teatro..., tragedia, sabes; giro hacia el mesmerismo y la frenología[4] cuando hay oportunidad; para variar doy clases de geografía cantada; suelto una conferencia a veces... Oh, hago muchas cosas, casi cualquier cosa que esté a mano, con tal que no sea trabajo. Y tú, ¿en qué andas metido?

—Me he dedicado bastante al campo de la medicina. La imposición de manos[5] es lo que mejor se me da... para curar el cáncer y la parálisis y cosas así; y no me va mal eso de leerle la suerte a la gente cuando voy con alguien que pueda enterarse de los hechos. También hago de predicador, me trabajo las reuniones religiosas en el campo y me dedico a ser misionero a veces.

Nadie dijo nada durante un rato. Luego, el joven dio un suspiro y dijo:

—¡Ay de mí!

—¿A qué viene ese ay de mí? —dijo el calvo.

—Me viene solo con pensar que he sobrevivido para llevar una vida semejante y ahora verme rebajado hasta encontrarme en esta compañía —y empezó a enjugarse el rabillo del ojo con un trapo.

—Al diablo contigo, ¿acaso la compañía no es lo bastante fina para ti? —dijo el calvo, un poco descarado y altivo.

---

[4] *Mesmerismo:* doctrina postulada por el médico alemán Franz Mesmer (1733-1815) que hacía referencia a un supuesto medio etéreo que podía servir como agente terapéutico. *Frenología:* teoría que afirmaba que es posible determinar el carácter y los rasgos de la personalidad de alguien basándose en la forma de su cabeza.

[5] Método terapéutico muy antiguo en el que las manos se utilizan para canalizar energía con el objetivo de curar enfermedades.

—Sí, es lo bastante fina para mí; es tan buena como merezco; porque ¿quién me arrastró tan bajo cuando antes estuve tan alto? Yo mismo. No os echo a vosotros la culpa, caballeros, ni mucho menos; no echo la culpa a nadie. Lo merezco todo. Que me haga lo peor este mundo cruel; hay una cosa que sé: en alguna parte hay una tumba para mí. Que el mundo siga como siempre ha hecho y me quite todo: mis seres queridos, mis riquezas, todo; pero no puede quitarme aquella. Un día me acostaré en esa tumba y lo olvidaré todo, y mi pobre corazón destrozado descansará por fin —siguió, enjugándose los ojos.

—Al demonio con tu pobre corazón destrozado —dijo el calvo—. ¿Por qué nos echas encima a nosotros tu pobre corazón destrozado? Nosotros no te hemos hecho nada.

—No, ya sé que no. No os echo la culpa, caballeros. Yo me he rebajado a este estado..., sí, yo mismo lo hice. Es justo que sufra..., perfectamente justo, y no me lamento de ello.

—¿Te has rebajado de dónde? ¿De dónde te has rebajado?

—Ah, no me vais a creer; el mundo nunca cree... No hagáis caso..., no tiene importancia. El secreto de mi nacimiento...

—¡El secreto de tu nacimiento! Quieres decir...

—Caballeros —dijo el joven muy solemne—, os lo revelaré porque creo que puedo tener confianza en vosotros. ¡Por derecho, soy duque!

Jim abrió unos ojos como platos y creo que yo también. Luego, el calvo dijo:

—¡No! ¿Hablas en serio?

—Sí. Mi bisabuelo, hijo primogénito del duque de Bridgewater, huyó a este país a finales del siglo pasado para respirar el aire puro de la libertad; se casó acá y murió, dejando un hijo, mientras al mismo tiempo moría su propio padre. El hijo segundo del fallecido duque se apoderó de los títulos y propiedades... y el auténtico duque niño fue ignorado. Yo desciendo en línea recta de ese niño..., soy el verdadero duque de Bridgewater; y aquí me tenéis desamparado, excluido de mi alto rango, perseguido por los hombres, despreciado por el frío mundo, harapiento, cansado, con el corazón partido y ¡rebajado a la compañía de criminales en una balsa!

Jim sintió mucha lástima de él, y yo también. Tratamos de consolarle, pero él decía que era inútil, que no podía consolarse; dijo que si quisiéramos reconocerle como duque, eso le haría mayor bien que casi cualquier otra cosa, así que le dijimos que lo haríamos si nos explicaba cómo hacerlo. Dijo que debíamos inclinarnos al hablarle y decir «su alteza» o «mi señor» o «su señoría»..., y a él no le importaría si le llamábamos simplemente Bridgewater, lo cual, dijo, era un título en todo caso, y no un apellido; y que uno de nosotros debería servirle la comida y hacer por él cualquier cosa que él quisiera que se hiciese.

Bueno, todo eso era fácil, así que lo hicimos. Durante toda la comida, Jim se quedaba de pie y le servía, diciendo: «¿Su alteza tomará esto o aquello?», y así sucesivamente, y se podía ver que al duque le gustaba muchísimo.

Pero el viejo se puso muy callado después de un rato... No tenía mucho que decir y no parecía encontrarse cómodo viendo todo ese mimo que recibía el duque. Parecía estar pensando en algo. Así, ya por la tarde, dijo:

—Oye, Bilgewater[6] —dijo—, siento mucha pena por lo que te ha pasado, pero no eres el único que tienes problemas de ese tipo.

—¿No?

—No, no lo eres. No eres la única persona que ha sido arrastrada injustamente de su alta posición.

—¡Ay de mí!

—No, no eres el único que ha tenido un secreto en su nacimiento —y, por Dios, él empezó a llorar.

—¡Detente! ¿Qué quieres decir?

—Bilgewater, ¿puedo confiar en ti? —dijo el viejo, todavía gimoteando.

—¡Hasta la amarga muerte! —tomó la mano del viejo y la apretó y dijo—: Cuenta ese secreto de tu propio ser, ¡habla!

—Bilgewater, ¡soy el fallecido delfín!

---

[6] *Bridgewater*, que significa literalmente «agua de puente», es irónicamente deformado por el viejo en *Bilgewater*, «agua de sentina».

Te aseguro que Jim y yo miramos con asombro esta vez. Luego, el duque dijo:

—¿Que eres qué?

—Sí, amigo mío, es la pura verdad... En este mismo instante tus ojos miran al pobre delfín desaparecido, Luis XVII, hijo de Luis XVI y María Antonieta[7].

—¡Tú! ¡Con tus años! ¡No! Quieres decir que eres el difunto Carlomagno[8]; debes tener seiscientos o setecientos años por lo menos.

—El sufrimiento lo ha hecho, Bilgewater, el sufrimiento lo ha hecho; los sufrimientos han sido los causantes de estas canas y esta calvicie prematura. Sí, caballeros, veis ante vosotros, vestido de dril azul y de miseria, al errante, exilado, pisoteado y doliente legítimo rey de Francia.

Bueno, lloró y se quejó tanto que yo y Jim casi no sabíamos qué hacer, estábamos tan apenados... y tan contentos y, además, orgullosos de tenerle con nosotros. Así que, como habíamos hecho antes con el duque, tratamos de consolarle a él. Pero dijo que era inútil; nada, salvo estar muerto y libre de todo, podría hacerle algún bien, aunque dijo que muchas veces le hacía sentirse mejor y más cómodo durante un rato si la gente le trataba según sus derechos y se hincaba sobre una rodilla al hablarle y siempre le llamaba «su majestad» y le servía siempre el primero en las comidas y no se sentaba en su presencia hasta que él le invitara. Así que Jim y yo empezamos a llamarle majestad y a hacer esto y aquello y lo otro por él y estarnos de pie hasta que nos dijera que podíamos sentarnos. Esto le hizo muchísimo bien y se puso alegre y cómodo. Pero el duque se mostraba como amargado por la situación; no parecía satisfecho en lo más mínimo con el giro que tomaban las cosas, aunque el rey le siguió tratando amistosamente y dijo que al bisabuelo del duque y a todos los otros duques de Bilgewater les había tenido mucho respeto su padre y les había permitido visitar el palacio con bastante frecuencia. Sin embargo, el duque

[7] Véase nota 3, capítulo 14. *María Antonieta* de Austria, reina consorte de Francia por su matrimonio con Luis XVI, fue también ejecutada en la guillotina en 1793.

[8] Carlomagno (742-814), rey de los francos, rey nominal de los lombardos y emperador de Occidente, fundó el llamado Imperio Carolingio.

continuó todavía enojado un buen rato, hasta que el rey dijo:

—Probablemente tendremos que estar juntos en esta balsa durante un maldito largo tiempo, Bilgewater, ¿de qué sirve entonces estar de mal humor? Solo nos pone más incómodos. Yo no tengo la culpa de no haber nacido duque, y tú no tienes la culpa de no haber nacido rey, así que ¿por qué nos vamos a preocupar? Hay que tomar las cosas como son y hacer lo posible, digo yo... Ese es mi lema. No está tan mal este asunto que hemos encontrado, comida de sobra y vida fácil... Anda, démonos la mano, duque, y seamos todos amigos.

El duque lo hizo, y Jim y yo nos pusimos contentos de verlo. Aquello apartó toda la incomodidad que había y nos sentimos muy satisfechos porque habría sido un asunto miserable tener esa falta de amistad en la balsa, porque lo que quieres en una balsa es que principalmente esté satisfecho todo el mundo y se sienta a gusto y sea amable con los demás.

Me llevó poco tiempo decidir que estos mentirosos no eran en modo alguno ni reyes ni duques, sino embusteros y farsantes. Pero no dije nada, no se lo dejé saber, me lo guardé para mí. Es siempre lo mejor, así no hay desacuerdos, y uno no se mete en dificultades. Si querían que les llamáramos reyes y duques, yo no estaba en contra, con tal de mantener la paz en la familia; y no valía la pena para nada decírselo a Jim, así que no se lo dije. Si aprendí algo de papá, fue que la mejor forma de llevarse bien con esa clase de gentes no podía ser otra que dejarles hacer lo que quisieran.

Capítulo 20

Nos hicieron cantidad de preguntas; querían saber por qué cubríamos la balsa de esa manera y descansábamos durante el día en vez de navegar... ¿Era Jim un negro fugitivo? Contesté yo:

—¡Por el amor de Dios!... ¿Se escaparía un negro fugitivo hacia el sur?

No, reconocieron que nunca lo haría. Tenía yo, sin embargo, que dar razón de las cosas de alguna manera, así que dije:

—Mi familia vivía en el condado de Pike, en Misuri, donde nací yo, y todos murieron salvo yo y papá y mi hermano Ike. Papá decidió abandonarlo todo e ir a vivir con el tío Ben, que tiene una granja pequeña en la orilla del río a unas cuarenta y cuatro millas aguas abajo de Orleáns. Papá era bastante pobre y tenía algunas deudas, así que cuando las arregló no quedaban más que dieciséis dólares y nuestro negro Jim. Eso no bastaba para pagar el viaje de mil cuatrocientas millas, ni sacando pasaje de cubierta ni de ninguna manera. Bueno, cuando vino la crecida del río, papá tuvo suerte un día y recogió este pedazo de balsa, así que pensamos bajar en ella hasta Orleáns. Pero la suerte de papá no duró mucho: una noche un vapor atropelló la esquina de proa de la balsa y todos caímos al agua y buceamos bajo la rueda; Jim y yo salimos a flote bien, pero papá estaba borracho e Ike solo tenía cuatro años, así que no salieron a la superficie nunca. Bueno, durante los siguientes dos días o más tuvimos bastantes dificultades porque la gente se acercaba en esquifes, intentando quitarme a Jim, diciendo que creían que era un negro fugitivo. Ya no navegamos de día; de noche no nos molestan.

El duque dijo:

—Dejadme a solas para idear una manera para poder navegar de día cuando queramos. Pensaré en ello, inventaré un plan para arreglarlo. Vamos a dejarlo hoy porque claro que no queremos pasar delante de aquel pueblo de día: tal vez no resultaría saludable.

Hacia el anochecer empezó a oscurecer el cielo y parecía que iba a llover; los relámpagos de calor salpicaban en la parte baja del cielo, y las hojas comenzaban a temblar... Iba a ponerse bastante feo, era fácil darse cuenta. Así que el duque y el rey fueron a revisar la choza, para ver cómo eran las camas. Mi cama era una funda de colchón llena de paja, mejor que la de Jim, que estaba llena de hojas de maíz; siempre quedan carozos por ahí en un colchón de hojas de maíz y se te clavan y te hacen daño; y cuando te das la vuelta encima de las hojas secas, suena como si te estuvieras revolcando en un montón de hojarasca y es un crujido tal que te despiertas. Bueno, el duque declaró que dormiría en mi cama, pero el rey declaró que no ocurriría así. Dijo:

—Habría pensado que la sola diferencia de rango entre nosotros te habría sugerido que dormir en una cama de hojas de maíz no es propio de mi persona. Su señoría ha de dormir en la cama de hojas.

Jim y yo estuvimos preocupados durante un minuto, temiendo que fuera a haber otro lío entre ellos, así que nos pusimos contentos cuando el duque dijo:

—Siempre es mi destino ser agobiado en el fango bajo el tacón de hierro de la opresión. La desgracia ha quebrantado mi espíritu, otrora altanero; cedo, por tanto, me someto, es mi destino. Estoy solo en el mundo... Dejadme, pues, sufrir, yo lo puedo soportar todo.

Tan pronto como la noche se puso bien oscura, nos marchamos. El rey nos dijo entonces que nos alejáramos hacia el centro del río y que no encendiéramos ni una sola luz hasta que estuviéramos un buen trecho aguas abajo del pueblo. Al poco rato llegamos a la vista de un pequeño manojo de luces... Ese era el pueblo, ya sabes, y pasamos adelante deslizándonos sin problemas, como a media milla río adentro. Cuando ya habíamos navegado tres cuartos de milla por el río abajo, alzamos nuestra linterna de aviso; y a eso de las diez comenzó a llover y soplar y tronar y relampaguear como si todo se hubiera vuelto loco, así que el rey nos dijo que montáramos guar-

Carozo: Corazón de la mazorca.

Otrora: En otro tiempo.

dia los dos hasta que mejorara el tiempo; luego, él y el duque se metieron en la choza y se acostaron para pasar la noche. A mí no me tocó estar de guardia hasta las doce, pero no me hubiera acostado aunque hubiese tenido una cama porque uno no ve una tormenta como esa cada día de la semana, ni con mucho. ¡Dios mío, cómo bramaba el viento! Y cada segundo o dos venía un fulgor que encendía las olas en media milla a la redonda y veías las islas, que parecían polvorientas a través de la lluvia, y los árboles agitándose en el viento; luego venía un ¡tras!, ¡bum!, ¡bum!, ¡burrum..., bum..., bum..., bum..., bum..., bum...!, y el trueno se alejaba retumbando y gruñendo y, al fin, muriendo..., y luego, ¡zas!, otro relámpago y otro golpe que te tumbaba. Las olas a veces casi me arrastraban fuera de la balsa, pero yo no llevaba ropa y no me importaba. Tampoco teníamos problemas con los troncos sumergidos; brillaban y flameaban tanto los relámpagos que podíamos ver venir los troncos con tiempo suficiente para poder virar la balsa de un lado u otro y evitarlos.

Me tocaba la guardia de medianoche, ya sabes, y a esas horas yo ya tenía bastante sueño, así que Jim dijo que él haría por mí la primera mitad de la guardia; Jim siempre era muy bueno para esas cosas, muy bueno. Yo me metí a gatas en la choza, pero el rey y el duque estaban tan despatarrados que no había sitio para mí, así que me tumbé fuera. No me importaba la lluvia porque hacía calor, y las olas no eran tan altas como antes. Sin embargo, a eso de las dos volvieron a subir y creo que Jim iba a llamarme, pero cambió de opinión pensando que no estaban tan altas como para hacer daño; sin embargo, estaba equivocado en cuanto a eso porque al rato vino una ola enorme y me arrastró adormilado al río. Jim casi se murió de risa. Desde luego, nunca ha habido otro negro que más fácilmente se diera a la risa.

Le relevé en la guardia y Jim se acostó y se puso a roncar. Y, al poco rato, la tormenta amainó y en seguida cesó por completo y, a la primera luz que vi en una cabaña, desperté a Jim y metimos la balsa en un escondite para pasar el día.

Después del desayuno, el rey sacó una baraja vieja y mugrienta y se puso a jugar con el duque a las siete y media, a cinco centavos por juego. Pronto se cansaron y declararon que iban a «planear una campaña», como lo llamaban ellos. El duque rebuscó en su maleta y sacó muchos pequeños folletos y los leyó en voz alta. Un folleto decía que «el célebre doctor Armand de Montalbán de París» pronunciaría una «conferencia sobre la ciencia de la frenología» en tal local el día tantos del mes tal; que la entrada valdría diez centavos y que el doctor «haría cuadros de carácter a veinte centavos por cabeza». El duque nos contó que ese doctor era él mismo en persona. En otro folleto decía que era «el actor trágico shakespeariano de fama mundial Garrick el Joven, de Drury Lane[1], Londres». En otros folletos tenía el duque muchos nombres distintos y relataba que había hecho otras cosas maravillosas, como encontrar agua y oro con una varita mágica y deshacer embrujos y muchas más cosas. Al poco rato dijo:

Histriónica:
Relativa al actor de teatro.

—Pero la musa histriónica es mi predilecta. ¿Has pisado las tablas alguna vez, majestad?

—No —dijo el rey.

—Entonces lo harás antes de que cumplas tres días más, grandeza caída —añadió el duque—. En el primer pueblo bueno que encontremos alquilaremos un local y representaremos la pelea de espadas de *Ricardo III* y la escena del balcón de *Romeo y Julieta*[2]. ¿Qué te parece?

—Estoy de acuerdo y metido hasta las orejas; a mí me va cualquier cosa que dé dinero, Bilgewater, pero no sé nada de ser actor de teatro y no he visto mucho teatro nunca. Yo era demasiado pequeño cuando papá hacía ir a las compañías al palacio. ¿Crees que podrás enseñarme?

—¡Eso es fácil!

Estar sobre ascuas:
Estar inquieto y sobresaltado.

—Está bien. En todo caso, estoy sobre ascuas por empezar algo fresco. Vamos a ponernos a ello en seguida.

Así que el duque le contó todo sobre quién era Romeo y quién era Julieta, y dijo que estaba acostumbrado a representar a Romeo, así que el rey podría hacer de Julieta.

---

[1] Calle de la zona del Covent Garden, en Londres. El nombre de esta calle se usa a menudo para referirse al Teatro Real, situado en Drury Lane desde el siglo XVII.

[2] *Ricardo III* es un drama histórico de Shakespeare, escrito hacia 1593. *Romeo y Julieta*, obra del mismo autor, estrenada el 29 de enero de 1595, cuenta la historia del desdichado amor entre Romeo y Julieta, hijos de dos familias nobles y rivales de la Verona del siglo XIV.

—Pero si Julieta es una moza tan joven, duque, tal vez mi cabeza pelada y mis barbas blancas resultarán descomunalmente raras en ella.

—No, no te preocupes; a estos paletos no se les ocurrirá pensar en eso. Además, sabes, estarás disfrazado y eso todo lo cambia; Julieta está en el balcón, gozando de la luz de la luna antes de acostarse, y lleva puestos un camisón y un gorro de dormir fruncido[3]. Aquí tengo los trajes de los personajes.

Percal: Tela barata de algodón.

Sacó dos o tres trajes hechos de percal de cortinas y dijo que eran la armadura medieval para Ricardo III y el otro tipo, y sacó un largo camisón de algodón blanco y un gorro fruncido haciendo juego. El rey estaba satisfecho, así que el duque sacó su libro y leyó los papeles con un aire espléndido de gran fanfarrón, pavoneándose de un lado a otro y representando los dos personajes al mismo tiempo, para mostrar cómo se debía hacer; luego le dio el libro al rey y le mandó aprenderse su papel de memoria.

Había un pueblecito a unas tres millas aguas abajo en un recodo del río y, después de la comida, el duque dijo que había ideado una manera de navegar de día sin que Jim corriera peligro, así que declaró que iría al pueblo a arreglar el asunto. El rey declaró que él iría también, a ver si podía descubrir algo. Se nos había acabado el café, así que Jim dijo que sería mejor que yo fuera con ellos en la canoa y comprara más.

Cuando llegamos al pueblo no vimos a nadie; las calles estaban desiertas y perfectamente muertas y silenciosas, igual que los domingos. Solo encontramos a un negro enfermo tomando el sol en un jardín trasero y nos dijo que todo el mundo que no fuera demasiado joven o no estuviera demasiado enfermo o no fuera muy viejo se había ido a la reunión religiosa que había en el campo, a unas dos millas dentro del bosque. El rey se enteró de la dirección y declaró que iría a trabajarse esa reunión con miras a todo lo que se pudiera sacar de ella y que yo podía acompañarle.

---

[3] En la famosa escena segunda del segundo acto de *Romeo y Julieta*, ambos jóvenes —ella, en el balcón de su casa, y Romeo, al pie de este— se declaran su amor.

El duque dijo que lo que buscaba él era una imprenta. La encontramos: un negocio de poca monta en los altos de una carpintería; todos los carpinteros y los impresores se habían ido a la reunión y no habían cerrado las puertas con llave. Era un sitio sucio y desordenado y en las paredes se veían manchas de tinta y por todas partes octavillas con dibujos de caballos y de negros fugitivos. El duque se quitó la levita y dijo que ya había encontrado lo que necesitaba. Así que yo y el rey nos marchamos hacia la reunión en el campo.

Octavilla: Hoja de papel con propaganda política o social.

Llegamos allí en media hora, empapados de sudor, porque hacía un calor terrible. Habría como mil personas llegadas hasta allí desde veinte millas a la redonda. El bosque estaba lleno de carretas y tiros de caballos, atados en todas partes, los caballos comían el pienso de las artesas en las carretas y pataleaban para espantar las moscas. Había también cobertizos hechos de palos y cubiertos con ramas, donde vendían limonada y pan de jengibre y montones de sandías y maíz tierno y cosas semejantes.

Tiro: Conjunto de caballerías que tiran de un carruaje.

Artesa: Cajón, por lo general de madera, más ancho por arriba que por abajo.

Jengibre: Planta procedente de la India.

Los sermones tenían lugar bajo cobertizos de la misma clase, pero más grandes; sitios que contenían muchedumbres de gente. Los bancos estaban construidos de trozos de troncos, con agujeros taladrados en el lado de la corteza para meter en ellos los palos que hacían de patas. No tenían respaldos. Los predicadores disponían de plataformas altas en un extremo de los cobertizos. Las mujeres se cubrían con sombreros para el sol; algunas llevaban burdos vestidos de hilo y lana, y otras de guinga, y algunas jóvenes vestidos de percal. Bastantes de los hombres jóvenes iban descalzos, y algunos niños no llevaban puesta más que una camisa de lienzo. Varias viejas hacían punto, y unas pocas parejas de jóvenes se cortejaban a escondidas.

Guinga: Tela de algodón.

Lienzo: Tela de lino, cáñamo o algodón.

En el primer cobertizo al que nos acercamos, el predicador leía los versos de un himno. Leía dos versos y todo el mundo los cantaba y al escucharlo parecía algo grandioso porque eran muchas personas y lo hacían con mucho entusiasmo; luego leía dos versos más y, entonces, los cantaban y así seguían y seguían. La gente se despertaba cada vez más y cantaba más y más fuerte; hacia el final unos empezaron a gemir y otros a gritar. Luego, el

predicador comenzó a predicar, y además en serio; se
movía virando de un lado a otro de la plataforma y luego se inclinaba hacia adelante, y sus brazos y su cuerpo
no paraban de agitarse y voceaba las palabras con todas
sus fuerzas; y de vez en cuando levantaba la Biblia y la
abría y la movía de un lado a otro, gritando: «¡Es la serpiente de bronce del desierto! ¡Miradla y viviréis!»[4]. Y la
gente también gritaba: «¡Gloria... A... a... mén!». Y así seguía él y la gente gemía y lloraba y decía amén.

—¡Oh, venid al banco de los arrepentidos! ¡Venid los
manchados de pecado! —¡Amén!—. ¡Venid los enfermos
y los cansados! —¡Amén!—. ¡Venid los cojos y ciegos e
impedidos! —¡Amén!—. ¡Venid los pobres y necesitados,
los hundidos en la vergüenza! —¡A... a... amén!—. ¡Venid
todos los que estáis cansados y manchados y dolientes...,
venid con el espíritu humillado, venid con el corazón
Contrito: contrito! ¡Venid en harapos y pecado y suciedad! ¡Las
Arrepentido. aguas que limpian son libres! ¡La puerta del cielo está
abierta! ¡Oh, entrad y hallaréis descanso!

—¡A... a... mén! ¡Gloria! ¡Gloria! ¡Aleluya!

Y así seguía. Ya no se podía entender lo que decía el
predicador a causa de los gritos y los llantos. La gente se
ponía en pie por todas partes entre la muchedumbre y
se abrían paso a la fuerza hacia el banco de los arrepentidos, con las lágrimas corriéndoles por la cara; y cuando
todos los arrepentidos, en grupos, habían llegado a los
bancos delanteros, cantaban y gritaban y se tumbaban en
la paja del suelo, sencillamente enloquecidos y salvajes.

Bueno, antes de que me diera bien cuenta, vi que el
rey empezó a gritar y podía oírsele por encima de todas
las otras voces. Luego subió de repente encima de la plataforma, y el predicador le rogó que hablara a la gente y
lo hizo. Les contó que era pirata, que había sido pirata
durante treinta años en el océano Índico, y dijo que había perdido gran parte de su tripulación en una batalla
la primavera pasada y ahora se había vuelto a casa a re-
clutar hombres nuevos y, gracias a Dios, le habían roba-

---

[4] «Hizo Moisés una serpiente de bronce y la puso en un mástil. Y si una serpiente
mordía a un hombre y este miraba la serpiente de bronce, quedaba con vida». *(Números* 21,9).

do la noche anterior y le habían echado del vapor y le
habían dejado en tierra sin un centavo; y se alegró de
ello porque era la cosa más bendita que le había ocurrido nunca, sabía que ya era un hombre transformado y se
sentía feliz por primera vez en su vida; y ahora que era
pobre, iba a decidir su regreso al océano Índico, trabaja-
ría para pagar el pasaje y dedicaría el resto de su vida al
intento de convertir a los piratas y llevarlos por el camino de la verdad; porque él podía hacerlo mejor que cualquier otro, puesto que conocía a todas las bandas de piratas de aquel océano; y aunque tardara mucho tiempo
en llegar sin dinero hasta el océano Índico, a pesar de todos los trabajos, llegaría y cada vez que convirtiera a un
pirata, le diría: «No me des las gracias a mí, no me atri-
buyas el mérito; dale las gracias a la querida gente de la
reunión campestre de Pokeville, hermanos naturales y
benefactores de la raza, y al querido predicador de allí,
¡el mejor amigo que haya tenido nunca un pirata!».

Y luego rompió a llorar y todo el mundo le siguió en
su llanto. Luego, alguien gritó: «¡Hagamos una colecta
para él, hagamos una colecta!». Bueno, media docena de
personas se pusieron en pie de un salto para hacerla,
pero otro gritó: «¡Que pase él mismo el sombrero!». Y todos repitieron esas palabras, y el predicador también las
repitió.

Así que el rey pasó con el sombrero por entre toda
la muchedumbre, enjugándose los ojos y bendiciendo a la
gente y alabándolos y dándoles las gracias por ser tan
buenos con los pobres piratas de allá tan lejos; y a cada
rato las muchachas bonitas, con lágrimas corriéndoles
por las mejillas, le pedían que las dejara besarle para tener un recuerdo de él; y él siempre se dejaba besar, y a algunas las abrazó y las besó hasta cinco o seis veces, y le
invitaron a quedarse una semana y todo el mundo le ofrecía su casa y le decía que consideraría un honor si acep-
taba, pero él dijo que como era el último día de la reunión, ya no podía ayudarlos más y que, además, estaba
con ansias de llegar en seguida al océano Índico y de empezar su trabajo de conversión de piratas.

Cuando regresamos a la balsa y se puso a contar el dinero, encontró que había recaudado ochenta y siete dóla-

res con setenta y cinco centavos. Y, además, se había traído un jarro de doce litros de *whisky* que descubrió debajo de una carreta cuando volvía a casa por el bosque. El rey dijo que, bien mirado, era la vez que más había sacado de una jornada de misionero. Dijo que no había que discutir el asunto, que los salvajes no valen un comino comparados con los piratas para trabajarse una reunión religiosa en el campo.

El duque creía que él había sacado bastante hasta que apareció el rey, pero desde ese momento ya no estuvo tan seguro. Resulta que el duque había compuesto e impreso dos pequeños trabajos en aquel pequeño taller —carteles de caballos para granjeros— y había cobrado cuatro dólares por ellos. Y, después, cobró diez dólares en anuncios para el periódico, diciendo que metería los anuncios por cuatro dólares si pagaban por adelantado, y los granjeros lo hicieron. El precio de la suscripción al periódico era de dos dólares al año, pero él cobró tres suscripciones a medio dólar cada una, con la condición de que pagaran por adelantado; iban a pagar con leña y cebollas como era costumbre, pero él dijo que acababa de comprar el taller y que había rebajado el precio tanto como podía y que iba a llevar el negocio cobrando dinero al contado. También compuso unos versos que él mismo había escrito, de su propia cabeza; tres versos algo dulces y tristones con el título de *Sí, mundo frío, destroza este corazón doliente,* y los había dejado compuestos y listos para imprimir en el periódico, y no cobró nada por hacerlo. Bueno, había sacado nueve dólares y medio y dijo que había trabajado una buena jornada para ganarlos.

Luego nos mostró otro pequeño trabajo que había impreso y que no había cobrado, porque era para nosotros. Tenía el dibujo de un negro fugitivo con un hatillo colgado de un palo sobre el hombro y decía debajo: «Recompensa, 200 dólares». Todo el texto se refería a Jim y le describía exactamente. Decía que se había escapado de la plantación de San Jacques, a cuarenta millas río abajo en Nueva Orleáns, el invierno pasado y que probablemente se fue al norte y que quienquiera que le capturara y le devolviera cobraría la recompensa y los gastos.

—Ahora —dijo el duque—, después de esta noche, podemos navegar de día si queremos. Cuando veamos que alguien se acerca, podemos atar a Jim de pies y manos con una cuerda y meterle en la choza; luego les mostramos este aviso y les decimos que le capturamos río arriba y que, como éramos demasiado pobres para viajar en vapor, unos amigos nos prestaron esta pequeña balsa y vamos río abajo a cobrar la recompensa. Unas esposas y unas cadenas serían más vistosas para Jim, pero no irían bien con la historia de nuestra pobreza; son demasiado parecidas a las joyas. Cuerdas, eso es lo correcto; tenemos que mantener las unidades dramáticas[5], como decimos en las tablas.

Tablas: Escenario de un teatro.

Todos dijimos que el duque era bastante listo y que con su plan no tendríamos dificultades para navegar de día. Pensamos que podríamos recorrer bastantes millas esa noche como para estar fuera del alcance del follón que pensamos que ese trabajo del duque en la imprenta iba a producir en el pueblecito. Después podríamos seguir río adelante al paso que quisiéramos.

Nos escondimos bien y nos quedamos quietos y no arrancamos hasta casi las diez; luego fuimos deslizándonos bastante trecho junto al pueblo y no alzamos la linterna hasta no encontrarnos lo suficientemente lejos del alcance de la vista.

Cuando Jim me llamó para que le relevara de la guardia a las cuatro de la madrugada, me dijo:

—Huck, ¿tú crees que vamos a encontrar más reyes en este viaje?

—No —dije—, creo que no.

—Bueno —dijo él—, entonces está bien. No me importan uno o dos reyes, pero con estos basta. Este nuestro está muy borracho y el duque anda casi igual.

Me enteré también de que Jim había intentado hacerle hablar francés para ver cómo sonaba esa lengua, pero el rey le dijo que había estado en este país tanto tiempo y había tenido tantas dificultades que la había olvidado por completo.

---

[5] Unidades de tiempo, lugar y acción, que, según determinadas doctrinas teatrales, debía respetar una obra dramática.

Capítulo 21

Ya había salido el sol, pero no amarramos la balsa, seguimos río adelante. Pasado un rato, el rey y el duque se levantaron bastante deslustrados, pero, después de echarse al agua a nadar, recobraron los ánimos. Terminado el desayuno, el rey tomó asiento en una esquina de la balsa, se quitó las botas, se remangó los pantalones y dejó colgar las piernas en el agua, para quedarse cómodo, y también encendió la pipa y se puso a aprender de memoria su *Romeo y Julieta*. Cuando lo había aprendido bastante bien, él y el duque empezaron a practicarlo juntos. El duque tenía que enseñarle una y otra vez cómo decir cada discurso y le hizo suspirar y ponerse la mano sobre el corazón y, al poco rato, lo hacía mucho mejor, «salvo —dijo el duque— que no debes bramar ¡Romeo! de esa manera, como un toro; debes decirlo suave y enfermiza y lánguidamente, así: ¡Ro-o-meo!; esa es la idea, porque Julieta es una joven, casi una niña, dulce y tierna, sabes, y no rebuzna como un asno».

Bueno, pues luego sacaron un par de espadas largas que el duque había hecho de listones de roble, y comenzaron a practicar la pelea de espadas. El duque se llamaba Ricardo III; y la manera como se atacaban y pavoneaban por la balsa era magnífica de verse. Pero al poco rato el rey tropezó y se cayó al agua y, después de eso, se tomaron un descanso y se pusieron a hablar de toda clase de aventuras que habían tenido otros días a lo largo del río.

Después de comer, el duque dijo:

—Bueno, Capeto[1], queremos hacer de esto un espectáculo de primera, sabes, así que supongo que debemos añadirle algo más. Nos hace falta alguna cosita para los bises, en todo caso.

Bis: Repetición de una obra o de un fragmento de ella para responder a los aplausos de los espectadores.

---

[1] Referencia a los Capetos, antigua dinastía real europea, descendiente de Hugo Capeto (938-993), duque de París y rey de Francia.

—¿Qué son bises, Bilgewater?

El duque se lo explicó y luego dijo:

—Yo puedo hacer el baile escocés o la danza del marinero; y tú..., vamos a ver..., oh, ya lo tengo: tú puedes recitar el soliloquio de Hamlet.

—¿El qué de Hamlet?

—El soliloquio de Hamlet, ya sabes; la cosa más célebre de Shakespeare[2]. ¡Ah, es sublime, sublime! Siempre se gana al público con ese soliloquio. No lo tengo en el libro, solo tengo un volumen, pero creo que puedo reconstruirlo de memoria. Me pondré a dar unos paseos a ver si puedo reclamarlo de las tumbas de mi memoria.

Soliloquio: En una obra de teatro, parlamento que hace un personaje en voz alta y a solas.

Así que comenzó a marchar de un lado a otro, pensando y frunciendo el ceño de un modo horrible de vez en cuando, luego alzaba las cejas y luego se apretaba la frente con la mano y se bamboleaba hacia atrás con una especie de gemido; entonces suspiraba y luego dejaba caer una lágrima. Era hermoso verle. Al poco rato ya lo tenía. Nos mandó prestarle atención. Entonces asumió una actitud noble, con una pierna adelantada y los brazos estirados muy altos y la cabeza echada hacia atrás, mirando al cielo; y luego empezó a rabiar y a vociferar y a rechinar los dientes; durante todo el discurso, aullaba y se pavoneaba e hinchaba el pecho, y simplemente echaba por tierra a todos los actores que yo había visto actuar en mi vida. Este es el discurso... Yo me lo aprendí con bastante facilidad mientras él se lo enseñaba al rey:

Ser o no ser; he aquí el simple estilete
que da existencia tan larga al infortunio;
quién querría llevar tan duras cargas,
hasta que el bosque de Birnam avance a Dunsinane[3],
si no fuera por el temor de que un algo después de la muerte
asesine el sueño inocente,
el segundo recurso de la gran Naturaleza,

Estilete: Punzón que sirve para escribir.

---

[2] Se trata del soliloquio que Hamlet, el protagonista de la obra de Shakespeare del mismo nombre, declama en el tercer acto y que comienza: «Ser o no ser, esa es la cuestión». Más adelante, el duque enseña al rey una versión libre del célebre pasaje.

[3] Ambos lugares se mencionan en otra tragedia de Shakespeare, *Macbeth*, en la que el castillo de *Dunsinane* es atacado por un ejército camuflado con ramas tomadas del *bosque de Birnam*.

que nos hace más bien tirar los dardos de la insultante fortuna
que lanzarnos a otros que desconocemos.
He aquí la reflexión que nos detiene el considerar:
«¡Despierta a Duncan[4] con tus llamadas!». Ojalá pudieras;
porque quién soportaría los ultrajes y desdenes del tiempo,

Contumelia: Injuria.

la injuria del opresor, la contumelia del soberbio,
las tardanzas de la justicia, el reposo que podrían tomar

Yerto: Rígido, tieso.

sus congojas en el yerto desierto de la medianoche
cuando bostezan las tumbas,
en sus trajes acostumbrados de negro solemne;
pero esa ignorada región,
cuyos confines no vuelve a traspasar viajero alguno,
exhala su soplo pestilente sobre el mundo,
y así el motivo de la resolución, como el pobre gato del refrán,
se torna enfermizo, bajo los pálidos toques del pensamiento,
y todas las nubes que encapuchaban los tejados,
por esta consideración, tuercen su curso
y dejan de tener nombre de acción.
Es un fin que devotamente se debe anhelar.
Pero, ¡silencio!, hermosa Ofelia[5],
no abras tus poderosas y marmóreas mandíbulas,
sino vete a un convento..., ¡vete!

Bueno, al viejo le gustaba ese discurso, y muy pronto se lo supo de memoria y pudo recitarlo de primera. Parecía que había nacido para hacerlo y, cuando estaba metido en ello y se entusiasmaba, era realmente bonita la manera que tenía de vociferar y enfurecerse y encabritarse mientras iba soltándolo.

A la primera ocasión que se nos presentó, el duque hizo imprimir unos carteles de anuncio y después de eso, durante dos o tres días, íbamos flotando río adelante y la balsa era un lugar de extraordinaria animación porque no había más que peleas de espadas y ensayos, como los llamaba el duque, y esto duraba todo el tiempo. Una mañana, cuando habíamos bajado bastante bordeando el estado

---

[4] Personaje de *Macbeth*, basado en una figura histórica, el rey Duncan I, muerto en 1040 a manos del Macbeth histórico.
[5] Personaje de *Hamlet*. Esta joven tiene una relación amorosa con el protagonista, a la que debe poner fin obligada por su padre y su hermano. Hamlet reacciona con furia y la insta a que se vaya a un convento.

de Arkansas, descubrimos un pequeño pueblo en la orilla, donde el río formaba un gran recodo, así que amarramos a unos tres cuartos de milla río arriba de aquel pueblo, en la boca de un riachuelo que estaba cerrado como un túnel por los cipreses, y todos menos Jim nos metimos en la canoa y fuimos aguas abajo a ver si había posibilidades en aquel lugar para estrenar nuestro espectáculo.

Tuvimos mucha suerte; aquella tarde tenían circo, y la gente campesina ya empezaba a llegar en toda clase de carretas destartaladas y a caballo. El circo se marcharía antes del anochecer, así que nuestra representación tendría buenas posibilidades. El duque alquiló el edificio de justicia y fuimos por ahí a pegar carteles. Se leían de esta forma:

¡¡¡Reposición de obras de Shakespeare!!!
¡Atracción maravillosa!
¡Solo por una noche!
Los actores trágicos de fama mundial
David Garrick el Joven, del Teatro de Drury Lane, Londres,
y Edmund Kean el Viejo, del Teatro Real de Haymarket,
Whitechapel, Pudding Lane, Piccadilly, Londres [6] y los
reales teatros continentales, en el sublime espectáculo shakespeariano
titulado *La escena del balcón* de
¡¡¡Romeo y Julieta!!!
Romeo . . . . Sr. Garrick
Julieta. . . . . Sr. Kean
¡Asistidos por el pleno de la compañía!
¡Se estrenan trajes, decorados y repartos!
Además, el emocionante, magistral y escalofriante
duelo de espadas de
¡¡¡Ricardo III!!!
Ricardo III . . . . Sr. Garrick
Richmond . . . . Sr. Kean

Además,
a petición especial,
¡¡el inmortal soliloquio de Hamlet!!
¡por el ilustre actor Kean!
¡Representado por él en París
300 noches consecutivas!
Solo por una noche
por imperativos compromisos en Europa.
Entrada, 25 centavos; niños y criados, 10 centavos.

---

[6] El duque mezcla los nombres de tres famosos actores trágicos: David Garrick (1717-1779), Edmund Kean el Viejo (¿1787?-1833) y Charles John Kean el Joven (¿1811?-1868). El de *Haymarket* era otro teatro londinense.

Luego fuimos a vagabundear por el pueblo. Las tiendas y las casas eran casi todas viejas, destartaladas construcciones de madera que nunca habían tenido pintura; estaban hechas sobre estacas de un metro o más encima del suelo para quedar libres del agua cuando el río se desbordaba. Las casas tenían pequeñas huertas alrededor, pero no crecían allí más que chamicos y girasoles entre pilas de cenizas, botas y zapatos viejos y abarquillados, trozos de botellas y trapos y desgastados platos de hojalata. Las cercas estaban hechas de distintas clases de tablas, clavadas en épocas distintas, y se inclinaban en todas las direcciones y tenían puertas que, por lo general, no conservaban más que una bisagra de cuero. Muchas de las cercas habían sido encaladas alguna vez, pero el duque dijo que, sin duda, fue en tiempos de Colón. Se veían, por lo general, cerdos en las huertas y gente que los echaba a gritos.

Chamico: Arbusto silvestre.

Todas las tiendas estaban a lo largo de una única calle. Tenían delante soportales blancos de tipo casero, y la gente del campo ataba los caballos a los postes. Había cajas vacías de mercancías, y los holgazanes descansaban sentados encima durante todo el santo día, cortándolas con sus cuchillos Barlow y masticando tabaco, bostezando y estirándose: había una buena cantidad de maleantes. Los hombres se cubrían por lo general con sombreros de paja amarillos, tan anchos como un paraguas, pero no llevaban chaquetas ni chalecos; se llamaban unos a otros Bill y Buck y Hank y Joe y Andy, y hablaban con pereza, arrastrando las palabras, y usaban bastantes palabrotas. Había por lo menos un holgazán por cada poste de soportal, y ese tipo casi siempre tenía las manos en los bolsillos del pantalón, salvo cuando las sacaba para dar una mascada de tabaco a otro o para rascarse. Lo que se podía oír siempre estando entre ellos era una conversación de este tipo:

Mascada: Porción de tabaco que se ingiere de una vez para mascarla.

—Dame una mascada de tabaco, Hank.

—No puedo; no me queda más que una. Pídesela a Bill.

Entonces, tal vez Bill le dé la mascada o tal vez le mienta y le diga que no tiene ninguna. Muchos tipos de esta clase de holgazanes nunca tienen un centavo en el mundo ni una mascada de tabaco que sea suya. Consiguen todas sus mascadas pidiéndolas prestadas; dicen a un compañero: «Me gustaría que me dieras una mascada, Jack, porque justo en este momento le he dado a Ben Thompson la última que me quedaba», lo cual, claro, es casi siempre una mentira, que no es capaz de engañar a nadie salvo a un forastero, pero Jack no es forastero, así que va y dice:

—¿Tú le has dado una mascada, eh? También lo hizo la abuela del gato de tu hermana. Devuélveme las mascadas que ya te he dado, Lafe Buckner, y luego te daré una o dos toneladas y tampoco te cobraré intereses atrasados.

—Pero si ya te he devuelto algunas, ¿no te acuerdas?

—Sí, es verdad..., unas seis mascadas. Pero tú pides prestado tabaco de tienda y devuelves tabaco de «cabeza de negro».

El tabaco de tienda se vende en tabletas aplastadas y oscuras, pero estos tipos de pueblo mascan por lo general la hoja retorcida. Cuando piden prestada una mascada, no la cortan con un cuchillo, sino que meten la tableta entre los dientes y la roen y tiran de ella con las manos hasta partirla en dos; luego, algunas veces, el dueño del tabaco la mira con lástima cuando se la devuelve el otro, y dice sarcástico:

—Toma, dame la mascada y quédate con la tableta, ¿eh?

Todas las calles y callejuelas eran simplemente barro, no eran más que barro, barro tan negro como la pez y que tenía hasta treinta centímetros de profundidad en algunos sitios y de cinco a ocho centímetros en todos. Los cerdos haraganeaban y gruñían por cualquier parte. Se veía a una cerda cubierta de barro con una camada de crías, venía perezosa por la calle y se tumbaba justamente en el paso de la gente, que, claro, tenía que dar un rodeo, y entonces la cerda se estiraba y cerraba los ojos y movía las orejas mientras las crías mamaban tranquilas, y parecía tan feliz como si cobrara un sueldo. Y al poco rato se oía a un holgazán gritar: «¡Anda con ella, Tige! ¡A ella!», y la cerda salía corriendo, chillando horriblemente, con un perro o dos colgándosele de cada oreja, y tres o cuatro docenas de perros más que venían persiguiéndola, y luego se veía a todos los holgazanes levantarse y mirar la escena hasta que la cerda se perdía de vista; se reían divertidos, parecían estar agradecidos por el ruido.

Pez: Sustancia viscosa y negruzca, residuo de la destilación del alquitrán.

Luego volvían a ponerse cómodos otra vez, hasta que surgiera una pelea de perros o algo así. Nada podía despertarles todo su cuerpo y hacerles tan completamente felices como una pelea de perros, a menos que fuera, por ejemplo, echarle trementina a un perro vagabundo y prenderle fuego, o atarle a la cola un cacharro de hojalata para ver cómo se lanzaba a la carrera hasta morir de cansancio...

Trementina: Jugo pegajoso que fluye de pinos, abetos, alerces y terebintos.

Algunas de las casas que daban al río colgaban por la orilla y se inclinaban y se doblaban a punto de tumbarse dentro del agua. La gente se había mudado de allí. La tierra de la ribera del río se había derrumbado debajo de las esquinas mismas de otras muchas casas, y esas esquinas colgaban peligrosamente sobre el río. Había gente que vivía en las casas todavía, pero era poco aconsejable porque a veces un trozo de tierra tan ancha como un edificio se hundía de golpe. En ocasiones, una faja de tierra como de un cuarto de milla empieza a hundirse y sigue y sigue hasta que toda la tierra se cae al río en solo un verano. Un pueblo como ese siempre tiene que ir retirándose tierra adentro, más y más, porque el río está royéndole todo el tiempo.

A medida que se acercaba el mediodía, las calles se veían cada vez más atestadas de carretas y caballos, y sin parar seguían llegando más. Las familias traían del campo la comida y se ponían a comerla en las carretas. También la acompañaban de bastante *whisky,* y yo, en el tiempo que estuve allí, vi tres peleas. Después de un rato, alguien gritó:

—¡Ahí viene el viejo Boggs!... Llega del campo para su pequeña borrachera de cada mes; ¡ahí lo tenéis, muchachos!

Y todos los holgazanes parecieron ponerse contentos; supongo que solían divertirse con Boggs. Uno de ellos dijo:

—Me pregunto a quién va a comerse esta vez. Si se hubiera comido a todos los hombres que pensaba comerse en los últimos veinte años, ya tendría mucha fama.

Otro dijo:

—Me gustaría que el viejo Boggs me amenazara a mí porque entonces sabría yo que no iba a morirme en mil años.

Boggs vino a todo galope, chillando y aullando como un indio, y gritó:

—Apartaos del camino. Voy a la guerra y os aseguro que subirá el precio de los ataúdes.

Estaba borracho y se tambaleaba en la silla; tenía más de cincuenta años y su cara era muy roja. Todos le gritaban y se reían de él y le insultaban; y él les contestaba insolente y decía que ya se preocuparía de ellos en su momento y que se cargaría a todos, uno a uno, pero que en ese momento no podía perder tiempo porque había venido al centro del pueblo a matar al viejo coronel Sherburn y su lema era: «Primero la carne y, para terminar, la comida de cuchara».

Me vio y se acercó y dijo:

—¿De dónde eres tú, muchacho? ¿Estás listo ya para morir?

Luego siguió su camino. Yo estaba asustado, pero un hombre me dijo:

—No tiene malas intenciones; siempre se comporta así cuando está borracho. Es el viejo tonto de mejor corazón que hay en Arkansas... Nunca ha hecho daño a nadie, ni borracho ni sobrio.

Boggs se acercó a caballo a la tienda más grande del pueblo y agachó la cabeza para poder mirar por debajo del toldo de los soportales y gritó:

—¡Sal a la calle, Sherburn! ¡Sal de ahí y enfréntate con el hombre a quien has estafado! Tú eres el perro que busco y ¡voy a agarrarte!

Y así seguía, llamándole a Sherburn todo lo que se le venía a la boca. Y la calle entera estaba atestada de gente que escuchaba y reía y lo pasaba bien. Al rato, un hombre de aspecto orgulloso, de unos cincuenta y cinco años, que también, sin duda, era con mucho el hombre mejor vestido del pueblo, salió un paso afuera de la tienda, y la muchedumbre se hizo a un lado para que se adelantara. Se dirigió a Boggs, muy calmado y lento, y le dijo:

—Estoy cansado de este asunto, pero lo aguantaré hasta la una. Hasta la una, ¿oyes?, no más. Si se te ocurre abrir la boca contra mí solo una vez después de esa hora, te aseguro que no podrás viajar tan lejos que no te encuentre.

Luego se dio la vuelta y entró en la tienda. La muchedumbre parecía muy sobria: nadie se movía y no hubo más risas. Boggs se alejó a caballo, insultando a Sherburn a grito pelado, recorriendo toda la calle, y al rato regresó y se detuvo delante de la tienda y siguió con lo mismo. Unos hombres le rodearon y trataron de callarle, pero él se negaba; le dijeron que solo faltaban quince minutos para la una y que por eso tenía que marcharse a casa, que tenía que marcharse en seguida. Pero los avisos no servían para nada. Siguió maldiciendo con todas sus fuerzas y tiró el sombrero al barro y pasó el caballo por encima de él, y al poco rato se alejó enfurecido calle abajo con el pelo cano volando al aire. Todos los que tenían ocasión se esforzaban por convencerle de que se apeara del caballo, porque querían encerrarle bajo llave hasta que se le pasara la borrachera, pero era inútil: volvía al ataque calle arriba y maldecía a Sherburn otra vez. Después de un rato, alguien dijo:

—¡Que traigan a su hija! Rápido, que traigan a su hija; a veces la escucha a ella. Si hay alguien que pueda convencerle, será ella.

Así que alguno echó a correr en busca de la hija. Yo bajé la calle un trecho y luego me quedé parado. A los cinco o diez minutos ya venía Boggs otra vez, pero sin el caballo. Se acercaba bamboleándose; cruzaba la calle hacia mí, sin sombrero, entre dos amigos que le cogían de los brazos y le empujaban hacia adelante, deprisa. Estaba callado y parecía nervioso y no ofrecía resistencia, sino que también él se daba prisa. Alguien gritó entonces:

—¡Boggs!

Miré hacia allá a ver quién lo había dicho y era ese coronel Sherburn. Estaba de pie, perfectamente quieto, en la calle y tenía una pistola levantada en la mano derecha; no apuntaba con ella, sino que la sostenía con el cañón vuelto hacia el cielo. Al mismo instante vi a una muchacha joven venir corriendo y había dos hombres con ella. Boggs y los hombres se dieron la vuelta para ver quién le llamaba y, cuando vieron la pistola, los hombres saltaron a un lado; el cañón de la pistola bajó lento y seguro hasta ponerse horizontal... Los dos gatillos estaban amartillados. Boggs alzó las dos manos y dijo: «¡Oh, señor, no dispare!». ¡Pum!, salió el primer disparo y le hizo tambalear-

Amartillar: Preparar un arma de fuego para disparar.

se hacia atrás, como agarrándose al aire... ¡Pum!, salió el segundo y Boggs cayó de espaldas contra el suelo, cayó pesado y sólido, con los brazos extendidos. La muchacha joven chilló en ese momento y se acercó corriendo y se arrojó sobre su padre, llorando y diciendo: «¡Oh, le ha matado, le ha matado!». La muchedumbre se acercó rodeándolos y se daban empujones y apretones con el cuello estirado, intentando ver, y la gente de más dentro de la multitud empujaba a los otros hacia atrás, gritando:

—¡Atrás! ¡Atrás! ¡Dadle aire, dadle aire!

El coronel Sherburn tiró su pistola al suelo con aire descuidado, giró sobre sus talones y se marchó.

Llevaron a Boggs a una pequeña farmacia, con la muchedumbre apretujándose alrededor igual que antes, y todo el pueblo siguiéndolos, y yo me acerqué deprisa y encontré un buen sitio junto a la ventana, donde estaba cerca del herido y podía verle. Le tendieron en el suelo y pusieron una Biblia grande debajo de su cabeza y abrieron otra Biblia y la colocaron sobre su pecho, pero antes le rasgaron la camisa y vi por dónde le entró una de las balas. Jadeó Boggs profundamente una docena de veces, con el pecho levantando la Biblia cuando aspiraba aire, y bajándola cuando lo expulsaba, y después de eso se quedó quieto: estaba muerto. Luego apartaron a la hija de él, y ella lloraba y gritaba mientras se la llevaban. Tenía como dieciséis años y parecía muy dulce y bondadosa, pero estaba terriblemente pálida y asustada.

Bueno, al poco, el pueblo entero estaba allí, forcejeando y empujando y dando codazos y abriéndose paso para llegar a la ventana y echar una mirada, pero la gente que ocupaba los buenos sitios no los cedía, y la gente de atrás seguía diciendo: «Oye, ya habéis mirado bastante, muchachos; no es justo que estéis ahí todo el tiempo sin darle a nadie oportunidad; los demás tienen el mismo derecho que vosotros».

Empezaron a oírse fuertes réplicas, así que me escabullí, pensando que iba a haber líos. La calle estaba llena y todos estaban conmocionados. Todo el mundo que había visto el asesinato iba contando cómo ocurrió y alrededor de cada tipo de aquellos se formaba una muchedumbre agolpada, que estiraba el cuello y escuchaba. Un hombre alto y flaco con el pelo largo y una gran chistera blanca de piel, echada hacia atrás, que llevaba un bastón con la empuñadura torcida señalaba los sitios en el suelo donde estaba Boggs y donde estaba Sherburn, y la gente le seguía de un sitio a otro y miraba todo lo que hacía, y asentía con la cabeza para mostrarle que le entendían, y se encogían un poco con las manos apoyadas sobre los muslos para observarle marcar los sitios en el suelo con el bastón. Luego, se puso derecho y rígido donde había estado Sherburn, frunció el ceño, dejó el ala del sombrero caer sobre los ojos y gritó: «¡Boggs!», y luego bajó el bastón hasta ponerlo horizontal y dijo: «¡Pum!», y se tambaleó para atrás, dijo otra vez: «¡Pum!», y se dejó caer de espaldas. La gente que había visto lo sucedido dijo que lo hacía perfectamente, que era así exactamente como había ocurrido todo. Luego, alrededor de una docena de personas sacaron botellas y le invitaron a beber.

Bueno, después de un rato, alguien dijo que debían linchar a Sherburn. Al cabo de un minuto todo el mundo lo decía, así que se fueron de allí, enloquecidos y gritando y echando mano a todas las cuerdas de tender ropa que encontraron para ahorcarle.

Capítulo 22

Los hombres, como en un enjambre, subían en dirección a la casa de Sherburn, gritando y chillando enfurecidos igual que indios, y todo el mundo tenía que dejarles paso o verse atropellado y pisoteado y convertido en papilla. Era espantoso verlo. Los niños corrían delante del tropel, gritando asustados y tratando de apartarse, y cada ventana a lo largo de la calle estaba llena de cabezas de mujeres. Y subidos en cada árbol había muchachos negros, y hombres negros y jóvenes negras miraban por encima de cada valla y, en cuanto la multitud llegaba cerca, se retiraban y huían fuera de su alcance. Muchas mujeres y muchachas lloraban y gritaban, llenas de un susto mortal.

Como en un enjambre, sí, se acercaron a la cerca de la casa de Sherburn y se apiñaron allí lo más apretados posible. No se podían ni oír los propios pensamientos con el ruido que hacía aquella gente. Era un jardín de unos siete metros. Algunos tipos gritaron: «¡Derribad la cerca! ¡Derribad la cerca!». Luego hubo un estruendo de gente que aplastaba y arrancaba y destrozaba la madera, y la cerca cayó y las primeras filas de la muchedumbre empezaron a avanzar como una ola.

En ese momento, Sherburn dio un paso, en pie sobre el tejado del pequeño porche con un fusil de dos cañones en la mano, y se quedó plantado delante de ellos perfectamente tranquilo y decidido, sin pronunciar una palabra. Cesó el estruendo y la ola retrocedió.

Sherburn no había dicho ni una palabra... Se había quedado allí, mirando hacia abajo. El silencio era escalofriante y embarazoso. Sherburn paseó la mirada lentamente por la muchedumbre y donde caía su mirada, la gente trataba de sostenerla, pero no podía; algunos dejaban caer la vista y ponían una expresión furtiva. Pasado un corto rato, Sherburn soltó una especie de risa; no de esas risas agradables, sino de las que te hacen sentir igual que cuando comes pan que tiene dentro arena.

Al fin, dijo lento y desdeñoso:

—¡La mera idea de que vosotros vayáis a linchar a alguien es divertida! ¡La idea de que penséis que tenéis coraje suficiente para linchar a un hombre! Como sois lo bastante valientes, claro, para embrear y emplumar a pobres mujeres desamparadas y sin amigos que pasan por aquí, ¿eso os hace pensar que tenéis agallas para poner las manos en un hombre? Pues yo os digo que un hombre está totalmente a salvo en manos de diez mil tipos de vuestra especie... mientras sea a la luz del día y no le sorprendáis por la espalda.

»¿Os conozco bien? Os conozco hasta la médula. Yo nací y me crié aquí, en el sur, y he vivido también en el norte, así que conozco cómo sois los tipos corrientes en todas partes. El hombre corriente es un cobarde. En el norte se deja pisotear por cualquiera, sabéis, y se va a casa a rezar pidiendo un espíritu humilde para aguantarlo. En el sur, un hombre solo ha asaltado a plena luz del día una diligencia llena de hombres y les ha robado a todos. Vuestros periódicos os dicen que sois tan valientes que pensáis que sois más valientes que cualquiera, pero lo cierto es que sois solo igual de valientes que los otros, y ni una gota más. ¿Por qué creéis que vuestros jurados no ahorcan a los asesinos? Porque temen que los amigos del muerto les peguen un tiro por la espalda, en la oscuridad..., y eso es justo lo que harían, naturalmente.

»Por eso los absuelven siempre y, luego, un hombre se hace acompañar de un centenar de cobardes enmascarados y linchan al tipo. Vuestro error es que no habéis traído con vosotros a un hombre; esa es una equivocación, y otra es que no habéis venido en la oscuridad con las máscaras puestas. Mejor dicho, habéis traído a una parte de un hombre, ese Buck Harkness, y si no le hubierais tenido para poneros en marcha, se os habría ido todo en fanfarronerías.

»No queríais venir. Al hombre corriente no le gustan ni las dificultades ni el peligro. A vosotros no os gustan ni las dificultades ni el peligro. Pero si solo medio hombre, como Buck Harkness, va y os grita: «Linchadlo, linchadlo», tenéis miedo de echaros atrás, miedo a que se os descubra tal y como sois, cobardes, y por eso levantáis el grito y os agarráis a los faldones de ese medio hombre y venís acá enloquecidos, jurando las cosas que vais a hacer. La cosa más lamentable que hay es una masa de gente; un ejército no es más que eso, una masa, y no luchan con el valor que es suyo de nacimiento, sino con el valor que les prestan su masa y sus oficiales. Pero una masa sin un hombre a la cabeza está por debajo del calificativo de lamentable. Ahora lo que debéis hacer es meter el rabo entre las piernas e iros a casa y esconderos en un agujero. Si va a haber un linchamiento verdadero, se hará de noche, al estilo del sur; y los que se presenten al linchamiento llevarán sus máscaras puestas y traerán a un hombre. Ahora marchaos... y llevaos a vuestro medio hombre —y al decir esto apoyó el fusil en el brazo izquierdo y lo amartilló.

La muchedumbre fue echándose hacia atrás y al fin se desbandó, y todos se fueron corriendo por todas partes, y Buck Harkness los siguió con una expresión avergonzada. Yo seguro que podría haberme quedado, pero tampoco quise hacerlo.

Me fui al circo y estuve un rato haraganeando por el lado de atrás hasta que pasó de largo el guarda, y entonces me metí dentro por debajo de la lona. Llevaba mi pieza de oro de veinte dólares y algún dinero más, pero pensé que sería mejor ahorrármelo, porque no sabe uno cuándo lo va a necesitar estando lejos de casa y entre forasteros. Todo cuidado es poco. No es que yo me oponga a gastar dinero en circos cuando no haya otro remedio, pero no conviene malgastarlo así como así.

Era un circo bárbaro. Resultaba de lo más espléndido que puedas imaginar verlos a todos cuando entraban en la pista a caballo de dos en dos, un caballero y una dama, lado a lado, los hombres solo en calzoncillos y camisetas y sin zapatos ni estribos, y descansando las manos sobre los muslos, fácil y cómodamente —habría unos veinte—, y todas las damas tenían la tez bonita porque eran todas perfectamente hermosas, y parecía exactamente una cuadrilla de verdaderas reinas, y además vestidas con ropas que costarían millones de dólares y que estaban cubiertas de diamantes. Era un espectáculo de veras maravilloso; nunca he visto nada tan bonito. Y luego, uno a uno, se levantaron y se pusieron de pie, cada cual encima de su correspondiente caballo, y empezaron a dar vueltas a la pista así, a un paso apacible, ondulante y gracioso; y los hombres parecían tan altos y ligeros y derechos, con las cabezas subiendo y bajando y deslizándose allá arriba, bajo el techo de la tienda, y los vestidos de las damas me recordaban hojas de rosa agitándose suaves y sedosos alrededor de las caderas, y cada una de esas mujeres me parecía una sombrilla abierta, una sombrilla de las más bonitas que he visto.

Y luego iban acelerando el paso más y más, todos bailando; primero los jinetes con un pie alzado en el aire y después con el otro; y los caballos se inclinaban otro poco y el maestro de ceremonias daba vueltas alrededor del mástil central de la tienda y chasqueaba el látigo y gritaba: «¡Jay! ¡Jay!», y el payaso gastaba bromas mientras tanto a sus espaldas. Al rato, todos dejaron caer las riendas, todas las damas pusieron los nudillos en la cintura y todos los caballeros se cruzaron de brazos y después ¡con qué gracia se echaron adelante los caballos y corrieron al galope! Y así, uno tras otro, los jinetes iban dando un saltito hasta el suelo y hacían una reverencia de lo más dulce que he visto nunca, y luego salieron correteando a pie y todo el público aplaudió y casi se volvió loco de contento.

Bueno, durante todo el tiempo que duró el circo, los artistas hicieron las cosas más asombrosas y constantemente el payaso seguía con lo suyo hasta el punto de matar de risa a la gente. El maestro de ceremonias no podía decirle nada sin que el payaso le replicara en un abrir y cerrar de ojos con las salidas más chistosas que haya dicho nunca una persona; cómo podía idear tantas cosas y así tan de repente y tan a punto es lo que yo no podía entender de ningún modo. No podría haberlas inventado en un año. Y, después de un rato, un borracho trató de meterse en la pista, dijo que quería montar a caballo, que sabía montar tan bien como el que mejor hubiera montado nunca en el mundo. Discutieron con él y trataron de disuadirle, pero no quiso escuchar y toda la función quedó suspendida. Luego, la gente empezó a gritarle y a burlarse de él, y eso le enfadó más aún y comenzó a gritar y a enfurecerse, así que eso incitó a la gente y muchos hombres empezaron a bajarse de los bancos y marchaban como en enjambre hacia la pista, diciendo: «¡Dadle un golpe! ¡Echadle fuera!», y en ese momento una o dos mujeres se pusieron a chillar. Bueno, entonces, el maestro de ceremonias pronunció un pequeño discurso y dijo que esperaba que no hubiera disturbios y que si el hombre prometía no molestar más, le dejaría montar, si es que podía sostenerse sobre el caballo. Así que todo el mundo rio y estuvo muy de acuerdo y el hombre montó al fin. Pero al instante de estar montado, el caballo empezó a correr y a saltar y a caracolear en todas las direcciones con dos hombres del circo agarrados a la brida intentando sujetarlo; y el borracho se colgaba del cuello del caballo, con los talones volando al aire a cada salto, y todo el público se puso en pie gritando y riendo hasta que les corrían las lágrimas. Y, por fin, a pesar de todo lo que hicieron los hombres del circo, el caballo se soltó y se fue galopando como disparado, dando vueltas y vueltas a la pista, con el borrachín echado encima y agarrado al cuello; primero una pierna colgaba por un lado del caballo casi hasta el suelo y luego la otra por el otro lado, y la gente sencillamente enloqueció de risa. Sin embargo, a mí no me resultaba aquello divertido; yo estaba temblando al verle en peligro. Aunque, después de un rato, el tipo luchó por subir, logró ponerse a horcajadas y agarró la brida, tambaleándose de un lado a otro; y al siguiente instante ¡saltó y dejó caer la brida y estaba de pie en el caballo! Y el caballo galopaba como el viento. Se quedó de pie allí, volando alrededor de la pista tan fácil y cómodamente como si nunca hubiera estado borracho en su vida y luego empezó a quitarse las ropas y a tirarlas a un lado. Se quitó tantas que se apelotonaban en el aire, en total creo que se quitó diecisiete trajes. Y, entonces, se mostró como era: delgado y guapo y vestido de lo más llamativo y bonito que se haya visto, y se puso a castigar al caballo con el látigo y de verdad que le hizo correr velozmente y, por fin, se apeó de un salto e hizo su reverencia y se fue bailando al vestuario, y todo el mundo aullaba de placer y de asombro.

El maestro de ceremonias se dio cuenta de cómo le había engañado el otro y creo que era el maestro más enfermo que jamás se ha asomado a un circo. ¡Pues resulta-

Brida: Conjunto que forman el freno del caballo, el correaje que lo sujeta a la cabeza y las riendas.

A horcajadas: Con una pierna a cada lado del caballo.

ba que el borrachín era uno de sus propios hombres! Uno que había inventado esa broma de su propia cabeza y no se lo había contado a nadie. Bueno, yo me sentía bastante avergonzado por haberme dejado engañar así, pero no me habría cambiado por aquel maestro de ceremonias ni por mil dólares. Yo no sé, tal vez haya circos más magníficos que aquel, pero no los he encontrado todavía. En todo caso, para mí fue muy bueno y cuando encuentre otro igual, me tendrá de cliente cada día.

Bueno, esa noche hicimos también nuestra representación, pero solo asistieron unas doce personas..., lo justo para pagar los gastos. Se reían todo el tiempo, y eso le enfadó al duque; y lo cierto fue que todos se marcharon antes de terminar el espectáculo, todos menos un muchacho que estaba dormido. Así que el duque dijo que aquellos zoquetes no eran capaces de apreciar a Shakespeare, que lo que les hubiera gustado habría sido una *Farsa: Obra cómica, normalmente breve.* farsa y quizás algo bastante peor que una farsa, al menos eso creía él. Dijo que ahora ya sabía cuál era el estilo que le iba a ese público. Así que a la mañana siguiente tomó unas grandes hojas de papel de envolver y algo de pintura negra, dibujó algunos carteles y los pegó por toda la aldea. Los carteles decían:

¡EN LA CASA DE JUSTICIA!
¡SOLO POR TRES NOCHES!
Los trágicos de fama mundial

DAVID GARRICK EL JOVEN
Y
EDMUND KEAN EL VIEJO

*de los teatros de Londres y del continente
en su escalofriante tragedia*

¡¡¡*EL CAMELOPARDO DEL REY*

O

LA SIN PAR REALEZA!!!

Entrada, 50 centavos.

Luego, al pie, había una línea escrita con letras más grandes que las demás, que decía:

ENTRADA PROHIBIDA
A LAS DAMAS Y A LOS NIÑOS.

—¡Ya está! —dijo—. ¡Si esa línea no los atrae, yo no conozco Arkansas!

Capítulo 23

Bueno, durante todo el día el duque y el rey trabajaron duro, montando el escenario y arreglando el telón y colocando una hilera de velas para las candilejas. Y esa noche en seguida el local se llenó hasta los topes de hombres. Cuando en el sitio no cabían más, el duque dejó de atender la puerta y se marchó por la parte trasera del local y al momento apareció en el escenario; se puso delante del telón y pronunció un pequeño discurso, alabando la tragedia y diciendo que era la más escalofriante que había existido jamás; y así siguió alardeando de que aquella era la tragedia mejor que se había visto nunca y poniendo por las nubes a Edmund Kean el Viejo, que iba a representar el papel principal; y por fin, cuando había excitado bastante el interés de todo el mundo, levantó el telón y, al instante, el rey salió dando brincos a cuatro patas, desnudo; estaba pintado por todas partes con círculos y rayas y franjas de todos los colores, tan espléndido como un arco iris. Y además..., voy a dejar a un lado el resto de su traje; era simplemente una cosa de locos, pero muy divertida. La gente casi se muere de risa y, cuando el rey acabó de cabriolar y se marchó haciendo piruetas entre bastidores, el público gritó y aplaudió y estalló en carcajadas hasta que volvió al escenario y lo hizo otra vez y, después de eso, le hicieron repetirlo incluso una vez más. Bueno, hasta una vaca se habría reído al ver las payasadas de ese viejo idiota.

Luego, el duque dejó caer el telón y le hizo una reverencia a la gente y dijo que la gran tragedia solo se representaría dos noches más a causa de los compromisos ineludibles en Londres, donde en Drury Lane ya se habían vendido todas las butacas, y luego les hizo a todos otra reverencia y dijo que, si había tenido éxito al divertirlos e instruirlos, les quedaría muy agradecido si lo comunicaban a los amigos y les convencían para que fueran a ver el espectáculo.

Veinte personas gritaron:

—¿Pero cómo? ¿Se ha acabado ya?

El duque dijo que sí. Entonces hubo un buen alboroto. Todo el mundo gritaba: «¡Estafa! ¡Estafa!», y todos se levantaron muy enfadados y ya iban al ataque hacia el escenario y los actores. Pero un hombre grande y de buen aspecto se subió de un salto a un banco y gritó:

—¡Esperen! Un momento, caballeros; esperen todos —y ellos se pararon a escucharle—. Hemos sido estafados, y de la peor manera. Pero no queremos ser el hazmerreír de todo este pueblo, opino yo, porque nunca mientras vivamos nos dejarían olvidarlo. No. Lo que debemos hacer es salir de aquí tranquilamente y alabar esta representación, ¡y convencer a los demás del pueblo! Luego, todos estaremos de igual suerte. ¿No les parece razonable?

—Claro que sí..., el juez tiene razón —gritaron todos.

—Muy bien, entonces... ni una palabra sobre la estafa. Váyanse a casa y aconsejen a todos que vengan a ver la tragedia.

Al día siguiente no se podía oír en el pueblo más que eso: lo espléndido que era nuestro espectáculo. El local estaba de nuevo atestado aquella noche y estafamos al público de la misma manera. Cuando yo y el rey y el duque llegamos a casa, es decir, a la balsa, cenamos y después de un rato, alrededor de medianoche, nos mandaron a Jim y a mí sacar la balsa y nos dijeron que fuéramos flotándola por el centro del río y que a unas dos millas aguas abajo del pueblo tomáramos tierra y la escondiéramos.

La tercera noche el local estaba repleto otra vez..., pero no era un público nuevo, sino gente que había asistido al espectáculo las dos noches anteriores. Yo me quedé al lado del duque en la puerta y vi que cada hombre que entraba tenía los bolsillos llenos o llevaba algo debajo de la chaqueta... y vi que no eran cosas de perfumería precisamente, ni mucho menos. Olí a huevos pasados y a repollos podridos y cosas por el estilo; y si reconozco las señas de un gato muerto, y te aseguro que las reconozco bien, entraron por lo menos sesenta y cuatro. Estuve adentro un minuto, pero los olores eran demasiado variados para mí; no podía aguantarlos. Bueno, cuando ya en el local no cabía más gente, el duque le dio a un tipo una moneda y le pidió que atendiera la puerta por él un minuto, y luego se dirigió hacia la entrada del escenario y yo le seguí; pero en cuanto doblamos la esquina y estuvimos en la oscuridad, me dijo:

—¡Vete caminando rápido hasta que estés lejos de las casas y luego corre hacia la balsa como si te persiguiera el diablo!

Lo hice y él hizo lo propio. Llegamos a la balsa al mismo tiempo y en menos de dos segundos estábamos deslizándonos aguas abajo, a oscuras y en silencio, y dirigiéndonos hacia el centro del río, sin que ninguno habláramos una palabra. Yo calculé que el rey iba a pasar un rato lindo con el público, pero no fue así; al poco rato salió gateando de la choza y dijo:

—Bueno, ¿cómo terminó el asunto esta vez, duque?

Resultaba que ni siquiera se había acercado al centro del pueblo aquella noche.

No dejamos ver una luz hasta que estuvimos a unas diez millas río abajo. Luego encendimos la linterna y cenamos, y el rey y el duque se reían hasta desatornillarse los huesos de cómo habían engañado a aquella gente. El duque dijo:

—¡Simplones! ¡Cabezas vacías! Cómo sabía yo que los primeros iban a callarse la boca y a dejar que los demás del pueblo picaran; y cómo sabía yo que la tercera noche iban a estar al acecho, pensando que les tocaba reír a ellos. Bueno, ya tienen su turno, y daría cualquier cosa por saber cómo se sienten. Me gustaría saber cómo aprovechan su oportunidad. Esta noche pueden hacer merienda campestre si quieren... Han llevado las provisiones.

Los muy pícaros habían sacado cuatrocientos sesenta y cinco dólares en las tres noches de espectáculo. Nunca antes había visto ganar dinero de aquella manera, a carretadas.

A carretadas: En abundancia.

Después de un rato, cuando estaban dormidos y roncando, Jim dijo:

—¿No te sorprende cómo se comportan estos reyes, Huck?

—No —dije—, no me sorprende.

—¿Por qué no, Huck?

—Pues no me sorprende porque lo llevan en la casta. Creo que todos son iguales.

—Pero, Huck, estos reyes nuestros son de veras unos pícaros; eso es lo que son: unos verdaderos pícaros.

—Bueno, eso es lo que te digo: creo que todos los reyes son, casi siempre, unos pícaros, es como lo entiendo yo.

—¿Es verdad lo que dices?

—Tú léete algo sobre ellos..., ya verás si es cierto. Mira a Enrique VIII; nuestro rey es un director de escuela dominical comparado con él. Y mira a Carlos II y Luis XIV y Luis XV y Jaime II y Eduardo II y Ricardo III[1] y cuarenta más; además de esas heptarquías sajonas[2] que solían armar tantos líos y escándalos en los días antiguos. Por Dios, tenías que haber visto al viejo Enrique VIII[3] cuando estaba en flor. Él sí que era una flor. Solía casarse con una nueva mujer cada día, y cortarle la cabeza a la mañana siguiente. Y lo hacía con la misma indiferencia que si estuviera pidiendo que le sirvieran un par de huevos. «Traedme a Nell Gwynn», dice. Se la traen. A la mañana siguiente: «¡Cortadle la cabeza!». Y se la cortan. «Traedme a Jane Shore», dice; y llega ella. A la mañana siguiente: «Cortadle la cabeza». Y se la cortan. «Llamad a Rosamunda la Bella». Rosamunda la Bella responde al timbre. A la mañana siguiente: «Cortadle la cabeza». Y él le obligaba a

Heptarquía: País dividido en siete reinos.

---

[1] *Enrique VIII* (1491-1547), rey de Inglaterra. *Carlos II* (1630-1685), rey de Inglaterra, Escocia e Irlanda. *Luis XIV* (1638-1715), rey de Francia. *Luis XV* (1710-1774), rey de Francia. *Jaime II* (1633-1701), rey de Inglaterra y Escocia. *Eduardo II* (1284-1327), rey de Inglaterra. *Ricardo III* (1452-1485), rey de Inglaterra.

[2] Se da el nombre de Heptarquía Anglosajona al período de la historia británica que va del 475 al 827 y que se caracteriza por la existencia de siete reinos establecidos por los anglos, sajones y jutos, que desde el siglo V invadieron la parte sur de Gran Bretaña.

[3] La descripción que hace Huck de *Enrique VIII* mezcla historia y ficción, personas e incidentes que no se relacionan en el tiempo. Enrique VIII resultaría hijo del duque de Wellington (véase la nota 6 de este capítulo). También Enrique VIII sería, según Huck, autor de la *Declaración de Independencia* americana (véase nota 7, capítulo 17). *Nell Gwynn* fue amante de Carlos II (1630-1685), mientras que *Jane Shore* lo era de Eduardo IV (1442-1483). Y *Rosamunda la Bella* era, en realidad, la favorita de Enrique II (1133-1189).

cada una a que le contara un cuento cada noche; y siguió pidiéndolo hasta que coleccionó mil y una leyendas de aquella manera. Luego las metió todas en un libro y lo llamó el *Libro del Domesday*[4], nombre apropiado que daba a entender el caso. Tú no conoces a los reyes, Jim, pero yo sí los conozco; y este viejo bribón nuestro es uno de los más limpios que he encontrado en la historia. Bueno, a Enrique se le mete en la cabeza que quiere armar un lío con este país. ¿Cómo lo hace? ¿Avisa? ¿Da una oportunidad? No. De repente arroja al agua todo el té que había en el puerto de Boston[5], escribe de un tirón la *Declaración de Independencia* y desafía a la gente a que le ataque. Ese era su estilo, nunca le dio a nadie una oportunidad. Sospechaba de su padre, el duque de Wellington[6]. Bueno, ¿y qué hizo? ¿Le pidió que se presentara? No: le ahogó en un tonel de malvasía como si fuera un gato. Supongamos que la gente dejara olvidado algún dinero por donde andaba él... ¿Qué hacía? Lo agarraba para sí. Supongamos que habías firmado un contrato para que te hiciera una cosa, tú le habías pagado ya y no te habías sentado allí a vigilarle y a obligarle a que lo terminara... ¿Qué hacía él? Siempre hacía lo contrario. Supongamos que abría la boca... ¿Entonces qué? Si no la cerraba muy pronto, se le escapaba una mentira cada vez. Ese es el tipo de bicho que era el tal Enrique; y si le hubiéramos tenido a él en vez de a nuestros reyes, habría engañado a ese pueblo de una manera mucho peor de la que emplearon los nuestros. Yo no digo que los nuestros sean corderitos, porque

Malvasía: Vino elaborado con un tipo de uva dulce y fragante.

---

[4] El *Domesday Book* era, en realidad, un catastro hecho por orden de Guillermo I de Inglaterra (1027-1087). Huck confunde este registro de población con *Las mil y una noches,* y su comentario sobre lo apropiado del nombre se debe a que la palabra *domesday* significa en inglés «día del juicio final».

[5] Huck mezcla aquí a Enrique VIII en la llamada Boston Tea Party, que tuvo lugar el 16 de diciembre de 1773. Los colonos americanos tiraron al mar todo un cargamento de té en un acto de protesta contra la metrópoli, provocado por la aprobación en Gran Bretaña de nuevos derechos de aduana que gravaban las importaciones de productos como el té.

[6] Arthur Wellesley, primer *duque de Wellington* (1769-1852), militar, político y estadista, desempeñó un destacado papel en las guerras contra Napoleón. Comandó las fuerzas aliadas contra los franceses en la Península Ibérica y más tarde volvió a estar al mando de las fuerzas anglo-aliadas contra Napoléon en la decisiva batalla de Waterloo (1815).

no lo son, cuando miras fríamente los hechos; pero no se pueden comparar con ese viejo macho cabrío en ningún caso. Lo que yo digo es que los reyes son los reyes, y tienes que ser un poco indulgente con ellos. Mirando bien el asunto, son unos villanos terribles, creo que a causa de cómo los educaron.

—Pero este nuestro es que huele peor que no sé qué, Huck.

—Bueno, todos huelen así, Jim. Nadie puede remediar cómo huele un rey, pues la historia no da soluciones sobre eso.

—Sin embargo, el duque parece un hombre bastante agradable en algunas cosas, ¿no, Huck?

—Sí, un duque es distinto. Pero no imagines que muy distinto. Este nuestro es un tipo canalla a medias. Cuando el duque está borracho, una persona corta de vista no puede distinguirle de un rey.

—Bueno, desde luego, yo no tengo ganas de más reyes, Huck. Estos son todos los reyes que puedo soportar. Es lo que te digo.

—A mí me pasa lo mismo, Jim. Pero están a nuestro cargo y tenemos que recordar lo que son y ser algo indulgentes con ellos. A veces me gustaría que pudiéramos enterarnos de que en algún país no hay reyes, no creas...

¿De qué hubiera servido decirle a Jim que los nuestros no eran verdaderos reyes ni duques? No habría servido de nada y, además, era como yo le dije: no había forma de distinguirlos de los auténticos.

Me fui, pues, a dormir y Jim no me llamó cuando llegó mi turno de guardia. Muchas veces hacía eso. Cuando me desperté al amanecer, estaba sentado con la cabeza entre las rodillas, gimiendo y lamentándose a solas. Yo no me di por enterado ni comenté nada. Yo sabía de qué se trataba. Estaba pensando en su mujer y en sus hijos, que estaban allá en el norte; Jim se encontraba triste y echaba de menos su casa porque nunca había estado lejos de su casa en la vida y de veras creo que quería tanto a su gente como los blancos a los suyos. No parece natural que sea así, pero creo que esa es la verdad. Muchas veces gemía y se lamentaba de esa manera por las noches, cuando pensaba que yo dormía, y se decía a sí mismo: «¡Mi pobrecita Elizabeth, mi pequeña! ¡Mi pobrecito Johnny! Es muy duro; me imagino que no os volveré a ver nunca jamás, jamás». Jim era un negro muy bueno, de veras que lo era.

Pero esta vez empecé, no sé cómo, a hablar con él de su mujer y de sus pequeños y, después de un rato, me dijo:

—Lo que me hace sentir tan mal esta vez es que hace un rato oí algo allá lejos, en la orilla, como un golpe o un portazo, y me recordó una vez que traté mal a mi pequeña Elizabeth. Solo tenía unos cuatro años y cayó enferma con la escarlatina[7] y pasó una temporada muy dura, pero se puso bien y un día andaba ella por allí y yo entonces voy y le digo: «Cierra la puerta». Y ella no me obedeció; se quedó mirando hacia arriba y como sonriéndome. Me enfadé y le dije otra vez, muy alto: «¿Es que no me oyes? ¡He dicho que cierres la puerta!». Ella se quedó igual, como sonriéndome. Yo estaba furioso. Y le dije: «¡Ya verás cómo voy a enseñarte a obedecer!». Y le di una palmada en la cabeza que la tiró por el suelo. Luego me fui al otro cuarto y me quedé allí unos diez minutos. Cuando regresé, vi que todavía estaba la puerta abierta, y la criatura de pie casi a la misma puerta, mirando el suelo y gimoteando con las lágrimas corriéndole por la cara. ¡Señor, qué enfadado me puse! Iba a por la criatura y en ese momento, recuerdo que era una puerta de esas que se abren hacia adentro, en ese momento te digo, viene el viento y se cierra de un portazo detrás de la niña, ¡plaf! ¡Y, por Dios, la criatura no se movió! Casi pierdo el aliento y me sentí tan..., tan..., no sé cómo me sentí. Salí todo tembloroso y me acerqué y abrí la puerta suave y despacito y metí la cabeza detrás de la criatura, suave y muy silencioso, y de pronto grité: «¡Pum!», tan fuerte como pude. ¡Ella no se movió! Oh, Huck, me eché a llorar y cogí a la niña en brazos y dije: «¡Oh, la pobrecita! ¡Que el Señor Dios Todopoderoso perdone al viejo Jim, porque él no se va a perdonar a sí mismo mientras viva!». Oh, estaba completamente sorda y muda, Huck, sorda y muda... ¡y yo la había tratado de aquella manera!

---

[7] Enfermedad infecciosa que se contagia generalmente por vía respiratoria y que se presenta con mayor frecuencia en los niños.

Capítulo 24

Al día siguiente, hacia el anochecer, nos detuvimos en un pequeño banco de arena con sauces, cerca del centro del río. En cada orilla había una aldea, y el duque y el rey empezaron a idear un plan para trabajarse esos pueblos. Jim le habló al duque y le dijo que esperaba que solo se quedaran fuera unas pocas horas porque le resultaba muy pesado y aburrido cuando tenía que estar tumbado y atado con cuerdas todo el día en la choza. Pues, cuando le dejábamos solo, teníamos que atarle, porque si alguien le encontraba allí, solo y sin atar, sabes, no parecería que Jim era un negro fugitivo. Así que el duque dijo que sí debía ser bastante molesto eso de estar todo el día echado y atado y que él idearía alguna manera de poder evitarlo. Era el duque de mente extraordinariamente despierta y pronto descubrió la solución. Vistió a Jim con el disfraz del rey Lear[1]: un vestido largo de percal para cortinas y una peluca y barbas de crin de caballo blanco; luego tomó la pintura del teatro y le pintó a Jim la cara y las manos y las orejas y el cuello, todo de un azul sólido y como muy muerto y oscuro; me parecía algo así como el color de un hombre que se hubiera ahogado hacía nueve días. Maldición si no era la cosa más horrible y espantosa que he visto nunca. Luego, el duque cogió y escribió en una tabla un letrero que decía:

Árabe enfermo.
No es peligroso mientras no esté fuera de sí.

Y clavó ese letrero en un listón y colocó el listón a unos dos metros delante de la choza. Jim quedó satisfecho. Dijo que era muchísimo mejor que estar echado y atado durante un par de años cada día, y temblando por

---

[1] Protagonista de la tragedia de Shakespeare *El rey Lear*.

todo el cuerpo cada vez que oía un ruido. El duque le dijo que se pusiera cómodo y despreocupado y que, si alguien venía entrometiéndose por ahí, debía saltar fuera de la choza y dar unos brincos y uno o dos aullidos como una bestia salvaje, y que de esta forma creía que echarían a correr y le dejarían en paz. Esta idea mostraba bastante buen juicio; yo incluso creo que un hombre corriente no se hubiera quedado ni siquiera a escuchar los aullidos. Pues no solo parecía que Jim estaba muerto; parecía algo bastante peor que estar muerto.

Aquellos pícaros habrían querido seguir con *La sin par realeza* porque ganaban muchísimo dinero con ella, pero juzgaron que podría ser peligroso porque las noticias tal vez habrían llegado hasta allá. No encontraron ningún proyecto que les cuadrara por completo, así que, por fin, el duque dijo que se iba a descansar y que dejaría a los sesos trabajar un par de horas, a ver si era posible que encontrara un modo de poder pegársela a la gente de la aldea de Arkansas; y el rey declaró que él caería por la otra aldea sin ningún plan previsto, confiando solo en la Providencia —creo que quería decir en el diablo— para que le guiara por un camino de provecho... En el último sitio donde paramos, nos habíamos comprado todos ropa de tienda y ahora el rey se puso la suya y me mandó ponerme la mía. Lo hice, por supuesto. El traje del rey era completamente negro y se veía muy elegante y planchado. Yo no sabía que la ropa pudiese cambiar tanto a un individuo, pues antes el rey parecía el viejo más villano y pícaro que haya existido, pero ahora, cuando saludaba quitándose la nueva chistera de castor blanco y hacía una reverencia y sonreía, parecía tan espléndido y bueno y santo que hubieras dicho que acababa de salir del arca y que quizá era el viejo Levítico en persona[2]. Jim limpió la canoa y yo preparé el remo. Había un gran barco de vapor atracado a la orilla aguas abajo de la punta de tierra, a unas tres millas arriba del pueblo; llevaba allí un par de horas cargando. Dijo el rey:

---

[2] Referencia al arca de Noé, y al *Levítico,* tercer libro del Antiguo Testamento, que trata sobre los sacrificios y ceremonias de los levitas (tribu israelita, dedicada al servicio del templo).

—Teniendo en cuenta cómo voy vestido, creo que tal vez es mejor que llegue de San Luis o de Cincinnati[3] o de cualquier otra ciudad grande. Vamos al vapor, Huckleberry; llegaremos al pueblo a bordo de él.

No tenían que repetírmelo dos veces cuando se trataba de un viaje en barco de vapor. A eso de media milla aguas arriba del pueblo remé acercándome a la orilla y pasamos zumbando rápidamente por las aguas mansas junto al ribazo escarpado. Al poco rato vimos a un joven campesino con cara simpática e inocente que estaba sentado en un tronco, secándose el sudor de la cara porque el tiempo era muy caluroso; tenía el joven a su lado un par de grandes maletas de tela de alfombra.

—Pon proa a tierra —me dijo el rey, y yo lo hice—. ¿Adónde te diriges, joven?

—Voy ahora hacia el vapor; viajo a Orleáns.

—Sube a bordo si gustas —dijo el rey—. Y aguarda un momento, mi criado te ayudará a cargar las maletas... Salta a tierra y ayuda al caballero, Adolphus —y veía yo que cuando decía Adolphus se refería a mí.

Le obedecí y luego los tres seguimos adelante en la canoa. El joven estaba muy agradecido; dijo que era un trabajo duro cargar con su equipaje en un tiempo tan caluroso. Le preguntó al rey que dónde iba, y el rey le contó que había bajado por el río y se había pasado en la otra aldea toda la mañana y que ahora seguiría unas millas aguas arriba para visitar a un viejo amigo en una granja de allá. El joven dijo:

—Al principio, cuando le vi, me dije a mí mismo: «Es el señor Wilks, seguro, estuvo casi, casi a punto de llegar a tiempo». Pero luego me dije: «No, creo que no es él, no estaría remando río arriba». Usted no es él, ¿verdad?

—No, me llamo Blodgett, Elexander Blodgett, reverendo Elexander Blodgett, supongo que debo añadir, porque soy uno de los pobres siervos del Señor. Pero, a pesar de eso, soy igualmente capaz de sentir pena por el señor Wilks, por no llegar a tiempo, si es que ha perdido algo por la tardanza..., cosa que ojalá no haya pasado.

[3] Ciudad del estado de Ohio (EE. UU.).

—Bueno, no perderá ninguna propiedad a causa de eso, porque la tendrá en todo caso; pero ha perdido la ocasión de ver morir a su hermano Peter. Si eso le importa o no, nadie podría saberlo..., pero su hermano habría dado cualquier cosa en este mundo por verle a él antes de morir; no hablaba de otra cosa durante estas tres semanas pasadas; no había visto a su hermano, según creo, desde la infancia, y a su otro hermano, a William, no le había visto nunca (este que le digo es el sordomudo y no tiene más de treinta o treinta y cinco años). Peter y George eran los únicos que vinieron a este país; George era el hermano casado; él y su mujer murieron este último año. Solo quedan ahora Harvey y William y, como le decía, no han llegado a tiempo.

—¿Los avisó alguien?

—Oh, sí, hace un mes o dos, cuando Peter cayó enfermo, porque Peter dijo que tenía la impresión de que no iba a ponerse bien esta vez. Ve usted, era bastante viejo, y las hijas de George eran demasiado jóvenes para hacerle mucha compañía, salvo Mary Jane, la pelirroja; así que estaba un poco solo y triste después de morir George y su mujer, y no parecía tener muchas ganas de vivir. Estaba muy ansioso de ver a Harvey, y a William también, por lo visto, porque era de ese tipo de personas que no aguantan hacer testamento. Dejó escrita una carta para Harvey y dijo que en la carta le contaba dónde estaba escondido su dinero y cómo quería que se dividiera la propiedad para que estuvieran provistas las hijas de George, porque George no dejó nada. Y no pudieron hacerle poner la pluma en ningún papel, sino en esa carta.

—¿Por qué crees que no viene Harvey? ¿Dónde vive?

—Oh, vive en Inglaterra, en Sheffield[4], es predicador allí, nunca ha estado en este país. No ha tenido mucho tiempo de llegar y, sabe, es posible que ni haya recibido la carta.

—Qué pena, qué pena que no haya vivido para ver a sus hermanos, pobre hombre. ¿Dices que vas a Orleáns?

—Sí, pero es solo una parte de mi viaje. Voy en buque el miércoles próximo a Río de Janeiro, donde vive mi tío.

---

[4] Ciudad del condado de Yorkshire, Inglaterra.

—Es un viaje bastante largo. Pero será precioso; ojalá que pudiera ir yo. ¿Es Mary Jane la mayor? ¿Cuántos años tienen las otras?

—Mary Jane tiene diecinueve. Susan tiene quince y Joanna unos catorce. Ella es la que se dedica a las buenas obras y tiene un labio leporino.

—¡Las pobres! Quedar solas en este mundo sin entrañas.

Labio leporino: Defecto congénito que consiste en una hendidura en el labio superior.

—Bueno, podían haber quedado peor. El viejo Peter tenía amigos, y ellos no dejarán que les pase nada. Está Hobson, el predicador bautista[5]; y el diácono Lot Hovey, Ben Rucker, Abner Shackleford, Levi Bell, el abogado, y el doctor Robinson y sus mujeres, y la viuda Bartley y... bueno, pues, son muchos; pero estos son los más íntimos, y Peter escribía de ellos en sus cartas a casa, así que Harvey sabrá dónde buscar amigos cuando llegue.

Diácono: Ministro eclesiástico de categoría inmediatamente inferior a la del sacerdote.

Bueno, el viejo siguió haciéndole preguntas hasta que vació por completo a ese joven. Maldición si no preguntó acerca de todo el mundo y todos los asuntos en ese bendito pueblo, y todo sobre los Wilks, sobre el negocio de Peter, que era curtidor, y el de George, que era carpintero, y el de Harvey, que era sacerdote disidente, y así seguía y seguía. Luego dijo:

Curtidor: El que tiene como oficio curtir pieles.

—¿Por qué caminabas todo el trecho hacia el vapor?

—Porque es un barco grande que va a Orleáns y temía que no atracara en el pueblo. Cuando van muy cargados, no paran por un pasajero. Un barco de Cincinnati sí lo hace, pero este es de San Luis.

—¿Era acomodado Peter Wilks?

—Oh, sí, bastante acomodado. Tenía casas y terrenos, y se cree que dejó tres o cuatro mil en dinero contante, escondido en algún sitio.

—¿Y cuándo dices que murió?

—No lo había dicho, fue anoche.

—¿El entierro será mañana, probablemente?

—Sí, sobre el mediodía.

—Bueno, es realmente triste, pero ha de pasarnos a todos, más tarde o más temprano. Por eso, lo que nos

---

[5] Las Iglesias bautistas son un grupo de Iglesias cristianas evangélicas con unas creencias y una organización eclesiástica comunes.

toca a nosotros es estar preparados; entonces estaremos bien.

—Sí, señor, eso es lo mejor. Mamá siempre lo decía. Cuando llegamos al barco, estaba terminando de cargar y al poco rato desatracó. El rey no dijo nada de subir a bordo, así que me perdí el viaje a pesar de todo. Cuando el vapor se había ido, el rey me mandó remar una milla más arriba hasta un lugar solitario. Luego saltó a tierra y dijo:

—Ahora vete deprisa y trae acá al duque, y también las maletas nuevas de tela de alfombra. Y si el duque se ha marchado a la otra orilla, vete allí y me lo traes. Y dile que se vista con lo mejor a toda costa. Date prisa.

Yo entendí lo que andaba tramando, pero, desde luego, no dije nada. Cuando regresé con el duque, escondimos la canoa, luego tomaron ellos asiento en un tronco y el rey contó todo, exactamente tal y como se lo había contado ese joven: repitió cada palabra de la historia. Y mientras lo iba contando, trataba de hablar como un inglés y, además, para lo ignorante que era, lo hacía bastante bien. Yo no puedo imitarle, así que no voy a intentarlo siquiera, pero realmente lo hacía bastante bien. Al fin dijo:

—¿Qué tal te va el papel de sordomudo, Bilgewater?

El duque dijo que no pasara cuidado, que había hecho de sordomudo sobre las tablas histriónicas. Con eso se pusieron a esperar un barco de vapor.

Hacia media tarde, un par de barcos pequeños cruzaron por el río, pero no venían de sitios bastante lejanos río arriba. Al fin llegó un barco grande, y el rey y el duque le hicieron señas. Mandó el barco su yola y subimos a bordo. El barco era de Cincinnati y, cuando se enteraron de que solo queríamos viajar cuatro o cinco millas, se enfadaron mucho y se pusieron a maldecir y declararon que no nos desembarcarían. Pero el rey no perdió la calma. Dijo:

—Si unos caballeros pueden pagar a un dólar la milla por cabeza para que los embarquen y desembarquen en una yola, un barco de vapor puede permitirse el lujo de llevarlos, ¿no?

Así que se suavizaron un poco y dijeron que valía y, cuando llegamos a la aldea, nos llevaron a tierra en la

Yola: Embarcación muy ligera con remo y vela.

yola. Un par de docenas de hombres vinieron en rebaño cuando vieron venir la yola, y el rey les dijo:

—¿Podría alguno de ustedes, caballeros, decirme dónde vive el señor Peter Wilks?

Se miraron de soslayo y asintieron con la cabeza como si dijeran: «¿Qué te había dicho?». Luego, uno de ellos dijo un poco suave y bondadoso:

—Lo siento, señor, pero lo único que podemos hacer es indicarle dónde vivía hasta ayer tarde.

De repente, en un abrir y cerrar de ojos, ese viejo pícaro redomado se desplomó y cayó contra el hombre y apoyó la barbilla encima de su hombro y derramó lágrimas sobre su espalda y dijo:

—¡Ay de mí, ay de mí! ¡Nuestro pobre hermano! ¡Muerto... y no pudimos verle...! Oh, ¡es demasiado, demasiado penoso!

Luego se dio la vuelta, sollozando, e hizo muchos gestos imbéciles al duque con las manos y, maldita sea, él dejó caer una de las maletas y rompió a llorar. Esos dos impostores eran los más sinvergüenzas con que me he tropezado en mi vida.

Bueno, los hombres los rodearon y los consolaron y les dijeron toda clase de palabras bondadosas y les llevaron las maletas por la cuesta arriba y les dejaron apoyarse en sus hombros para llorar; y le contaron al rey los detalles de los últimos momentos que viviera su hermano, y el rey se lo contó con gestos todo otra vez al duque, y los dos siguieron llorando por ese curtidor muerto como si hubieran perdido a los doce apóstoles. Que me llamen negro si me he tropezado yo otra vez con algo semejante. Aquello era bastante como para hacerle a uno sentir vergüenza de la raza humana.

Capítulo 25

La noticia corrió por el pueblo entero en dos minutos y se veía a la gente viniendo a la carrera desde todas las direcciones, algunos incluso poniéndose la chaqueta mientras se acercaban. Al poco rato nos encontrábamos en medio de una muchedumbre, y el ruido de las pisadas sonaba como el de soldados en marcha. Las ventanas y las puertas de los jardines estaban llenas de gente y a cada minuto alguien decía por encima de una cerca:

—¿Son ellos?

Y alguien que correteaba con la cuadrilla le contestaba diciendo:

—Claro que son ellos.

Cuando llegamos a la casa, la calle de delante estaba atestada, y las tres muchachas se encontraban de pie a la puerta. Mary Jane era pelirroja, pero eso no tenía importancia porque era tremendamente hermosa, y con la cara y los ojos todos encendidos como la misma gloria, estaba muy contenta de que hubieran llegado sus tíos. El rey abrió los brazos y Mary Jane saltó a abrazarle, y la del labio leporino saltó hacia el duque y... ¡allí se encontraron! Casi todo el mundo, las mujeres sobre todo, lloraron de alegría al verlos encontrarse por fin y estar tan contentos.

Luego, el rey le dio un empujón al duque a escondidas, yo le vi hacerlo, y entonces miró alrededor y vio el ataúd encima de dos sillas en un rincón; así que él y el duque con una mano sobre el hombro del otro y con la otra mano tocándose los ojos, avanzaron hacia allí, lentos y solemnes; y todos se hicieron atrás para dejarles paso, y se iba calmando el ruido de las voces, con gente diciendo ¡chist! y hombres quitándose el sombrero y bajando la cabeza; ya el silencio era tal que se hubiera podido oír un alfiler caer al suelo. Y cuando el rey y el duque llegaron allí, se inclinaron y miraron dentro del ataúd, echaron

una sola mirada rápida y rompieron a llorar de tal forma
que casi hubieran podido oírlos en Orleáns; luego se
echaron los brazos, uno al otro, alrededor del cuello y
apoyaron la barbilla en el hombro uno del otro y después, durante tres minutos o tal vez cuatro, derramaron
lágrimas de una manera como nunca he visto hacer a dos
hombres. Y, además, todo el mundo hacía lo mismo y ese
lugar se puso de un húmedo como nunca he visto. Luego, uno se colocó a un lado del ataúd y el otro al lado
opuesto; se arrodillaron y descansaron la frente en el ataúd
e hicieron como si rezaran en silencio. Bueno, al llegar a
eso, se ganaron al público de una manera como nunca
has visto y todos dejaron de resistirse y empezaron a sollozar en voz alta, y las pobres muchachas también; y todas las mujeres fueron acercándose a las muchachas sin
decir una palabra y solemnemente las besaban en la frente y luego les ponían la mano en la cabeza y miraban hacia el cielo con las lágrimas corriéndoles por la cara y
luego rompían a llorar y se iban sollozando y secándose
la cara, dejando sitio a la próxima. Nunca he visto nada
tan repugnante.

Bueno, después de un rato, el rey se levantó y avanzó
un poco y se excitó y entre babas echó un discurso, todo
lleno de lágrimas y tonterías, acerca de la prueba dolorosa que era para él y para su pobre hermano el perder al
fallecido y no llegar a tiempo de ver al _desfallecido_ —decía el rey— con vida después del largo viaje de cuatro
mil millas; pero que esa dura prueba se veía dulcificada
y santificada por aquella bondadosa compasión y por
aquellas santas lágrimas, y que él se lo agradecía desde
lo hondo de su corazón y del corazón de su hermano,
porque desde la boca no podían, porque las palabras re-
sultan débiles y frías; y siguió con toda esa especie de
sensiblerías y sandeces hasta que fue simplemente as-
queroso. Luego farfulló un amén santurrón y piadoso y
soltó otra vez el llanto hasta casi reventar.

Y al momento de acabar las últimas palabras, alguien
en la muchedumbre empezó a cantar la doxología y los
demás se unieron con todas sus fuerzas, y realmente te
animaba y te hacía sentir lo que siente uno cuando sale
de la iglesia. La música es una cosa buena y, después de

Doxología: Fórmula
de alabanza a la
divinidad.

tanta vaselina espiritual y tanta bazofia, nunca he visto que la música refrescara el ambiente tanto y sonara tan honrada y estupenda como entonces.

Luego, el rey empezó a poner la boca en marcha de nuevo y dijo que él y sus sobrinas estarían encantados si algunos de los principales amigos de la familia cenaran esa noche con ellos y ayudaran a velar las cenizas del fallecido. Y dijo que si su pobre hermano que yacía ahí pudiera hablar, él sabía a quiénes nombraría, porque eran personas muy queridas de él y las mencionaba muchas veces en sus cartas, así que nombraría las mismas, a saber, las siguientes: el reverendo señor Hobson y el diácono Lot Hovey y el señor Ben Rucker y Abner Shackleford y Levi Bell y el doctor Robinson y sus mujeres y la viuda Bartley.

El reverendo Hobson y el doctor Robinson estaban al otro lado del pueblo cazando juntos; quiero decir que el doctor estaría mandando a un enfermo al otro mundo y el predicador le señalaría el camino. El abogado Bell estaba fuera, en Louisville[1], en viaje de negocios. Pero los demás se encontraban presentes y fueron a estrechar la mano al rey y le dieron las gracias y le hablaron; y luego estrecharon la mano al duque y no le dijeron nada, sino que seguían sonriéndole y asintiendo con la cabeza como un montón de peleles mientras él hacía todo tipo de gestos con las manos y decía «gu-gu... gu-gu-gu» constantemente, como un bebé que no puede hablar.

Garrulería: Charla de alguien que habla mucho.

Así que el rey siguió con la garrulería y consiguió preguntar por su nombre casi por todo el mundo del pueblo, perros incluidos, y mencionó toda clase de pequeños incidentes que pasaron una u otra vez en el pueblo o a la familia de George o a Peter. Y siempre daba a entender que Peter le había escrito sobre esas cosas, pero era mentira, porque había sonsacado cada bendita cosa de aquellas a aquel joven cabeza de alcornoque que llevamos en canoa hasta el vapor.

Luego, Mary Jane sacó la carta que su tío había dejado y el rey la leyó en voz alta y lloró sobre ella. Dejaba la casa y tres mil dólares en oro a las muchachas; daba la te-

---

[1] Ciudad del estado de Kentucky (EE. UU.).

nería (que era un negocio próspero), además de otras casas y terrenos (que valían unos siete mil) y tres mil dólares en oro a Harvey y William, y contaba dónde estaban escondidos en el sótano los seis mil en dinero contante. Así que los dos estafadores dijeron que bajarían a traerlo para que se hiciera todo honrada y rectamente, y me mandaron acompañarlos con una vela. Cerramos la puerta del sótano detrás de nosotros y cuando encontraron el saco lo vaciaron en el suelo y era bonito ver aquel montón de monedas amarillas. ¡Cómo brillaban los ojos del rey! Dio una palmada en el hombro del duque y dijo:

—Oh, ¿no es estupendo? ¡Por supuesto que sí! Esto le gana, y por mucho, a *La sin par realeza*, ¿eh, Biljy?

El duque declaró que sí. Manoseaban las monedas amarillas y se las pasaban por los dedos y las dejaban caer tintineantes al suelo. Y el rey dijo:

—No hay por qué discutir: ser hermanos de un muerto rico y representantes de herederos en el extranjero, ese es nuestro negocio, Bilge. Esto que ves aquí viene de confiar en la Providencia. A la larga, es lo mejor. He probado todos los sistemas y no hay otro mejor que ese.

Casi todo el mundo se habría sentido satisfecho con ese montón y lo habría aceptado con los ojos cerrados, pero no, ellos se pusieron a contarlo. Lo contaron y resultó que faltaban cuatrocientos quince dólares. El rey dijo entonces:

—Maldito sea ese viejo, ¿qué habrá hecho con esos cuatrocientos quince dólares?

Se afanaron con el asunto un rato y hurgaron por todas partes buscando lo que faltaba. Luego, el duque dijo:

—Bueno, estaba bastante enfermo y es probable que cometiera un error..., me imagino que eso es lo que pasó. Lo mejor sería dejarlo y callarnos. Podemos pasarnos sin ese dinero.

—Diablos, sí, podemos pasar sin él. No me importa eso..., es la cuenta redonda lo que me preocupa. Debemos ser muy honrados y justos y francos aquí, sabes. Debemos llevar este dinero al piso de arriba y contarlo ante todo el mundo... y así no habrá nada sospechoso. Pero si el muerto dice que hay seis mil dólares, sabes, no podemos...

Tenería: Lugar donde se curten y se trabajan las pieles.

—Espera —dijo el duque—. Vamos a borrar el déficit —y empezó a sacar monedas de su bolsillo.

—Es una idea asombrosamente buena, duque..., es verdad que tienes una cabeza ingeniosa —dijo el rey—. Demonios si la vieja *La sin par realeza* no está sacándonos de apuros otra vez —y empezó a sacar monedas amarillas y a amontonarlas.

Casi se quedaron pelados, pero lograron juntar los seis mil limpios y exactos.

—Oye —dijo el duque—. Tengo una idea. Vamos arriba y contamos este dinero y luego cogemos y se lo regalamos a las muchachas.

—¡Dios mío, duque, déjame abrazarte! Es la idea más deslumbrante que se le ha ocurrido a un hombre. De verdad que tienes la cabeza más asombrosa que he visto. Oh, es una trampa magistral, no cabe la menor duda. Que vengan con sospechas ahora si les da la gana... Esto los dejará aplastados.

Cuando llegamos al piso de arriba, todos se acercaron alrededor de la mesa y el rey contó el dinero y lo amontonó: trescientos dólares en cada pila, veinte pequeñas y elegantes pilas. Todo el mundo lo miró con hambre y se lamió los labios. Luego lo metieron otra vez en el saco y vi que el rey comenzó a hincharse para soltar otro discurso. Dijo:

—Amigos, mi pobre hermano que yace ahí se ha mostrado generoso con las que deja detrás en este valle de lágrimas. Se ha portado de un modo generoso con estas pobres corderitas que amaba y protegía y que son huérfanas de padre y madre. Sí, nosotros, que le conocíamos, sabemos que se habría portado de un modo aún más generoso si no hubiera temido ofender a su querido William y a mí. ¿No os parece? No hay duda de ello a mi entender. Bueno, entonces, ¿qué clase de hermanos serían los que le pondrían obstáculos en el camino en una hora como esta? ¿Y qué clase de tíos serían los que robaran, sí, robaran, a unas pobres corderas tan dulces como estas, a las que él quería, en una hora como esta? Si yo conozco a William (y creo que sí lo conozco), él..., bueno, se lo preguntaré —se dio la vuelta y empezó a gesticular al duque. Y el duque se quedó un rato mirándolo como estú-

pido y alelado; luego, de repente, hizo como si captara el significado y se arrojó al rey haciendo su «gu-gu» de pura alegría y con todas sus fuerzas y le abrazó como quince veces antes de ceder. Luego, el rey dijo—: Lo sabía; me imagino que eso le convencerá a cualquiera de cuáles son sus sentimientos. Aquí tenéis, Mary Jane, Susan, Joanna, recibid el dinero..., tomadlo todo. Es un regalo del que yace ahí, frío, pero feliz.

Mary Jane corrió hacia él, y Susan y la del labio leporino corrieron hacia el duque y luego hubo otro rato de abrazos y besos como nunca he visto. Y todos los rodearon con lágrimas en los ojos y les apretaron las manos a aquellos estafadores fraudulentos y la gente seguía diciendo:

—Oh, qué buenas personas..., qué gesto tan admirable..., cómo podrían...

Bueno, entonces, después de un rato, todos los presentes se pusieron a hablar del fallecido otra vez y de lo bueno que era y de qué pérdida suponía y todo eso; y poco después se abrió paso desde el exterior un hombre grande de mandíbulas de hierro y se quedó escuchando y mirando sin decir nada; y nadie se dirigía a él tampoco porque el rey hablaba y todos estaban ocupados escuchándole. El rey estaba diciendo en medio de lo que había comenzado:

—...ellos eran amigos íntimos del *desfallecido*. Por eso son los invitados esta noche. Pero mañana queremos que se personen todos..., todo el mundo, porque él respetaba a todo el mundo y quería a todo el mundo, así que es correcto que sus orgías fúnebres sean públicas.

Orgía: Festín desenfrenado.

Y así siguió y siguió fantaseando, contento de oírse hablar, y a cada momento sacaba eso de sus orgías fúnebres, hasta que el duque ya no pudo aguantarlo más, así que escribió en un trocito de papel: «Exequias, viejo tonto», y lo dobló y fue haciendo «gu-gu» y le entregó el papel por encima de las cabezas de la gente. El rey lo leyó y se lo metió en el bolsillo y dijo:

Exequias: Honras fúnebres.

—El pobre William, a pesar de su defecto desgraciado, tiene el corazón muy sano. Me pide que les invite a todos a los funerales..., quiere que les dé a todos la bienvenida. Pero no tiene por qué preocuparse porque eso es lo que yo estaba diciendo.

Luego siguió vagando con su charla, perfectamente tranquilo, y comenzó otra vez a soltar sus orgías fúnebres por acá y por allá, como hacía antes. Y luego, cuando lo dijo por tercera vez, comentó:

—Digo orgías no porque es el término corriente, que no lo es..., exequias es el término corriente..., sino porque orgías es el término correcto. No se emplea exequias ya en Inglaterra..., pasó de moda. En Inglaterra ahora decimos orgías. Orgías es mejor porque significa lo que uno quiere decir con más exactitud. Es una palabra compuesta de la griega *orgo*, que significa fuera, abierto, exterior, y de la hebrea *jeesum*, plantar, cubrir, es decir, enterrar. Así, como se ve, orgías fúnebres son funerales abiertos al público[2].

Ese viejo era el peor con el que yo me he encontrado, no me cabe duda. Bueno, el hombre de las mandíbulas fuertes se le rio en la cara. Todos se escandalizaron. Todos dijeron: «Pero ¡doctor!», y Abner Shackleford dijo:

—Pero, Robinson, ¿no has oído las noticias? Este es Harvey Wilks.

El rey sonrió ansioso y adelantó la mano y dijo:

—¿Es el amigo querido y el médico de mi pobre hermano? Yo...

—¡Quíteme las manos de encima! —dijo el médico—. Usted habla como un inglés, ¿verdad? Es la peor imitación que he oído nunca. ¡Usted es hermano de Peter Wilks! ¡Es usted un impostor, eso es lo que es usted!

Bueno, ¡cómo se pusieron todos! Rodearon al médico y trataron de calmarle; intentaron explicárselo y decirle cómo Harvey había mostrado de cuarenta maneras que era Harvey y que conocía a todos por su nombre y sabía hasta el nombre de los mismos perros, y le rogaron y rogaron que no hiriera los sentimientos de Harvey y de las pobres muchachas y todo eso. Pero fue inútil; siguió enfurecido y dijo que cualquiera que pretendiera hacerse pasar por inglés y que no pudiera imitar su jerga mejor que lo hacía ese era un impostor y un mentiroso. Las pobres muchachas se colgaban del brazo del rey y lloraban. Y, de repente, el médico se dirigió a ellas. Dijo:

---

[2] El rey se inventa una etimología falsa para la palabra *orgía*, que, en realidad, procede del latín *orgia*, y este del griego ὄργια, que significa «fiestas de Baco».

—Yo era amigo de vuestro padre y soy vuestro amigo y os aviso como amigo y, además, como amigo honrado que quiere protegeros y evitaros daños y dificultades; y os digo que debéis volver la espalda a este sinvergüenza y no tener nada que ver con él, con este vagabundo ignorante y con sus idioteces de lo que él llama griego y hebreo. Es un impostor de lo más burdo, que viene acá con muchos nombres y hechos vacíos que ha recogido en alguna parte y que vosotras consideráis pruebas; y digo que estos amigos insensatos que deberían tener más juicio os ayudan a engañaros. Mary Jane Wilks, tú sabes que soy tu amigo, y tu amigo desinteresado, además. Ahora escúchame: echa de aquí a ese lamentable pícaro... Te ruego que lo hagas, dime que lo harás.

Mary Jane se puso derecha y... ¡qué guapa era! Dijo:

—Aquí tienes mi respuesta —levantó el saco de dinero y lo puso en manos del rey y dijo—: Toma estos seis mil dólares para invertirlos de la manera que quieras en nombre mío y en el de mis hermanas, y no nos des ningún recibo.

Luego echó su brazo por la espalda del rey por un lado, y Susan y la del labio leporino hicieron lo mismo abrazándole por el otro. Todos aplaudieron y patearon en el suelo como una tempestad, mientras el rey alzó la cabeza y sonrió orgulloso. El médico dijo:

—Muy bien: yo me lavo las manos en este asunto. Pero os advierto que llegará el momento en que os pondréis malos con solo recordar este día —y se marchó.

—Muy bien, doctor —dijo el rey, burlándose de él un poco—: Intentaremos llamarte para curarnos —todos se echaron a reír y dijeron que era una réplica de primera.

Capítulo 26

Bueno, cuando se marcharon todos, el rey le preguntó a Mary Jane cómo andaban de cuartos para huéspedes, y ella dijo de uno que serviría para el tío William, y que al tío Harvey ella le dejaría el suyo, que era un poco más grande, y que ella se iría a dormir al cuarto de sus hermanas en un catre; y que arriba, en el desván, había otro cuartito con un jergón. El rey dijo que el cuartito valdría para su criado..., quería decir para mí.

Catre: Cama sencilla para una persona.

Por tanto, Mary Jane nos acompañó y a ellos les mostró los cuartos, que eran sencillos, pero graciosos. Dijo que mandaría sacar sus vestidos y sus otras cosas de su cuarto si molestaban al tío Harvey, pero él afirmó que no le molestarían. Los vestidos estaban colgados a lo largo de la pared, detrás de una cortina de percal larga hasta el suelo. Había un viejo baúl de cuero en un rincón, y una caja de una guitarra en otro y toda clase de baratijas y chucherías aquí y allá, cosas de esas que suelen poner las chicas para animar un cuarto. El rey dijo que todo era más hogareño y más agradable gracias a estos arreglos, así que no debía sacarlos. El cuarto del duque era pequeño, pero lo bastante espacioso para él, y el mío también me valía.

Esa noche hubo una gran cena y estaban presentes todos aquellos hombres y mujeres que ya conocíamos; y yo me quedé de pie detrás de las sillas del rey y del duque para servirlos, y los negros servían entre tanto a los demás. Mary Jane ocupaba la cabecera de la mesa con Susan a su lado y comentaba lo malos que habían salido los panes y decía que qué poco sabrosas resultaban las conservas, y lo mal hecho y duro que estaba el pollo frito..., toda esa clase de comentarios que suelen hacer las mujeres para escuchar halagos. La gente sabía que todo estaba excelente y se lo repetía: «¿Cómo consigues que te salgan tan tostaditos los panes?» y «¿Dónde, Dios mío, has conseguido estos pepinillos tan maravillosos?», y seguían con esa forma de hablar por hablar tan hipócrita, ya sabes, como siempre hace la gente durante una cena así.

Y cuando la cena estaba terminada, la del labio leporino y yo cenamos de lo que sobraba en la cocina, mientras que las otras ayudaban a los negros a quitar la mesa. La del labio leporino se puso a sonsacarme cosas sobre Inglaterra y, bendito de mí, a veces creía yo andar sobre una cuerda muy floja. Dijo:

—¿Has visto al rey alguna vez?

—¿A quién? ¿A Guillermo IV[1]? Pues claro que sí..., asiste a nuestra iglesia —yo sabía perfectamente que ese rey había muerto hacía años, pero seguí como si tal cosa. Y cuando dije que asistía a nuestra iglesia, ella replicó:

—¿Qué?... ¿Va habitualmente?

—Sí..., siempre. Su banco está enfrente del nuestro..., al otro lado del púlpito.

—Yo pensé que vivía en Londres.

—Bueno, es verdad. ¿Dónde va a vivir?

—Pero pensé que vosotros vivíais en Sheffield.

Vi que ya me había cogido. Tuve que fingir que me atragantaba con un hueso de pollo para tener tiempo de pensar en cómo salir de ese lío. Luego dije:

—Quiero decir que asiste a nuestra iglesia siempre que vive en Sheffield. Eso es solo durante el verano, cuando viene a tomar baños de mar.

—Pero qué cosas dices... Sheffield no está en el mar.

—Bueno, ¿quién ha dicho que está en el mar?

—Pues tú lo has dicho.

—No, yo no lo he dicho.

—Sí que lo has dicho.

—Que no.

—¡Que sí!

—Nunca he dicho cosa semejante.

—Bueno, ¿qué es lo que has dicho entonces?

—He dicho que venía a tomar baños de mar..., eso es lo que he dicho.

---

[1] Guillermo IV (1765-1837), rey de Reino Unido e Irlanda.

—Bueno, pero ¿cómo va a tomar baños de mar sin estar en el mar?

—Mira, ¿has visto agua de Congress[2] alguna vez?

—Sí.

—Bueno, ¿tienes que ir a Congress para conseguirla?

—Pues no.

—Bueno, tampoco tiene Guillermo IV que ir al mar a tomar un baño de mar.

—¿Cómo lo toma entonces?

—Lo toma como la gente por acá consigue agua de Congress..., en barriles. Allí, en el palacio de Sheffield, hay hornos y a él le gusta su baño con agua caliente. No podrían hervir esa cantidad de agua allá lejos, en el mar. No tienen a orillas del mar los aparatos con que hacerlo.

—Oh, ya entiendo. Pero podrías habérmelo dicho al principio y nos habríamos ahorrado tiempo.

Cuando dijo eso, vi que otra vez estaba libre del atolladero y me sentí cómodo y contento. Entonces dijo:

—¿Tú vas a la iglesia también?

—Sí, todos los domingos.

—¿Dónde te sientas?

—Pues en nuestro banco.

—¿El banco de quién?

—Pues el nuestro..., el de tu tío Harvey.

—¿El suyo? ¿Para qué quiere él un banco?

—Lo quiere para sentarse. ¿Para qué te has imaginado que lo quería?

—Pues pensé que estaría en el púlpito.

¡Que se llevara el diablo al viejo! Había olvidado que era predicador. Así que ella me tenía cogido otra vez, por lo tanto recurrí a otro hueso de pollo y me puse a pensar. En seguida dije:

—Maldita sea, ¿crees que una iglesia solo dispone de un predicador?

—¿Pues para qué quieren más?

—¡Para qué! ¿Te das cuenta de lo que es predicar ante un rey? Nunca he visto a una muchacha como tú. Pues para que lo sepas, no hay allí menos de diecisiete predicadores.

---

[2] Agua mineral de Congress, Saratoga, Nueva York (EE. UU.).

—¡Diecisiete! ¡Dios mío! Pues yo no me sentaría a escuchar la retahíla de tantos predicadores, ni aunque por ello no llegara nunca a la gloria. Deben durar una semana esos sermones.

Retahíla: Serie de muchas cosas.

—Bah, ¿no ves que no predican todos el mismo día?... Solo uno de ellos.

—Bueno, entonces, ¿qué hacen los otros?

—Oh, nada de importancia. Se pasean por allí, pasan la bandeja..., hacen cosas insignificantes. Pero por lo general no hacen nada.

—Bueno, entonces, ¿para qué sirven?

—Pues son para dar tono, estilo. ¿Es que no sabes nada?

—Bueno, yo no quiero saber tonterías tales como esas que cuentas. ¿Cómo tratan a los sirvientes en Inglaterra? ¿Los tratan mejor que nosotros tratamos a los negros?

—¡No! Un sirviente no es nadie allí. Los tratan peor que a los perros.

—¿No les dan libre, como hacemos acá, por Navidad y en la semana de Año Nuevo y el cuatro de julio[3]?

—¡Oh, escucha! Cómo se nota que nunca has estado en Inglaterra. Pues, mira, Labio..., digo, Joanna, aquellos sirvientes no ven una fiesta durante todo el año; nunca van al circo ni al teatro ni a los espectáculos de negros ni a ninguna parte.

—¿Ni a la iglesia?

—Ni a la iglesia.

—Pero tú siempre asistías a la iglesia.

Bueno, ya estaba liado otra vez. Me había olvidado de que yo era el sirviente del viejo. Pero al momento me metí en una enredada explicación de cómo un ayuda de cámara no era un criado corriente y dije que tenía que ir a la iglesia si quería como si no, y sentarse con la familia, porque, además, había una ley que le obligaba. Pero me di cuenta de que no lo había explicado bastante bien y, cuando llegué al fin, vi que ella no estaba satisfecha.

Ayuda de cámara: Criado que tiene como tarea fundamental ocuparse del vestido de su señor.

—Palabra de indio, ¿no me has contado una cantidad de mentiras?

—Palabra de indio —dije.

---

[3] Fiesta nacional de los Estados Unidos. Ese día se conmemora la firma de la *Declaración de Independencia* (véase nota 7, capítulo 17).

—¿Nada de eso es mentira?

—No, nada. No hay ni una mentira en ello —dije.

—Pon la mano sobre este libro y repítelo.

Vi que no era más que un diccionario, así que puse la mano encima y lo repetí. Entonces pareció un poco satisfecha y dijo:

—Bueno, entonces, me creeré un poco de todo eso, pero válgame Dios si voy a creer el resto.

—¿Qué es lo que no vas a creer, Jo? —dijo Mary Jane, que entraba seguida por Susan—. No es correcto ni bondadoso que le hables de esa manera, siendo forastero y estando tan lejos de su gente. ¿Te gustaría a ti que te trataran de ese modo?

—Siempre eres igual, Maim..., saliendo en defensa de alguien para ayudarle antes de que se haya hecho daño. Yo no le he hecho nada. Él ha contado exageraciones, me imagino, y yo he dicho que no iba a tragármelas; y esas son todas y cada una de las palabras que le he dicho. Creo que puede soportar una cosa tan pequeña como esa, ¿no?

—No me importa si era pequeña o grande; está en nuestra casa y es forastero y no has sido buena al decirlo. Si tú estuvieras en su lugar, te sentirías avergonzada; y no debes decirle a otra persona ninguna cosa que le haga sentirse avergonzada.

—Pero, Maim, ha dicho...

—No tiene importancia lo que haya dicho..., no se trata de eso. Se trata de que seas amable con él y no estés diciendo cosas que le hagan recordar que no está en su propio país y entre su propia gente.

Yo me dije a mí mismo: «¡A una muchacha como esta voy a consentir yo que le robe su dinero ese viejo reptil!».

Después fue Susan quien entró en danza y, puedes creérmelo, ¡ella le echó también a la del labio una regañina de las buenas!

Me dije a mí mismo: «¡Esta es otra a la que estoy permitiendo que le roben su dinero!».

Pero ya Mary Jane había vuelto a la carga, y de la forma más dulce y hermosa, como era su manera, aunque cuando terminó te aseguro que casi no quedaba nada de la pobre Labio. Así que ella gritó vencida.

—Eso está muy bien —dijeron las otras—, pídele, pues, perdón en seguida.

Lo hizo, y de un modo hermoso, además. Lo hizo de forma tan graciosa que daba alegría escucharla y me habría gustado contarle mil mentiras para que pudiera pedirme perdón otra vez.

Así que me decía a mí mismo: «Esta es otra a quien estoy permitiendo que le roben su dinero». Y cuando ella hubo terminado, entre todas se deshacían en cumplidos para hacerme sentir que estaba en mi casa y con mis amigos. Me sentí tan bajo y canalla y despreciable que me dije: «Estoy decidido; voy a devolverles ese dinero o reventaré».

Así que me fui... Les dije que me iba a la cama, y no mentí porque, tarde o temprano, lo haría. Cuando estuve solo me puse a pensar en aquel asunto. Me pregunté si debía ir a hablar con el médico en privado y denunciar a los impostores. No, eso no era conveniente. Tal vez diría quién se lo había contado; entonces, el rey y el duque se encargarían de mí. Debía ir y contárselo en privado a Mary Jane. No, no me atrevía a hacerlo. Se lo iban a notar a ella en la cara, seguro; tenían el dinero y se escabullirían y se lo llevarían. Si ella pedía ayuda, yo me vería mezclado en el asunto antes de que acabara. No, me dije: «No hay nada que hacer, salvo una cosa. Tengo que robar ese dinero de alguna forma, y tengo que robarlo de tal manera que no haya sospechas de que he sido yo. Estos tienen un buen negocio aquí y no van a dejarlo hasta que hayan sacado todo lo que puedan de esta familia y de este pueblo, así que tendré bastante tiempo para encontrar la ocasión. Lo robaré y lo esconderé y, unos días después, cuando esté lejos río abajo, le escribiré una carta a Mary Jane y le contaré dónde está escondido. Pero mejor sería robarlo esta noche si puedo, porque el médico no ha dejado las armas tanto como finge; tal vez los ahuyente todavía».

Así que decidí subir y registrar los cuartos de ellos. El pasillo del piso de arriba estaba a oscuras, pero encontré el cuarto del duque y empecé a tantear con las manos; sin embargo, recordé que no sería característico del rey dejar a otro que no fuera él mismo al cuidado de ese dinero; por eso fui a su cuarto y empecé a tantear por allí.

Pero me di cuenta de que no podía hacer nada sin una vela y, por supuesto, no me atrevía a encender una. Por tanto, calculé que debía hacerlo de otro modo: esperarlos y escuchar en secreto. En ese momento oí que se acercaban sus pasos. Iba a esconderme debajo de la cama y alargué la mano hacia donde pensé que estaría, pero toqué la cortina que cubría los vestidos de Mary Jane, de modo que salté detrás y me envolví entre su ropa y me quedé perfectamente quieto.

Entraron y cerraron la puerta, y la primera cosa que hizo el duque fue arrodillarse y mirar debajo de la cama. Entonces me alegré de no haber encontrado la cama cuando la busqué. Y, sin embargo, sabes, es algo natural esconderte debajo de la cama cuando estás metido en una cosa privada. Se sentaron y el rey dijo:

—Bueno, ¿qué querías? Dímelo y acaba de una vez porque sería mejor que estuviéramos abajo, dale que te pego con las lamentaciones, en vez de estar aquí arriba dejándoles ocasión de hablar de nosotros.

—Bien, Capeto, esto es lo que pasa: no estoy tranquilo, no me siento cómodo. Ese médico me tiene preocupado. Quiero saber qué tienes planeado. Yo tengo una idea y creo que es acertada.

—¿Qué idea es, duque?

—Que mejor sería escabullirnos de aquí antes de las tres de la madrugada e irnos volando río abajo con lo que tenemos. Sobre todo, teniendo en cuenta lo fácil que nos ha resultado conseguirlo: nos lo han regalado, nos lo han puesto en las manos, como si dijéramos, cuando pensábamos que tendríamos que robarlo otra vez... Yo soy partidario de dejar el asunto y largarnos en seguida.

Al oírlo me sentí bastante mal. Hacía una hora o dos hubiera sido un poco distinto, pero ahora me hizo sentir desilusionado y triste. El rey se enfadó y dijo:

—¡Qué! ¿Y no vender el resto de la propiedad? ¿Marcharnos como unos tontilocos y dejar ocho o nueve mil dólares en propiedades tirados por ahí, esperando que alguien se los lleve?... Y, además, todas esas cosas son buenas y vendibles.

Tontiloco: Tonto alocado.

El duque refunfuñó un poco, dijo que el saco de oro era bastante y que él no quería meterse más hondo en aquel asunto..., no quería robar a unas huérfanas todo lo que tenían.

—Pero ¡qué cosas dices! —dijo el rey—. No vamos a robarles nada, salvo ese dinero. Las personas que compren la propiedad son las que van a sufrir porque en cuanto descubran que no era nuestra (que será poco después de escaparnos), la venta será nula... y todos los bienes volverán a la testamentaría. Estas huérfanas tendrán su casa de nuevo y con eso tendrán bastante; son jóvenes y listas y fácilmente se ganarán la vida. No van a sufrir. Piénsalo un momento: hay miles y miles de personas que están mucho peor que ellas. Válgame Dios, no tienen de qué quejarse.

Bueno, el rey le habló hasta dejarle abrumado, así que, por fin, cedió el duque y dijo que de acuerdo, pero dijo que le parecía una maldita tontería quedarse, con ese médico amenazándolos. Pero el rey dijo:

—¡Al diablo con el médico! ¿Qué nos importa? ¿No tenemos de nuestra parte a todos los tontos del pueblo? ¿Y no es esa una mayoría suficiente en cualquier pueblo?

Así que se prepararon otra vez para bajar. El duque dijo:

—No creo que sea bueno el sitio donde hemos escondido el dinero.

Oír aquello me animó. Había empezado a pensar que no iba a conseguir ninguna pista para ayudarme. El rey dijo:

—¿Por qué?

—Porque Mary Jane estará de luto desde ahora y, acto seguido, la negra que arregla los cuartos tendrá órdenes de recoger esta ropa y guardarla y ¿tú crees que un negro puede encontrar dinero sin llevarse un poco?

—Ya tienes la cabeza en su sitio otra vez, duque —dijo el rey, y vino hurgando debajo de la cortina a medio metro de donde estaba yo.

Me pegué a la pared y me quedé muy quieto, aunque tembloroso; me preguntaba qué me dirían esos tipos si me cogieran; y traté de pensar qué debería hacer yo, si me cogían. Pero el rey tomó el saco antes de que yo pudiera pensar más de medio pensamiento, y no tuvo sospechas de que yo estuviera allí. Cogieron y metieron el saco por

Testamentaría: Bienes en que consiste una herencia, desde que muere el testador hasta que pasan de forma definitiva a ser propiedad de los herederos.

un rasgón del jergón de paja que había debajo del colchón de plumas, y lo empujaron como medio metro hacia adentro entre la paja, y dijeron que allí estaba bien, porque una negra solo arregla el colchón de plumas y solo da vuelta al jergón de paja como dos veces al año, así que ya no había peligro de que lo robara. Pero yo era más listo que ellos. Lo saqué de allí antes de que bajaran la mitad de las escaleras. Subí a tientas a mi cuartito y lo escondí allí hasta tener la ocasión de encontrar un sitio mejor. Pensé que mejor sería esconderlo fuera de la casa en alguna parte porque, si lo echaban de menos, revolverían la casa de arriba abajo; eso lo sabía yo muy bien. Luego me acosté con la ropa puesta, pero no habría podido dormir aunque hubiera querido, porque estaba muy ansioso de terminar ese negocio. Al poco rato oí al rey y al duque subir las escaleras, de modo que me bajé rodando del jergón y me quedé echado con la barbilla apoyada en el último travesaño de la escalerita y esperé a ver si pasaba algo. Pero no pasó nada.

Así me quedé hasta que dejaron de oírse los últimos ruidos de la noche y no habían empezado todavía los primeros de la mañana. Luego me deslicé escalera abajo.

Capítulo 27

Me acerqué furtivamente a sus puertas y escuché: estaban roncando. Así que me fui de puntillas y bajé sin problemas las escaleras. No había ni un sonido en ninguna parte. Miré por la rendija de la puerta del comedor y vi a los hombres que habían ido para velar al cadáver, todos profundamente dormidos en las sillas. Estaba abierta la puerta que daba a la sala donde yacía el cadáver y había una vela en ambos cuartos. Pasé adelante y, aunque la puerta de la sala estaba abierta, vi que no había nadie dentro, salvo los restos de Peter; así que seguí adelante, pero la puerta de entrada estaba cerrada con llave, y la llave no estaba puesta. En ese instante oí a alguien bajando las escaleras detrás de mí. Me metí corriendo en la sala, eché una mirada rápida alrededor y el único sitio que encontré donde era posible esconder el saco fue el ataúd. La tapa estaba corrida como medio metro, mostrando la cara del muerto allí dentro, con un paño mojado encima y la mortaja. Apretujé el saco por debajo de la tapa, hasta más abajo de sus manos cruzadas, que me hicieron estremecer porque estaban muy frías, y luego otra vez crucé corriendo el cuarto y me escondí detrás de la puerta.

Mortaja: Sábana o vestidura en que se envuelve un cadáver.

La persona que venía era Mary Jane. Se acercó al ataúd, muy silenciosa, se arrodilló y miró dentro; luego se puso el pañuelo sobre la cara y vi que empezaba a llorar, aunque yo no podía oírla y me daba la espalda. Me deslicé fuera y, mientras pasaba ante el comedor, pensé que debía asegurarme de que los hombres del velatorio no me habían visto, así que miré por la rendija y todo estaba bien. No se habían movido.

Me fui arriba, a la cama, sintiéndome bastante triste a causa de cómo habían salido las cosas después de haberme tomado tanto trabajo y corrido tanto riesgo. Me dije: «Si se queda el dinero donde está, todo saldrá bien; porque cuando lleguemos a cien o doscientas millas río abajo, podré escribirle a Mary Jane, y ella podrá desenterrarlo y sacarlo. Pero las cosas no van a pasar así; lo que va a pasar es que encontrarán el dinero cuando vengan a atornillar la tapa. Luego, el rey lo tendrá en sus manos otra vez y pasará un día muy largo antes de que dé a nadie otra ocasión de birlárselo». Por supuesto, yo quería bajar allí y sacarlo, pero no me atrevía a intentarlo. A cada minuto se acercaba el amanecer y pronto alguno de esos tipos del velatorio iba a despertarse y podría cogerme..., cogerme con seis mil dólares en las manos que nadie me había encomendado guardar. «De verdad que no quiero mezclarme en un asunto así», me dije a mí mismo.

Cuando bajé por la mañana, la puerta de la sala estaba cerrada y los veladores se habían ido. No había nadie por allí, salvo la familia y la viuda Bartley y nuestra tribu. Yo observaba las caras a ver si había pasado algo, pero no pude averiguar nada.

Hacia el mediodía vino el de la funeraria con su ayudante, pusieron el ataúd en medio del cuarto encima de un par de sillas, pusieron todas las demás sillas en fila y pidieron prestadas más sillas de los vecinos hasta que el pasillo y la sala y el comedor estaban llenos. Vi que la tapa del ataúd seguía como estaba, pero no me atreví a ir a mirar debajo con la gente por allí tan cerca.

Luego comenzó a entrar la gente en manadas, y los farsantes y las muchachas tomaron asiento en la primera fila a la cabecera del ataúd y durante media hora la gente entró desfilando lentamente en una fila; todos miraban la cara del muerto un minuto, y algunos dejaban caer una lágrima encima, y todo era muy silencioso y solemne, solo las muchachas y los farsantes se tocaban los ojos con el pañuelo, inclinaban la cabeza y sollozaban un poco. No había otro ruido salvo el arrastrar de pies sobre el suelo y el sonarse de narices..., porque la gente siempre se suena más en los funerales que en otros lugares, salvo en la iglesia.

Cuando el lugar estaba lleno, el de la funeraria se deslizó por allí con sus guantes negros y sus maneras suaves y sosegadas, añadiendo los últimos toques y poniendo a la gente y las cosas cómodas y arregladas, sin hacer más ruido que un gato. No hablaba nada; movía a la gente de un sitio a otro, metió dentro a los que llegaron tarde, abrió sitio para pasar, y todo lo hizo con movimientos de la cabeza y de las manos. Luego ocupó su sitio con la espalda apoyada en la pared. Era el hombre más suave y escurridizo y furtivo que he visto nunca; no tenía más sonrisa que la que puede tener un jamón.

Armonio: Órgano de pequeño tamaño y con forma de piano.

Habían traído prestado un armonio..., uno de esos armonios enfermos; y cuando todo se encontraba ya listo, una mujer joven se sentó y lo puso en marcha, y era bastante chillón y colérico; y todos se lanzaron a cantar y, a mi entender, Peter era el único que lo pasaba bien. Luego, el reverendo Hobson comenzó a hablar lento y solemne y, de repente, desde el sótano estalló el más fantástico alboroto que se ha oído nunca; se trataba solo de un perro, pero armaba un escándalo tremendo y seguía armándolo sin parar; el ministro tuvo que quedarse allí,

Ministro: Sacerdote.

de pie al lado del ataúd, y esperar... No podías oír ni tus propios pensamientos. Era absolutamente embarazoso y parecía que nadie sabía qué hacer. Pero al poco rato vimos cómo el zanquilargo de la funeraria hizo una señal

Zanquilargo: Que tiene las piernas largas.

al predicador como diciendo: «No se preocupe..., tenga confianza en mí». Luego se encogió y empezó a deslizarse a lo largo de la pared, y solo se veían los hombros por encima de las cabezas de la gente. Así siguió escurriéndose, y el estrépito y el escándalo seguían haciéndose más y más violentos; y, por fin, cuando el de la funeraria había pasado deslizándose por los muros de la sala, desapareció por la escalera hacia el sótano. Luego, a los dos segundos, oímos un golpe, y el perro terminó con un aullido o dos de lo más asombroso y, entonces, todo se quedó quieto como la muerte; y el ministro siguió con su discurso solemne justo en el punto donde lo había dejado. En un minuto o dos volvieron las espaldas y los hombros del de la funeraria, otra vez deslizándose a lo largo de la pared; y así se deslizó y se deslizó por tres paredes de la sala y luego se levantó y, cubriendo un poco la boca con las manos, estiró el cuello hacia el predicador, por encima de las cabezas de la gente, y dijo en una especie de susurro ronco: «¡Había una rata!». Luego se deslizó por la pared hacia su sitio. Podías ver que eso había causado una gran satisfacción entre la gente, porque naturalmente querían saberlo. Una cosa pequeña como esa no cuesta nada y creo que son esos pequeños detalles los que hacen que la gente respete y quiera a una persona. No había en todo aquel pueblo hombre más popular que aquel tipo de la funeraria.

Bueno, el sermón fúnebre fue muy bueno, pero horriblemente largo y aburrido; y, luego, el rey se metió a intervenir y soltó algo de su basura habitual y, por fin, se acabó el asunto, y el de la funeraria se acercó furtivamente al ataúd con el destornillador. Yo estaba sobre ascuas y le observaba con mucho cuidado. Pero no se entrometió en nada; solo cerró la tapa, deslizándola tan suave como si fuera papilla, y apretó los tornillos rápido y bien. ¡Y yo así, sin saber si el dinero se encontraba dentro o no! Así que pensé: «Supongamos que alguien se haya llevado ese saco a escondidas: ¿cómo voy a saber si debo escribirle a Mary Jane o no? Supongamos que lo desenterrara y no encontrara nada: ¿qué pensaría de mí? Maldita sea —me dije—, podrían buscarme y meterme en la cárcel; mejor sería no decir nada, no revelar nada y no escribirle nada; la cosa está ahora terriblemente enredada; al intentar mejorar el asunto, lo he empeorado mil veces más, ojalá que lo hubiera dejado como estaba, ¡al diablo con todo el asunto!».

Le enterraron y regresamos a casa y yo me puse otra vez a observar las caras, no podía evitarlo y no podía estarme quieto. Pero no conseguí nada; las caras no me dijeron nada.

El rey fue de visita a varias casas por la noche y se mostró muy amable y dulce con todos; y dio a entender que sus feligreses allá en Inglaterra estarían preocupados por él y por eso tenía que darse prisa y poner en orden la herencia y salir hacia su país en seguida. Sentía mucho andar con tantas prisas, y todos lo sentían también; querían que pudiera quedarse más tiempo, pero dijeron que comprendían que le era imposible. Y él dijo que, por supuesto, él y William llevarían a las muchachas a vivir con ellos; y eso les agradó a todos porque, entonces, las muchachas vivirían bien y estarían entre sus parientes; y el asunto también les agradó a las muchachas..., les alegró tanto que olvidaron por completo que habían tenido una dificultad en este mundo y le dijeron que debía venderlo todo tan rápido como le pareciera y que así estarían listas para irse. Las pobres estaban tan contentas y tan alegres que me dolía el corazón al ver cómo las engañaba y les contaba mentiras de esa manera, pero yo no veía cómo podía meter baza y cambiar sin peligro la melodía.

Bueno, maldito si el rey ese no anunció la subasta de la casa y de los negros y de todos los bienes en seguida: la venta sería dos días después del entierro, pero cualquiera podía comprar de forma particular antes de esa fecha si quería hacerlo.

Así que el día después de los funerales, alrededor del mediodía, la alegría de las muchachas recibió el primer golpe. Un par de tratantes de negros pasaron por allí y el rey vendió a los negros a un precio razonable, pagadero mediante un giro a tres días, como lo llamaban, y se fueron los dos hijos río arriba, a Memphis[1], y su madre río abajo, a Orleáns. Pensé que a las pobres muchachas y a los negros se les iba a partir el corazón de dolor; lloraron y se abrazaron de tal forma que casi me puso enfermo verlo. Las muchachas dijeron que ni en sueños habían pensado ver separada a la familia o vendida fuera del pueblo. No puedo quitarme de la memoria la escena de aquellas pobres muchachas desgraciadas y los negros abrazados unos a otros, llorando. Y creo que no habría podido aguantarlo, que habría reventado y denunciado a la cuadrilla, si no hubiera sabido que la venta no valía y que los negros volverían a casa dentro de una semana o dos.

El asunto causó también escándalo en el pueblo, y muchos declararon francamente que era vergonzoso separar a una madre de sus hijos de ese modo. Les hizo algún daño a los estafadores, pero el viejo tonto siguió como si nada, a pesar de las protestas del duque, y, te lo aseguro, el duque estaba muy inquieto.

Al día siguiente era la subasta pública. Por la mañana, cuando ya era pleno día, el rey y el duque subieron al

Giro: Movimiento de dinero efectuado por medio de letras o libranzas.

---

[1] Ciudad del estado de Tennessee (EE. UU.).

desván y me despertaron y vi por sus expresiones que había dificultades. El rey dijo:

—¿Estuviste en mi habitación ayer o anoche?

—No, majestad —así le llamaba siempre que no había otros presentes, salvo los de nuestra cuadrilla.

—¿Estuviste ahí ayer o anoche?

—No, majestad.

—Palabra de honor; no me mientas.

—Palabra de honor, majestad, te estoy diciendo la verdad. No he estado cerca de tu cuarto desde que Mary Jane os llevó a ti y al duque a mostrároslo.

El duque dijo:

—¿Has visto a alguien entrar ahí?

—No, señoría, no me acuerdo de haber visto a nadie..., creo.

—Piénsalo bien.

Lo estudié un rato y comprendí que era mi oportunidad; luego dije:

—Bueno, varias veces vi entrar a los negros.

Los dos dieron un pequeño salto y pusieron primero expresiones de no haberlo esperado nunca y luego de sí haberlo esperado. Entonces, el duque dijo:

—¿Qué? ¿Todos ellos?

—No..., por lo menos no todos a la vez..., eso es; no creo que viera a todos salir juntos, excepto una vez.

—¡Oye! ¿Cuándo fue?

—Fue el día de los funerales. Por la mañana. No era temprano, porque me quedé dormido hasta tarde. Empecé a bajar la escalerita cuando los vi.

—Bien, ¡sigue, sigue! ¿Qué hicieron? ¿Cómo se comportaron?

—No hicieron nada. Y no se comportaron de ninguna manera especial, que yo notara. Se fueron de puntillas; entendí fácilmente que se habían metido ahí a arreglar el cuarto de tu majestad o algo así, creyendo que estabas levantado, y encontraron que no te habías levantado; y así, saliendo de puntillas, esperaban escabullirse de dificultades sin despertarte, si no te habían despertado ya.

—¡Demonio! ¡Esto es el colmo! —dijo el rey.

Y ambos parecían bastante enfermos y no poco atontados. Se quedaron pensando y rascándose la cabeza un minuto, y el duque soltó una especie de risita ronca y dijo:

—Lo que te deja de una pieza es ver cómo jugaron esos negros su carta. ¡Fingían sentirlo mucho al tener que irse de esta zona! Y yo creía que sí lo sentían y tú también lo creías y todo el mundo. No me digas nunca que un negro no tiene talento histriónico. Pues con su manera de actuar habrían engañado a cualquiera. En mi opinión, valen una fortuna. Si tuviera capital y un teatro, no me buscaría otro equipo que ese... Y pensar que los hemos vendido por cuatro cuartos. Sí, y sin poder gastarlos todavía. Por cierto, ¿dónde están? ¿Dónde está el giro?

—En el banco, esperando a que se pueda cobrar. ¿Dónde pensabas que estaría?

—Bueno, eso está bien, gracias a Dios.

Dije yo, algo tímido:

—¿Algo ha ido mal?

El rey se giró hacia mí, enfadado, y dijo:

—¡No te importa! Tú cállate la boca y métete en tus propios asuntos..., si los tienes, mientras estemos en este pueblo, no lo olvides..., ¿me oyes?

Luego dijo al duque:

—Tenemos que tragárnoslo y quedarnos callados: ni una palabra, silencio.

Mientras empezaban a bajar la escalerita, el duque soltó otra risa ahogada y dijo:

—¡Ventas rápidas y ganancias pequeñas! No es un mal negocio, no.

El rey se volvió furioso contra él y dijo:

—Yo creía que sería mejor venderlos con mucha rapidez. Si las ganancias han resultado ser nulas, y más que nulas, ¿tengo yo más culpa que tú?

—Bueno, ellos estarían todavía en esta casa, y nosotros no, si alguien hubiera escuchado mis consejos.

El rey le replicó tan insolente como le era posible en esa situación y luego cambió de rumbo y me atacó a mí otra vez. Me puso como un trapo por no haber ido a decirle que había visto a los negros salir de su cuarto de esa manera... Dijo que cualquier tonto habría sabido que pasaba algo. Y luego volvió a la carga y se maldijo a sí mismo un rato y dijo que todo había sido resultado de no haberse quedado esa mañana en la cama para tomar su descanso natural y que se vería entre los diablos antes de hacerlo otra vez. Así se marcharon, refunfuñando, y yo me alegré muchísimo de haberles echado la culpa a los negros y, además, sin causarles ningún daño al hacerlo.

Capítulo 28

Al poco rato ya era hora de levantarse. Bajé la escalerita y ya iba a seguir hacia el piso de abajo, pero, al llegar al cuarto de las muchachas, vi la puerta abierta y vi a Mary Jane sentada junto a su viejo baúl de cuero, que estaba abierto porque había estado empaquetando cosas, preparándose para viajar a Inglaterra. Pero se había detenido con un vestido doblado en el regazo y se cubría la cara con las manos y lloraba. Me sentí terriblemente mal al verla; por supuesto, cualquiera se hubiera sentido igual. Entré y le dije:

—Señorita Mary Jane, no puedes aguantar ver a la gente con dificultades, y yo tampoco..., casi nunca. Cuéntame lo que te pasa.

Así que lo hizo. Y eran los negros, como yo esperaba. Dijo que el hermoso viaje a Inglaterra casi estaba estropeado para ella; no sabía cómo iba a sentirse feliz allí, sabiendo que la madre y los hijos no iban a verse nunca más... Y luego rompió a llorar con más amargura que nunca y alzó las manos y dijo:

—¡Oh, Dios mío, Dios mío, pensar que nunca jamás se verán los unos a los otros!

—Pues claro que se van a ver..., y dentro de dos semanas... ¡Yo lo sé! —dije.

¡Por Dios, lo había dicho sin pensar! Y antes de poder moverme, me echó los brazos al cuello y me dijo que lo repitiera ¡otra vez y otra vez y otra vez!

Vi que había hablado demasiado de repente, que había dicho demasiado y que estaba en un apuro. Le pedí que me dejara pensar un minuto y se quedó allí sentada, muy impaciente y emocionada y guapa, pero parecía un poco feliz y aliviada, como una persona a quien le han sacado una muela. Así que me puse a estudiar el asunto. Me dije a mí mismo: «Creo que alguien que de pronto dice la verdad cuando está en un aprieto está arriesgándose bastante, aunque no tengo experiencia y no puedo decirlo con seguridad. Pero así me parece, de todos modos. Y, sin embargo, aquí hay un caso donde me parece a mí que decir la verdad es mejor y, de veras, menos peligroso que mentir. Tengo que recordarlo bien y pensarlo en alguna ocasión porque es un poco extraño y muy irregular, nunca he visto nada semejante. Bueno —me dije a mí mismo por fin—, voy a arriesgarme; voy a decir la verdad esta vez, aunque parece como sentarse encima de un barril de pólvora y pegarle fuego a ver adónde vas a parar». Así que dije:

—Señorita Mary Jane, ¿hay un sitio un poco fuera del pueblo donde podrías ir a quedarte tres o cuatro días?

—Sí, la casa del señor Lothrop. ¿Por qué?

—No te preocupes todavía de por qué tienes que irte... Si yo te digo cómo sé que los negros se van a ver otra vez dentro de dos semanas aquí, en esta casa, y te doy las pruebas de que lo sé, ¿irás a casa del señor Lothrop y te quedarás allí cuatro días?

—¡Cuatro días! —dijo—. ¡Me quedaré un año!

—Muy bien —dije—. No quiero más de ti que tu palabra... Me vale más que el juramento besando la Biblia de cualquier otro —ella sonrió y enrojeció muy dulcemente y yo le dije—: Si no te importa, voy a cerrar la puerta... y a echar el cerrojo.

Luego regresé y me senté y dije:

—No vas a gritar, prométemelo. Quédate sentada y escúchalo como... un hombre. Tengo que decirte la verdad y tienes que ser fuerte, señorita Mary, porque es una verdad de las peores y va a ser duro aguantarla, pero no hay más remedio. Estos tíos tuyos no son tus tíos, ni mucho menos; son un par de impostores..., estafadores de los más ordinarios. Ya está, te he dicho lo peor y ahora podrás soportar lo demás con más facilidad.

Le dio una buena sacudida, por supuesto; pero yo estaba saliendo ya de las aguas peligrosas y seguí adelante; y sus ojos se encendían más y más, y le conté cada maldito detalle, desde cuando encontramos a ese joven tonto que iba al vapor, hasta cuando ella se echó sobre el pecho del rey en la puerta de entrada y él la besó dieciséis o diecisiete veces... Y, luego, ella saltó con la cara ardiendo como la puesta del sol y dijo:

—¡El bestia! Ven, no perdamos un minuto... ni un segundo... ¡Vamos a verlos embreados y emplumados y tirados al río!

—Desde luego —dije—. Pero quieres decir antes de irte a casa del señor Lothrop o...

—¡Oh, en qué estoy pensando! —dijo. Y se sentó de nuevo—. No hagas caso de lo que he dicho... Por favor, no harás caso, ¿verdad? —Y puso su mano sedosa encima de la mía de un modo que sentí que antes de desobedecerla moriría—. No estaba pensando, estaba tan indignada... —dijo—. Ahora sigue y no te interrumpo más. Dime qué debo hacer, y haré lo que me dices.

—Bueno —dije—, esos dos estafadores son peligrosos, y yo estoy en tal situación que tengo que viajar con ellos unos días más, si quiero como si no; prefiero no decirte por qué. Si tú los delatas, este pueblo me sacaría de sus garras y yo estaría bien; pero hay otra persona que tú no conoces que estaría metida en grandes dificultades. Bueno, tenemos que salvarle a él, ¿verdad? Por supuesto. Entonces, no vamos a denunciarlos.

Al decir esas palabras, tuve una buena idea. Vi que quizás Jim y yo podríamos liberarnos de aquellos estafadores; si los metían en la cárcel, podríamos escaparnos. Pero no quería navegar de día en la balsa sin nadie más a bordo que yo para responder a las preguntas de la gente, así que no quería poner en marcha el plan hasta bastante tarde esa noche. Dije:

—Señorita Mary Jane, te voy a decir lo que vamos a hacer y no tendrás que quedarte tanto tiempo en casa del señor Lothrop. ¿A cuánta distancia queda?

—Un poco menos de cuatro millas, allá en el campo.

—Bueno, eso valdrá. Ahora te pones en camino hacia allá y te quedas escondida hasta las nueve o nueve y media de esta noche, y luego les haces traerte a casa otra vez; diles que te hace falta para algo. Si llegas antes de las once, pon una vela en esta ventana, y si no vengo, espera hasta las once, y si tampoco vengo, eso quiere decir que me he ido y estoy fuera y a salvo. Luego sales y cuentas las noticias y haces meter a estos estafadores en la cárcel.

—Está bien —dijo—. Lo haré.

—Y si por casualidad no puedo escaparme y me cogen con ellos, tienes que decirles que yo te conté toda la historia de antemano y tienes que apoyarme todo lo que puedas.

—¡Apoyarte! Claro que lo haré. ¡No tocarán ni un pelo de tu cabeza! —dijo, y vi que se le ensanchaban las aletas de la nariz y, además, le brillaban los ojos al decirlo.

—Si me escapo, no estaré aquí —dije— para probar que estos pícaros no son tus tíos, y no podría probarlo aunque estuviera aquí. Podría jurar que eran estafadores y sinvergüenzas, y nada más, aunque eso fuera algo. Pero, bueno, hay otros que pueden hacerlo mejor que yo y son personas de quienes no se dudaría tanto como se dudaría de mí. Te diré cómo encontrarlos. Dame un lápiz y un papel. Ahí lo tienes: «*La sin par realeza*, Bricksville». Guárdalo y no lo pierdas. Cuando los tribunales quieran enterarse de quiénes son estos dos, que avisen a Bricksville y digan que tienen al hombre que representó *La sin par realeza* y que pidan unos testigos... Se presentará aquí todo aquel pueblo en un abrir y cerrar de ojos, señorita Mary. Y vendrán enfurecidos.

Pensé que ya teníamos todo arreglado. Así que dije:

—Deja que siga adelante la subasta y no te preocupes. Nadie tendrá que pagar las cosas que compra hasta un día entero después de la subasta debido a que la anunciaron tan rápido. Esos dos no se irán hasta que tengan el dinero en mano y, como lo hemos arreglado, no conseguirán ningún dinero. Es exactamente lo mismo que lo de los negros: no hubo venta, y los negros estarán de vuelta muy pronto. Como aún no pueden cobrar el dinero de la venta de los negros, están de veras en un aprieto.

—Bueno —dijo—. Bajaré a desayunar ahora y luego iré en seguida a casa del señor Lothrop.

—No, esa no es la manera, señorita Mary Jane —dije—; no, de ningún modo. Vete antes del desayuno.

—¿Por qué?

—¿Por qué motivo crees que te pido que te vayas, señorita Mary?

—Pues no lo había pensado... y ya veo que no lo sé.

—Pues porque no eres una de esas personas de cara de palo. No conozco un libro más fácil de leer que tu cara.

Cualquiera puede sentarse a leerla como las letras de molde. ¿Tú crees que puedes enfrentarte con tus tíos cuando entren a darte los buenos días con un beso y no...?

—¡Ya, ya, no sigas! Sí, me iré antes del desayuno... y con placer. ¿Y dejar a mis hermanas con ellos?

—Sí. No te preocupes por ellas. Tendrán que soportarlo aún un rato. Podrían sospechar algo si todas vosotras os fuerais. No quiero que los veas, ni a ellos ni a tus hermanas ni a nadie del pueblo; si un vecino te preguntara por tus tíos esta mañana, estoy seguro de que tu cara dejaría saber algo. No, tú te vas en seguida, señorita Mary Jane, y yo lo arreglaré con todos. Le diré a la señorita Susan que les dé un beso de tu parte y que les diga que te has ido unas horas para descansar un poco o para ver a una amiga y que regresarás esta noche o mañana temprano.

—Que me he ido a ver a una amiga, eso está bien, pero nada de darles un beso mío.

—Bueno, como quieras.

Estaba bien decírselo a ella..., no hacía daño. Solo era una cosa pequeña y no trabajosa, y son esos detalles pequeños los que hacen el camino más agradable para la gente en este mundo de acá abajo; le haría sentirse bien a Mary Jane y no costaba nada. Luego le dije:

—Hay una cosa más..., ese saco de dinero.

—Bueno, ellos lo tienen y me siento bastante ridícula al pensar cómo lo consiguieron.

—No, te equivocas. No lo tienen.

—¿Pues quién lo tiene?

—Me gustaría saberlo, pero no lo sé. Yo lo tenía porque se lo robé a ellos; se lo robé para dártelo a ti y sé dónde lo escondí, pero me temo que ya no esté allí. Lo siento mucho, señorita Mary Jane, estoy realmente apenado, pero lo hice lo mejor que pude, honradamente. Casi me cogieron en el acto y tuve que meterlo en el primer sitio que encontré y escaparme... y no era un sitio bueno.

—Oh, deja de echarte la culpa... No está bien que lo hagas y no te lo permitiré. No pudiste evitarlo y no tienes la culpa. ¿Dónde lo escondiste?

No quería hacerle pensar de nuevo en sus penas y no pude lograr que mi boca le dijera algo que le haría imaginar ese cadáver en el ataúd con aquel saco de dinero encima del estómago. Así que durante un minuto no dije nada. Luego dije:

—Prefiero no contarte dónde lo puse, señorita Mary Jane, si no te importa disculparme; pero te lo escribiré en un papel y puedes leerlo mientras vas de camino a casa del señor Lothrop, si quieres. ¿Vale?

—Oh, sí.

Así que escribí: «Lo puse en el ataúd. Yo estaba en la sala cuando tú estabas llorando allí, tan tarde por la noche. Yo estaba detrás de la puerta y sentía mucha, mucha pena por ti, señorita Mary Jane».

Me vinieron unas pocas lágrimas a los ojos cuando recordé cómo lloraba allí sola por la noche, con esos diablos bajo su mismo techo, avergonzándola y robándola; y cuando lo doblé y se lo entregué, vi que ella también tenía lágrimas en los ojos y me apretó mucho la mano y dijo:

—Adiós. Voy a tratar de hacerlo todo exactamente como me has dicho; y si no te veo otra vez, no te olvidaré jamás y pensaré en ti muchas, muchísimas veces, y ¡rezaré por ti también!

Y se fue.

¡Rezar por mí! Pensé que si me conociera, escogería una tarea más de acuerdo con sus capacidades. Pero me imagino que lo hizo en todo caso... Era de esa clase de personas. Tenía valor para rezar por Judas[1] si se le metía la idea en la cabeza; no sabía lo que era retroceder, creo yo. Puedes decir lo que te parezca, pero en mi opinión tenía más agallas que cualquier muchacha que he visto nunca; en mi opinión, estaba sencillamente llena de agallas. Suena como un halago, pero no lo es. Y si se trata de belleza... y también de bondad..., estaba por encima de todas las chicas. No la he vuelto a ver desde que la vi salir por aquella puerta; no, nunca la he visto desde entonces, pero creo que he pensado en ella muchos y muchos millones de veces y en cómo dijo que rezaría por mí; y si alguna vez hubiera pensado que valdría para algo que yo rezara por ella, maldita sea, lo habría hecho o habría reventado.

Agallas: Valor, coraje.

---

[1] Judas Iscariote, el apóstol traidor que reveló el lugar donde se podría capturar a Jesucristo sin que sus seguidores lo impidiesen.

Bueno, Mary Jane se fue corriendo por la puerta de atrás, supongo, porque nadie la vio irse. Cuando me encontré con Susan y la del labio leporino, dije:

—¿Cómo se llama esa gente que vive al otro lado del río y que vais a ver algunas veces?

Dijeron:

—Hay varias familias, pero a los Proctor los visitamos bastante.

—Sí, ese es el apellido —dije—. Casi se me olvidó. Bueno, la señorita Mary Jane me dijo que os dijera que ha tenido que irse allí con muchísima prisa... Alguien de la familia está enfermo.

—¿Quién?

—No lo sé. Por lo menos, no me viene a la mente, pero creo que es...

—¡Por el amor de Dios! Espero que no se trate de Hannah...

—Siento decírtelo —dije—, pero me parece que es Hannah.

—Oh, y se encontraba tan bien solo hace una semana. ¿Está muy mala?

—Peor que mala. Pasaron toda la noche en vela por ella, me lo dijo Mary Jane, y no creen que sobreviva muchas horas.

—¡No me digas! ¿Qué es lo que tiene?

No pude pensar en nada razonable así, de pronto, y dije:

—Paperas[2].

—¡Paperas, tu abuela! Nadie pasa la noche en vela por la gente que tiene paperas.

—Ah, qué no lo hacen, ¿eh? Pues puedes jurar que lo hacen con estas paperas. Estas paperas son distintas. Son de una clase nueva, lo dijo la señorita Mary Jane.

—¿Cómo que son de una clase nueva?

—Porque están mezcladas con otras cosas.

—¿Qué cosas?

---

[2] La parotiditis o *paperas* es una enfermedad causada por la inflamación de las glándulas parótidas (dos glándulas situadas debajo del oído y detrás de la mandíbula inferior, que poseen un conducto que vierte en la boca la saliva). Se trata de una enfermedad viral, común en la infancia, pero que también puede presentarse en la edad adulta.

—Bueno, sarampión, tos ferina, erisipela, tisis, ictericia, meningitis[3] y no sé qué más.

—¡Por Dios! ¿Y lo llaman paperas?

—Eso es lo que dijo la señorita Mary Jane.

—¿Pues por qué diablos lo llaman paperas?

—Bueno, porque son paperas. Empieza con paperas.

—Pues no tiene sentido. Una persona puede tropezar
y luego tomar veneno y luego caerse en un pozo y romperse el cuello y se le saltan los sesos; y uno viene y pregunta de qué murió y algún bobo le contesta diciendo:
«¡Pues de un tropezón!». ¿Tendría eso sentido? No. Pues
tampoco tiene sentido lo que cuentas. ¿Y eso se pega?

—¿Que si se pega? ¡Qué cosas dices! ¿Se pega un rastrillo en la oscuridad? Si no se te pega un diente del rastrillo, es seguro que se te va a pegar otro, ¿verdad? Y no
puedes escaparte de ese diente sin arrastrar todo el rastrillo detrás, ¿verdad? Bueno, esta clase de paperas es
una especie de rastrillo, como si dijéramos..., y no es un
rastrillo chapucero porque, si te engancha, te engancha
bien.

—Pues es horrible, creo yo —dijo la del labio leporino—. Voy a ver al tío Harvey y...

—Oh, sí —dije—. Sí, claro, yo en tu lugar sí que lo haría. Por supuesto que lo haría. Y no perdería tiempo.

—¿Pues por qué no lo harías?

—Considéralo solo un minuto y tal vez lo entiendas.
¿No hay nada que obligue a tus tíos a regresar a Inglaterra en seguida? ¿Y tú crees que serían capaces de irse y
dejaros hacer ese largo viaje solas? Tú sabes que os esperarían. Hasta ahora está claro... Tu tío Harvey es predicador, ¿verdad? Muy bien, entonces, ¿va un predicador a
engañar a un empleado del buque? ¿Va a engañar a un

---

[3] Para *sarampión* y *tos ferina*, véase la nota 8 del capítulo 17. *Erisipela:* enfermedad
infectocontagiosa, aguda y febril, que se caracteriza por una erupción que aparece fre-
cuentemente en la cara, aunque también puede afectar a cualquier otra parte del cuerpo. *Tisis* o tuberculosis: enfermedad infecciosa, predominantemente pulmonar, aunque también pueden verse afectados otros órganos. Se transmite por el aire cuando
el enfermo estornuda, tose o escupe. *Ictericia:* enfermedad que provoca una colora-
ción amarillenta de la piel y de las mucosas debido a un aumento de la bilirrubina
en los tejidos. *Meningitis:* inflamación de las meninges (membranas que recubren el
encéfalo y la médula espinal). Puede ser producida por virus, por bacterias o por
otros agentes como hongos o parásitos.

dependiente de la compañía marítima para que dejen subir a bordo a Mary Jane? Tú sabes que no. ¿Qué hará entonces? Pues dirá: «Es una lástima, pero mis asuntos de
la iglesia tendrán que seguir como puedan, porque es
posible que mi sobrina haya contraído esas terribles paperas *pluribus-unum*[4] y por eso es mi obligación sentarme
a esperar los tres meses necesarios para saber si las tiene». Pero no importa, si crees que es mejor decírselo a tu
tío Harvey...

—Bah, ¿y quedarnos como tontas aquí cuando podríamos pasarlo bien en Inglaterra, mientras esperamos a ver
si Mary Jane las tiene o no? Estás diciendo simplezas.

—Pues, en todo caso, tal vez debas decírselo a algunos
de los vecinos.

—Escucha ahora. Creo que tú te ganas el premio de
estupidez natural. ¿No ves que irían contándolo por ahí?
No hay más remedio que no decírselo a nadie.

—Es verdad, tal vez tengas razón... Sí, creo que tienes
razón.

—Pero me imagino que de todos modos debemos decirle al tío Harvey que Mary Jane ha salido un rato y así
no estará preocupado, ¿no crees?

—Sí, la señorita Mary Jane quería que lo hicierais. Me
dijo: «Diles que les den al tío Harvey y al tío William un
beso de mi parte y que les digan que he cruzado el río
para ver a los señores... ¿Cómo se llama esa familia rica a
la que vuestro tío Peter quería tanto? Quiero decir esa
que...

—Quieres decir los Apthorp, ¿verdad?

—Claro; qué fastidiosos son esos apellidos, la mitad
del tiempo uno casi nunca puede recordarlos, no sé por
qué. Sí, dijo: «Diles que he ido a pedirles a los Apthorp
que vengan sin falta a la subasta para comprar esta casa»,
porque Mary Jane siempre ha pensado que a su tío Peter
le habría gustado que la casa la tuvieran los Apthorp
más que otras personas; y Mary Jane va a quedarse pega-

---

[4] El nombre latino que Huck da a esas paperas inventadas está formado por el
ablativo *pluribus*, «muchos», y el acusativo *unum*, «uno». Al muchacho le sonarían
quizás esas palabras porque formaban parte de la frase latina «*E pluribus unum*»
(«De muchos, uno»), uno de los primeros lemas nacionales de los Estados Unidos,
que aludía a la integración de las trece colonias para crear un solo país.

da a ellos hasta que consientan en venir y, luego, si no está demasiado cansada, volverá a casa; y si está cansada, regresará en todo caso mañana por la mañana. Me encargó también: «No digas nada de los Proctor, menciona solamente a los Apthorp», lo cual es justo la verdad porque Mary Jane ha ido a hablarles de eso de la compra de la casa; lo sé porque ella misma me lo contó.

—Muy bien —dijeron las hermanas, y se marcharon a buscar a sus tíos y a darles saludos y besos y a contarles el mensaje.

Ya todo estaba en orden. Las muchachas no dirían nada porque querían ir a Inglaterra; y el rey y el duque preferirían que Mary Jane estuviera por ahí, lejos, trabajando en favor de la subasta, y no cerca y al alcance del doctor Robinson. Yo me sentía bien; juzgué que había hecho un trabajo bastante hábil... Creía que el mismo Tom Sawyer no habría podido idearlo mejor. Claro que él le habría dado más estilo, pero yo no tenía mucha mano para esas cosas porque no me criaron para eso.

Bueno, tuvo lugar la subasta en la plaza pública, hacia el final de la tarde, y se prolongaba y seguía y seguía y el viejo estaba presente y con una cara de las más piadosas, allá arriba, junto al subastador, y metía de vez en cuando unas palabras de la Biblia o un dicho sentimental de alguna clase, y el duque iba buscando simpatía y haciendo su «gu-gu» todo lo que podía y llamando la atención en general.

Pero después de un rato la cosa fue arrastrándose hasta llegar a su fin, se había vendido todo..., todo salvo un pequeño lote de tierra en el cementerio. Así que tenían que buscar comprador para eso también... Nunca he visto una jirafa como el rey, con tantas ganas de tragárselo todo. Bueno, mientras estaban en eso, atracó un barco de vapor y en un par de minutos vino una muchedumbre gritando y chillando y riéndose, y dijeron a voces:

—¡Aquí tenéis a la oposición! ¡Aquí tenéis dos juegos de herederos del viejo Peter Wilks!... ¡Y si pagáis dinero, podéis escoger los que prefiráis!

Capítulo 29

Traían a un caballero viejo de aspecto muy agradable, y a uno más joven, también agradable, con el brazo derecho en cabestrillo. Y, por Dios, cómo gritaba y reía y seguía la gente con la misma historia. Pero yo no le veía el chiste y pensé que el duque y el rey tendrían también que esforzarse para vérselo. Pensé que se pondrían pálidos. El duque no se daba por enterado de lo que pasaba, sino que siguió por ahí con su «gu-gu», feliz y satisfecho, como una jarra que vierte leche cremosa; en cuanto al rey, miraba y seguía mirando con lástima a los recién llegados, como si le diera dolor de estómago en el corazón mismo solo de pensar que podía haber tales impostores y sinvergüenzas en el mundo. Oh, lo hacía de modo admirable. Muchas de las personas principales rodearon al rey para mostrarle que estaban de su parte. Aquel caballero viejo que acababa de llegar parecía totalmente confundido. Después de un rato empezó a hablar y entendí en seguida que pronunciaba como un inglés, y no como el rey, aunque lo hacía bastante bien para ser una imitación. No puedo repetir las palabras del viejo caballero ni puedo imitarle, pero se volvió hacia la muchedumbre y dijo algo como esto:

—Esta es una sorpresa que no esperaba y reconozco con candidez y franqueza que no estoy muy bien preparado para enfrentarme con ella y darle una respuesta, porque mi hermano y yo hemos sufrido unos contratiempos; él se rompió el brazo y, por error, anoche dejaron nuestro equipaje en un pueblo río arriba. Soy Harvey, el hermano de Peter Wilks, y este es su hermano William, que no puede oír ni hablar... y no puede hacer muchos gestos ahora que solo tiene una mano con la que hacerlos. Somos quienes decimos que somos y dentro de un día o dos, cuando llegue el equipaje, podré demostrarlo. Pero hasta entonces no voy a decir más, sino que me voy al hotel a esperar.

Así que él y el nuevo mudo se marcharon. Y el rey se rio y farfulló:

—¡Que se ha roto el brazo! ¡Qué bueno! Y cómo le conviene rompérselo, además, a un impostor que tiene que hacer gestos y no ha aprendido a hacerlos. ¡El equipaje perdido! ¡Eso sí que es bueno! ¡Muy ingenioso, dadas las circunstancias!

Así que rio de nuevo y también se rieron todos, menos tres o cuatro, o tal vez media docena. Uno de estos era el médico aquel. Otro era un caballero con aspecto de listo, con una maleta de estilo antiguo hecha de tela de alfombra; acababa de bajar del vapor y hablaba con el médico en voz baja y de vez en cuando miraban de soslayo al rey y asentían con la cabeza: era Levi Bell, el abogado que se había ido a Louisville. Y otro era un hombre fornido y duro que pasaba por allí y había escuchado todo lo que dijo el caballero viejo y ahora escuchaba al rey. Cuando terminó de hablar el rey, este hombre dijo:

—Oiga, si usted es Harvey Wilks, ¿cuándo llegó a este pueblo?

—El día antes del entierro, amigo —dijo el rey.

—Pero ¿a qué hora?

—Por la tarde, una hora o dos antes de ponerse el sol.

—¿Cómo llegó usted?

—Llegué en el *Susan Powell*, de Cincinnati.

—Bueno, entonces, ¿cómo estaba cerca de la punta por la mañana en una canoa?

—No estaba cerca de la punta por la mañana.

—Miente.

Varios hombres se abalanzaron sobre él y le rogaron que no hablara de esa forma a un viejo que, además, era predicador.

—Al diablo con eso de que es predicador: es un impostor y un mentiroso. Estaba cerca de la punta aquella mañana. Yo vivo allí, ¿no? Bueno, yo estuve allí y él estuvo allí. Yo le vi allí. Llegó en una canoa con Tim Collins y un muchacho.

El médico se metió por medio y dijo:

—¿Podrías reconocer al muchacho si lo vieras otra vez, Hines?

—Me imagino que sí, pero no lo sé... Pues ahí está, ese es. Le reconozco perfectamente

Me señaló a mí. El médico dijo:

—Convecinos, yo no sé si esos dos recién llegados son impostores o no; pero si los presentes no son fraudulentos, yo soy idiota sin más. Creo que es nuestra obligación asegurarnos de que no se vayan de aquí hasta haber investigado el asunto. Ven conmigo, Hines, y que vengan los demás también. Vamos a llevar a estos tipos a la taberna y a enfrentarlos con los otros dos, creo que nos enteraremos de algo antes de terminar.

Era un jolgorio para la muchedumbre, aunque tal vez no lo era para los amigos del rey, así que nos pusimos en camino. Era al anochecer. El médico me llevó de la mano y fue bastante bondadoso conmigo, pero no me soltó la mano ni un momento.

Llegamos todos a una sala grande del hotel y encendieron unas velas y trajeron a los recién llegados. Primero, el médico dijo:

—No quiero tratar con demasiada dureza a estos dos hombres, pero creo que son impostores y quizá tengan cómplices que desconocemos. Si los tienen, ¿no se escaparán con ese saco de oro que dejó Peter Wilks? No es improbable. Si estos hombres no son impostores, no tendrán inconveniente en mandar traer ese dinero y dejar que lo guardemos nosotros hasta que demuestren su identidad. ¿No les parece?

Todo el mundo estuvo de acuerdo. Yo pensé que nuestra cuadrilla estaba en un buen aprieto desde el comienzo. Pero el rey no hizo más que poner cara de lástima y dijo:

—Caballeros, me gustaría que el dinero estuviera aquí porque no tengo nada en contra de que haya una investigación justa y abierta y completa de todo este triste asunto. Pero, ay de mí, el dinero no está; pueden mandar buscarlo y averiguar lo que digo, si les parece.

—¿Dónde está entonces?

—Bueno, mi sobrina me lo dio para que se lo guardara y lo cogí y lo escondí dentro del jergón de paja de mi cama porque no quería meterlo en el banco para los pocos días que íbamos a estar aquí y porque pensaba que la cama sería un lugar seguro, ya que no estamos acostumbrados a los negros y los suponíamos personas honradas, como los sirvientes en Inglaterra. Los negros lo robaron esa misma mañana, después de que yo me hubiera ido al piso de abajo, y cuando los vendí, no había echado en falta el dinero todavía, así que se largaron con él sin problemas. Mi criado puede confirmárselo, caballeros.

El médico y otros dijeron: «¡Bah!», y yo vi que nadie le creía por completo. Un hombre me preguntó si yo había visto a los negros robar el dinero. Dije que no, que los había visto escabullirse del cuarto e irse deprisa y que yo no había imaginado que nada iba mal, solo creía que temían haber despertado a mi amo y trataban de escaparse antes de que les echara una bronca. Eso fue todo lo que me preguntaron. Luego, el médico se volvió hacia mí y dijo:

—¿Tú eres inglés también?

Dije que sí y él y algunos otros se echaron a reír y dijeron: «¡Vaya!». Bueno, entonces entraron a saco en la investigación general y allí nos tuvieron, pregunta va y pregunta viene, hora tras hora, y nadie dijo ni una palabra de cenar ni parecían preocuparse de eso..., y seguían y seguían de esa forma; y era el asunto peor y más mezclado y enredado que haya visto. Hicieron al rey contar su historia y pidieron al caballero viejo que contara la suya; y cualquiera, salvo un montón de cabezas tontas con ideas fijas, podía ver que el caballero viejo narraba la verdad y el otro mentiras. Y después de un rato me llamaron a mí para que contara lo que sabía. El rey me echó una mirada siniestra con el rabillo del ojo y así sabía yo bien qué tenía que contar.

Empecé a hablar de Sheffield y de cómo vivíamos allí y todo sobre los Wilks ingleses y así seguí, pero no había llegado muy lejos cuando el médico se echó a reír y Levi Bell, el abogado, dijo:

—Siéntate, hijo; yo que tú no me esforzaría más. Creo que no estás acostumbrado a mentir porque no muestras mucha habilidad; te falta práctica. Lo haces con bastante torpeza.

No me importaba nada el cumplido, pero me alegré de que me disculparan. El médico empezó a decir algo y se dio la vuelta y dijo:

—Si hubieras estado en el pueblo al principio, Levi Bell...

El rey le interrumpió y alargó la mano y dijo:

—No me diga, ¿es el viejo amigo de mi pobre hermano muerto, al que mencionaba tanto en sus cartas?

El abogado y él se dieron la mano, y el abogado se sonrió y parecía complacido, y se pusieron a hablar un rato y luego se apartaron y hablaron en voz baja y, por fin, el abogado levantó la voz y dijo:

—Eso lo dejará arreglado. Tomaré nota de la orden y la enviaré junto con la de su hermano y entonces sabrán que todo está en orden.

Así que sacaron papel y una pluma y el rey se sentó y torció la cabeza a un lado y se mordió la lengua y garabateó algo; y luego le dieron la pluma al duque... y entonces por primera vez el duque pareció ponerse enfermo. Pero tomó la pluma y escribió también. Luego, el abogado se volvió hacia el nuevo caballero viejo y le dijo:

—Por favor, escriban usted y su hermano una o dos líneas y firmen.

El caballero viejo escribió, pero no había nadie capaz de entenderlo. El abogado pareció estar muy asombrado y dijo:

—Pues no entiendo ni...

Y sacó muchas cartas viejas de su bolsillo y las examinó y volvió a examinar la letra del viejo y luego las cartas de nuevo. Entonces dijo:

—Estas cartas viejas son de Harvey Wilks y aquí tenemos estas dos letras y, como cualquiera puede ver, estos no escribieron las cartas.

El rey y el duque parecían engañados y ridículos, te lo aseguro, al ver cómo el abogado los había cogido en la trampa.

—Y aquí tenemos la letra de este caballero, y cualquiera puede ver también fácilmente que él no escribió las cartas... La verdad es que los garabatos que hace no son ni letras propiamente dichas. Ahora, aquí tenemos unas cartas de...

—Por favor, permítame que me explique. Nadie puede leer mi letra salvo mi hermano... Por eso, él copia mis cartas: es su letra la que tiene usted ahí delante, y no la mía.

—¡Bueno! —dijo el abogado—. Esto sí que es un complicado estado de cosas... Tengo también algunas cartas de William y si usted le pide que escriba una línea para que podamos compro...

—No puede escribir con la mano izquierda —dijo el caballero viejo—. Si pudiera usar la mano derecha, vería que escribió sus propias cartas y también las mías. Mire las suyas y las mías, por favor... Tienen la misma letra.

El abogado lo hizo y dijo:

—Creo que es verdad... y, si no lo es, hay una semejanza mucho mayor que la que había notado antes. ¡Vaya, vaya! Yo pensaba que estábamos sobre la pista de la solución, pero se ha ido al garete, por lo menos en parte. De todos modos, se ha demostrado una cosa: estos dos no son, ni el uno ni el otro, un Wilks.

Y, meneando la cabeza, señaló al rey y al duque.

¿Pues qué te parece? ¡El rey, ese viejo tonto, cabeza de burro, no cedió ni entonces! Ni pensarlo. Dijo que no era una prueba justa. Dijo que su hermano William era el más bendito bromista del mundo y que no había intentado escribir... Él había notado ya que William iba a gastar una broma de las suyas en cuanto agarró la pluma. Y así se iba el rey acalorando y siguió gorgoriteando hasta que yo creo que verdaderamente él mismo empezó a creer lo que decía, aunque después de un rato el caballero recién llegado le interrumpió y dijo:

—Se me ha ocurrido algo. ¿Hay alguien aquí que ayudara a amortajar a mi herma..., que ayudara a amortajar al difunto Peter Wilks?

—Sí —dijo alguien—. Yo y Ab Turner lo hicimos. Estamos aquí.

Luego, el viejo se volvió hacia el rey y dijo:

—¿Tal vez este caballero puede decirme lo que llevaba tatuado en el pecho?

Diablos, el rey tuvo que reanimarse muy rápido o se habría derrumbado como un ribazo socavado por el río. Le cogió así de repente y fíjate que fue una cosa calculada para hundir a cualquiera, un golpe tan fuerte como ese y sin previo aviso. ¿Porque cómo iba a saber él lo que llevaba tatuado ese hombre? Se puso un poco pálido, no pudo evitarlo. Había un gran silencio y todo el mundo se inclinaba hacia adelante y le miraba fijamente. Me dije a mí mismo: «Ahora abandonará la lucha, ya no hay remedio». Pero ¿la abandonó? Cuesta trabajo creerlo, pero no se dio por vencido. Creo que pensaba seguir con el asunto hasta dejarlos a todos rendidos de cansancio, así iría quedando menos gente, y él y el duque podrían verse sueltos y escaparse. En todo caso, el rey se quedó sentado allí y al rato empezó a sonreír y dijo:

—¡Puf! Es una pregunta muy difícil, ¿verdad? Sí, señor, le puedo decir lo que llevaba tatuado en el pecho. Era solo una pequeña flecha, fina y azul..., eso es lo que era; y si no se miraba con cuidado, no se podía ver. Ahora, ¿qué tiene que decir, eh?

Bueno, yo nunca había visto nada parecido a ese viejo bribón en cuanto a desfachatez pura y limpia.

El caballero recién llegado se volvió rápidamente hacia Ab Turner y su compañero, se le encendieron los ojos, como si pensara que esta vez tenía cogido al rey, y les dijo:

—Ahí lo tienen. ¡Han oído lo que ha dicho! ¿Había una señal como esa en el pecho de Peter Wilks?

Los dos hablaron:

—No vimos ninguna señal semejante.

—¡Bien! —dijo el caballero viejo—; ahora, lo que sí vieron en su pecho fue una letra P borrosa y pequeña, y una B, que era una inicial que dejó de usar de joven, y una W, y las tres separadas por guiones así: P-B-W —y el viejo caballero las trazó de esa forma en un papel—. Venga, ¿no es lo que vieron?

Los otros dos hablaron a la vez, diciendo:

—No, no lo vimos. No vimos ninguna señal en absoluto.

Bueno, ahora sí que todos estaban de veras inquietos y gritaron:

—¡Todos son unos impostores! ¡Vamos a ahogarlos! ¡A zambullirlos! ¡A echarlos del pueblo!

Y todos chillaron al mismo tiempo y hubo un alboroto infernal. Pero el abogado saltó a la mesa y gritó:

—¡Caballeros..., caballeros! ¡Escúchenme una palabra, una sola palabra, por favor! Todavía hay un remedio... Vamos a desenterrar el cadáver y a mirarlo.

Eso los convenció.

—¡Hurra! —gritaron todos y comenzaron a ponerse en marcha.

Pero el abogado y el médico gritaron:

—¡Esperad, esperad! ¡Agarremos a estos cuatro hombres y al muchacho y vamos a llevarlos también!

—¡Así lo haremos! —gritaron todos—. ¡Y si no encontramos esos tatuajes, vamos a linchar a toda la cuadrilla!

Yo estaba asustado en ese momento, te lo aseguro. Pero, sabes, no había manera de escapar. Nos agarraron, pues, a todos y nos hicieron marchar adelante, derechos al cementerio, que estaba a milla y media río abajo, y todo el pueblo venía pisándonos los talones y hacíamos bastante ruido y solo eran las nueve de la noche.

Al pasar delante de nuestra casa, deseé no haber enviado fuera del pueblo a Mary Jane porque ahora hubiera podido yo advertirle en secreto y ella hubiese corrido a salvarme y a denunciar a nuestros pícaros.

Bueno, íbamos como en enjambre por el camino del río, armando un jaleo de gatos salvajes. Y, para hacerlo todo más espantoso, el cielo empezó a oscurecerse y los relámpagos comenzaron a parpadear y flamear, mientras el viento se estremecía entre las hojas. Este fue el apuro más terrible y más peligroso en que me he metido nunca, y yo me encontraba como estupefacto; todo había salido totalmente distinto de lo que había imaginado; en vez de estar en condiciones de tomarme el tiempo que quisiera y de ver la diversión de lejos y de tener a Mary Jane a mis espaldas para salvarme y dejarme libre cuando llegara el aprieto, me veía sin otra cosa que me separara de la muerte que aquellos tatuajes. Como no los encontraran...

No podía soportar ese pensamiento y, sin embargo, por alguna razón, me era imposible pensar en otra cosa. Se puso más y más oscuro, y era un momento ideal para deslizarme y escapar de la muchedumbre, pero el hombre fornido, ese Hines, me tenía bien agarrado por la muñeca... y seguro que uno podría haber tratado de escaparse de Goliat[1] con igual resultado. Me arrastraba hacia adelante y con prisa, de tan emocionado como estaba, y yo tenía que correr para seguir su paso.

Cuando llegaron los que nos seguían, entraron como en enjambre al cementerio y se desparramó la gente por todas partes como una marejada. Y, al tropezar con la tumba, se dieron cuenta de que tenían como cien veces más palas de las que necesitaban, pero a nadie se le había ocurrido llevar una linterna. Sin embargo, se pusieron a cavar a la luz de los relámpagos y enviaron a un hombre a pedir una linterna a la casa más próxima, a media milla de allí.

Cavaron y cavaron como locos y se puso muy oscuro y empezó a llover y el viento silbaba y aullaba, los relámpagos caían más y más vivos, y los truenos retumbaban; pero la gente ni prestaba atención, de tan absortos como estaban en el asunto. Durante un minuto podías ver con enorme claridad aquella escena, cada cara de la gran muchedumbre, y las paladas de tierra que salían volando de la tumba. Y en el siguiente minuto la oscuridad lo borraba todo y no podías ver nada en absoluto.

Por fin, sacaron el ataúd y empezaron a destornillar la tapa y entonces se desató un barullo de empujones y codazos y luchas como nunca has visto, pues todos querían acercarse y echar una ojeada. Y con la oscuridad que había, era horrible. Hines me hacía daño en la muñeca con tanto tirón y tanto apretármela y hasta creo que se olvidó de mi existencia de tan emocionado y jadeante como estaba.

De repente, un relámpago soltó un verdadero chorro de luz blanca y alguien gritó:

—¡Por todos los demonios, tiene el saco de oro sobre el pecho!

Hines dio un grito, como todos los demás, soltó mi muñeca y se lanzó hacia adelante como una gran ola para abrirse paso y echar una mirada, y nadie puede contar cómo arranqué a correr y me lancé hacia el camino en la oscuridad.

---

[1] Gigante oriundo de la ciudad de Gath y miembro del ejército filisteo. Fue vencido por el rey David, que con su honda le hirió de muerte en la cabeza *(1 Samuel 17)*.

Tenía todo el camino para mí y volé de veras; sí que tenía todo el camino para mí, a no ser por esa oscuridad sólida y los relumbros de vez en cuando y el zumbido de la lluvia y los latigazos del viento y los estallidos de los truenos. ¡Tan seguro como que has nacido que yo corría como nunca!

Relumbro: Rayo de luz momentáneo.

Cuando llegué al pueblo, vi que no había nadie fuera a causa de la tormenta y, por eso, no busqué las callejas para meterme por ellas, sino que corrí con todas mis fuerzas a lo largo de la calle principal. Cuando iba acercándome a nuestra casa, puse los ojos en las ventanas y no los moví. No había luz allí; toda la casa seguía a oscuras..., lo cual me hizo sentir desilusionado y triste, sin saber por qué. Pero, por fin, justo en el momento en que pasaba volando, ¡zas!, apareció una luz en la ventana de Mary Jane. Y se me ensanchó el corazón de repente, a punto de reventar. Y, en el mismo momento, la casa y todo aquello quedó detrás de mí en la oscuridad, y no iba a volver a verlos delante de mí nunca jamás en este mundo. Mary Jane era la mejor muchacha que he visto nunca, y tenía más valor y agallas que ninguna.

En cuanto estuve lo bastante río arriba del pueblo como para ver que ya podía llegar desde allí al banco de arena, empecé a buscar un bote, y la primera vez que los relámpagos mostraron uno que no estaba amarrado con cadenas, lo cogí prestado y arranqué. Era una canoa y solo estaba atada con una cuerda. El banco de arena se encontraba todavía a una distancia enorme, allá lejos, en el centro del río, pero no perdí tiempo; y cuando llegué por fin a la balsa, estaba tan rendido que, si hubiera podido permitirme el lujo, me habría tumbado allí para jadear a gusto y recobrar el aliento. Pero no pude. Al saltar a bordo, grité:

—¡Fuera, Jim, suelta la balsa! ¡Gracias al cielo estamos libres de ellos!

Jim salió corriendo y se dirigió hacia mí con los brazos abiertos, de tan lleno como estaba de alegría. Pero cuando le descubrí de golpe a la luz de los relámpagos, mi corazón saltó hasta la boca y caí de espaldas al agua porque había olvidado que era el viejo rey Lear y un árabe ahogado, todo en uno, y me asustó tanto su presencia

que casi se me escaparon por la boca la sangre y el híga-
do y todo. Jim me repescó del río y ya iba a abrazarme y
bendecirme y todo eso, porque estaba muy contento de
que yo hubiera vuelto y de que nos viéramos libres del
rey y del duque, pero yo le dije:

—¡No, ahora no, déjalo para el desayuno! ¡Corta la
amarra y déjala correr!

Así que en dos segundos estábamos deslizándonos río
abajo y nos pareció estupendo sentirnos libres otra vez,
solo nosotros dos sobre el gran río, sin nadie que nos fas-
tidiara... Tuve que dar unos brincos y saltar y chocar los
talones unas cuantas veces, no podía contenerme. Pero al
tercer salto más o menos noté un sonido que conocía
muy bien, contuve el aliento y esperé y escuché y, efecti-
vamente, cuando el siguiente fogonazo estalló sobre el
agua, ¡allí los teníamos! ¡Y cómo trabajaban con los remos y hacían zumbar el esquife! Eran el rey y el duque.

Así que me dejé caer marchito sobre las tablas de la
balsa y me di por vencido; gasté todas mis fuerzas en no
echarme a llorar.

Capítulo 30

Cuando subieron a bordo, el rey se lanzó sobre mí y me cogió del cuello de la camisa y me sacudió y dijo:

—¡Trataste de escapar de nosotros, eh, cachorro! ¿Cansados de nuestra compañía, eh?

Dije:

—No, majestad, no lo estábamos... ¡Por favor, no me hagas eso, majestad!

—Rápido, entonces: ¡cuéntanos qué ideas tenías o te sacudiré las entrañas!

—Honradamente, te contaré todo exactamente como ocurrió, majestad. Ese hombre que me tenía agarrado era muy bueno conmigo y seguía diciéndome que tenía un hijo de casi mi edad, que murió el año pasado, y que sentía mucho ver a un muchacho en un aprieto tan peligroso; y cuando les cogió de sorpresa a todos el encontrar el oro y se echaron hacia el ataúd, me soltó y me susurró: «¡Vete corriendo ahora o, si no, seguro que te van a ahorcar!». Y yo eché a correr. No parecía que valiera para nada que me quedara..., yo no podía hacer nada y no quería que me ahorcaran cuando podía escaparme. Así que no dejé de correr hasta que encontré la canoa y, cuando llegué aquí, le dije a Jim que se diera prisa o me cogerían y me ahorcarían, y dije que temía que tú y el duque ya no estuvierais vivos, y lo sentía muchísimo, y Jim también. Y me puse muy contento cuando os vi venir, puedes preguntar a Jim si no me crees.

Jim dijo que era verdad. El rey le mandó callar y dijo:

—¡Oh, sí, es muy, muy probable!

Y me sacudió otra vez y declaró que creía que me debía ahogar. Pero el duque dijo:

—¡Suelta al muchacho, viejo idiota! ¿Habrías hecho tú otra cosa en su lugar? ¿Preguntaste por él cuando te soltaron? Yo no lo recuerdo.

Así que el rey me soltó y empezó a maldecir al pueblo ese y a todos los que vivían en él. Pero el duque dijo:

—Mejor sería que te echaras unas maldiciones a ti mismo porque tienes más derecho a recibirlas que nadie. Desde el principio no has hecho ni una cosa que tuviera sentido, salvo cuando tuviste esa salida tan fresca y tan de caradura con lo de la señal de una flecha azul. Eso sí fue de un tipo listo..., fue realmente estupendo y fue lo que nos salvó. Porque, de no haber sido por eso, nos habrían encarcelado hasta que llegara el equipaje del inglés... y luego... ¡la penitenciaría, sin duda! Pero ese truco los llevó al cementerio, y el oro nos hizo un favor todavía mayor porque si esos tontos tan excitados no hubieran soltado todo para lanzarse a verlo, habríamos dormido esta noche con corbatas..., y corbatas hechas para durar... más tiempo de lo que nos habría hecho falta.

Penitenciaría: Cárcel.

Se quedaron callados un minuto..., pensando. Luego, el rey dijo como un poco distraído:

—¡Puf! ¡Y creíamos que lo habían robado los negros! ¡Eso me puso sobre ascuas!

—Sí —dijo el duque, lento, deliberado y sarcástico—, sí, lo creíamos.

Después de medio minuto, el rey dijo arrastrando las palabras:

—Por lo menos, yo lo creía.

Y el duque dijo de la misma manera:

—Al contrario; era yo quien lo creía.

El rey se puso un poco encrespado y dijo:

—Mira, Bilgewater, ¿a qué te refieres?

El duque repuso con bastante viveza:

—Tratando de ese asunto, quizás me permitas preguntarte a qué te referías tú.

—¡Bah! —dijo el rey, muy sarcástico—. Qué sé yo... Quizás estabas dormido y no sabías lo que hacías.

El duque se puso erizado de rabia entonces y dijo:

—¡Deja ya esas malditas tonterías! ¿Me tomas por un condenado tonto? ¿Crees que no sé quién escondió ese dinero en el ataúd?

—¡Sí, señor! Yo sé que lo sabes, ¡porque lo hiciste tú mismo!

—¡Es mentira! —y el duque se echó encima de él.

El rey gritó entonces:

—¡Quítame las manos de encima! ¡Suéltame la garganta! ¡Retiro lo dicho!

El duque dijo:

—Bien, admite primero que tú escondiste allí el dinero, pensando darme esquinazo un día de estos, para regresar y desenterrarlo y tenerlo todo para ti.

—Espera un minuto, duque... Aclárame esta cuestión, honrada y abiertamente: si tú no pusiste el dinero allí, dímelo y te lo creeré y retiraré todo lo dicho.

—Claro que no lo hice, viejo bribón, y tú sabes que no lo hice. ¡Ahí lo tienes!

—Bien, entonces te creo. Pero contéstame solo otra pregunta y no te enfades: ¿no tenías pensado llevarte el dinero y esconderlo?

El duque no dijo nada durante un rato. Luego contestó:

—Qué importa si lo pensé. En todo caso, no lo hice. Pero tú no solo lo pensaste, sino que lo hiciste.

—Que me muera si lo hice, duque, y lo digo honradamente. No te diré que no iba a hacerlo, porque sí que lo pensé; pero tú... o, quiero decir, alguien... se me adelantó.

—¡Es mentira! Tú lo hiciste y tienes que admitir que lo hiciste o...

El rey empezó a soltar un gorgoteo y luego dijo con voz ronca:

—¡Basta! ¡Lo confieso!

Me alegré mucho al oírle decir eso; me hizo sentir bastante más tranquilo que antes. Así que el duque le quitó las manos de la garganta y dijo:

—Si lo niegas otra vez, te ahogaré. Está bien que te sientes ahí y lloriquees como una criatura: es propio de ti, después de la manera como te has portado. Nunca he visto un viejo avestruz semejante, que quisiera tragárselo todo... Y yo que confié en ti todo el tiempo, como si fueras mi propio padre. Deberías haberte avergonzado al oír echarles la culpa a unos pobres negros, y tú quedándote tan tranquilo y sin decir una palabra en su favor. Me hace sentir ridículo pensar que me dejé engañar y que me creí esa basura. Maldito seas, ya veo por qué tenías tantas ganas de borrar el déficit: lo que querías era apoderarte del dinero que saqué de *La sin par realeza* y de aquí y de allá, y ¡arramplar con todo!

El rey, tímido y todavía gangueando, dijo:

—Pero, duque, si fuiste tú el que dijo eso de borrar el déficit, no fui yo.

—¡Cállate la boca! ¡No quiero oírte ni una palabra más! —dijo el duque—. Ahora ya ves lo que has conseguido con ello. Han recuperado todo su dinero y todo el nuestro, además, menos un centavo o dos. Vete a la cama y ¡no me hables de déficit ni de nada semejante en lo que te queda de vida!

Así que el rey se deslizó dentro de la choza y agarró la botella a modo de consuelo. El duque no tardó en coger la suya y así, después de media hora, eran tan íntimos de nuevo como buenos ladrones, y cuanto más íntimos se ponían, más cariñosos se mostraban y, por fin, comenzaron a roncar abrazados. Se pusieron bastante ebrios, pero yo me di cuenta de que el rey no se emborrachó lo bastante como para olvidarse de recordar que no debía negar que fue él quien escondió el saco de dinero. Eso me hizo sentir aliviado y satisfecho. Por supuesto, cuando se pusieron a roncar, Jim y yo pasamos parloteando un rato largo y le conté a Jim toda la verdad.

Capítulo 31

Durante días y días no nos atrevimos a detenernos en ningún pueblo, seguimos bajando el río. Estábamos ya en pleno sur, con tiempo caluroso y a una enorme distancia de casa. Empezamos a ver árboles cubiertos de musgo negro que colgaba de las ramas como largas barbas grises. Era la primera vez que yo veía ese musgo que crecía así y que daba al bosque un aspecto solemne y lúgubre. Entonces, los estafadores pensaron que no corrían peligro y otra vez comenzaron a trabajarse las aldeas.

Primero dieron una conferencia sobre la abstinencia del alcohol, pero no sacaron lo bastante para emborracharse los dos. Luego, en otra aldea, pusieron una escuela de baile, pero no sabían bailar más de lo que sabe un canguro, así que, a la primera cabriola que hicieron, el público intervino y los hizo cabriolar hacia las afueras del pueblo. Otra vez intentaron clases de declamación, pero no llevaban mucho declamando cuando se levantó el público y les echó unas maldiciones bien sólidas y los hizo largarse. Probaron a hacer de misioneros y el mesmerismo y a ser curanderos y a decir la buenaventura y un poco de todo, pero no parecían tener mucha suerte. Al fin estaban casi completamente pelados y pasaban el tiempo en la balsa mientras seguíamos flotando río adelante, y ellos pensaban y pensaban sin decir nada, durante la mitad de un día a veces, y estaban miserablemente tristes y desesperados.

Y, por fin, cambiaron de actitud y empezaron a tener consultas dentro de la choza, hablando en voz baja y confidencial durante dos y tres horas seguidas. Jim y yo nos pusimos inquietos. No nos gustaba la pinta que tenía aquello. Juzgamos que estaban estudiando cómo hacer diabluras de las peores. Dábamos vueltas y vueltas a nuestros temores y, por fin, decidimos que iban a en-

trar a robar una casa o una tienda, o iban a falsificar dinero, o algo así. Así que nos sentíamos asustados y nos pusimos de acuerdo en que no íbamos a tener nada que ver con tales asuntos y que, si se nos presentaba la menor ocasión, les daríamos esquinazo y nos largaríamos, dejándolos atrás. Bueno, una mañana temprano escondimos la balsa en un lugar bien seguro, a unas dos millas río abajo de una pequeña aldea miserable llamada Pikesville. El rey se dirigió a tierra y nos mandó a todos quedarnos escondidos mientras él iba al centro a husmear para ver si alguien había percibido en el aire noticias de *La sin par realeza*. «Quieres decir que vas a ver si encuentras una casa que robar —me dije a mí mismo—. Cuando regreses, majestad, vas a preguntarte qué ha pasado conmigo y con Jim y con la balsa... y tendrás que quedarte con las puras preguntas». Y nos dijo que, si no regresaba hacia mediodía, sabríamos el duque y yo que todo iba bien y que debíamos ir al pueblo.

Así que nos quedamos. El duque se irritaba y se impacientaba y estaba de un humor bastante avinagrado. Nos reñía a cada momento y parecía que no hacíamos nada bien; en cada pequeña cosa encontraba algo que criticar. Alguna tormenta nos amenazaba, seguro. Yo me alegré de veras cuando vi que el rey no había vuelto al mediodía; eso nos ofrecía un cambio, en todo caso, y tal vez, además, la oportunidad para nuestra oportunidad. Así que yo y el duque subimos a la aldea y buscamos al rey por allí y al poco rato le encontramos en la trastienda de una tabernucha; estaba muy borracho, muchos holgazanes le molestaban para divertirse y él los maldecía y amenazaba con todas sus fuerzas, aunque se encontraba tan borracho que no podía caminar ni hacerles nada. El duque empezó a insultarle, llamándole viejo tonto, y el rey le replicaba con insolencias y cuando llevaban un minuto enzarzados en plena discusión, yo me escapé, puse pies en polvorosa y me fui corriendo como un gamo por el camino del río porque vi en ello nuestra oportunidad y había decidido que pasaría muchísimo tiempo antes de que esos tipos nos vieran a mí y a Jim otra vez. Llegué a la balsa sin aliento, pero cargado de alegría, y grité:

—¡Suéltala, Jim! ¡Ya estamos libres!

Pero no hubo respuesta, nadie salió de la choza. ¡Jim no estaba! Grité una vez... y luego otra vez y luego otra. Fui corriendo de un lado a otro por el bosque, gritando y chillando, pero fue inútil: el viejo Jim se había ido. Luego me senté y lloré; no pude evitarlo. Pero no pude quedarme quieto mucho tiempo. Después de un rato salí al camino, intentando pensar qué debía hacer, y encontré a un muchacho que iba caminando y le pregunté si había visto a un negro forastero vestido de tal guisa.

Guisa: Modo.

—Sí —me dijo.

—¿Por dónde?

—Ahí, en la granja de Silas Phelps, dos millas río abajo. Es un negro fugitivo y lo tienen ahí. ¿Le estabas buscando?

—¡Ni pensarlo! Tropecé con él en el bosque hace una hora o dos y dijo que si gritaba me iba a sacar los hígados y me mandó tumbarme y quedarme donde estaba. Y yo lo hice. He estado ahí desde entonces, con miedo de salir.

—Bueno —dijo—, ya no tienes nada que temer porque ellos lo tienen. Se escapó de algún lugar en el sur.

—Qué suerte que lo hayan cogido.

—Pues ya lo creo. Hay una recompensa de doscientos dólares por su entrega. Es como encontrar dinero en el suelo.

—Sí, es verdad, y yo podría haberlo cobrado si hubiera sido más grande; yo le vi primero. ¿Quién le cazó?

—Era un tipo viejo, un forastero... Vendió su oportunidad de cobrar la recompensa por cuarenta dólares, porque tiene que viajar río arriba y no puede esperar más. ¡Imagínate! Te aseguro que yo esperaría aunque fueran siete años.

—Y yo también —dije—. Pero tal vez esa recompensa no vale más que eso, si la vendió tan barata. Tal vez haya algo que no esté en regla.

—Sí, está en regla..., sin la menor duda. Yo mismo vi el anuncio. Lo describe con todo detalle, como pintado en un cuadro, y dice de qué plantación viene, río abajo de Nueva Orleáns. No, señor, no hay problemas con ese cartel, te lo aseguro. Oye, dame una mascada de tabaco, ¿quieres?

Yo no tenía tabaco, así que se marchó. Regresé a la balsa y me senté en la choza a pensar. Pero no pude llegar a ninguna solución. Pensé hasta dolerme la cabeza, pero no veía manera de salir de ese problema. Después de todo ese largo viaje y después de todo lo que habíamos hecho por esos pícaros, resultaba que nada había salido bien; todo quedaba hecho añicos y arruinado porque ellos tenían en el corazón hacerle una jugada como esa a Jim y condenarle a la esclavitud otra vez para toda la vida y venderle entre extraños, además, por cuarenta sucios dólares.

De pronto me dije a mí mismo que para Jim sería mil veces mejor seguir de esclavo en casa, donde tenía familia, si es que tenía que ser esclavo, y que lo más conveniente era que yo escribiese una carta a Tom Sawyer para decirle que debía contarle a la señorita Watson dónde estaba ahora Jim. Pero dejé esa idea a un lado por dos razones: la señorita estaría disgustada y enfadada con Jim por su picardía y su falta de gratitud, al abandonarla, y por eso le vendería río abajo otra vez; y aunque no lo hiciera, como todo el mundo desprecia instintivamente a un negro poco agradecido, le haría sufrir por eso a cada momento, con lo cual Jim se sentiría avergonzado y despreciable. Y luego —en cuanto a mí— correría la voz de que Huck Finn había ayudado a un negro a conseguir la libertad y, si alguna vez veía yo a alguien de ese pueblo, tendría que arrodillarme y besarle los pies de pura vergüenza. Eso es lo que pasa: una persona hace una cosa baja y despreciable, y luego no quiere aceptar las consecuencias de haberlo hecho. Mientras puede ocultarse, piensa que no ha hecho nada deshonroso. Ese era exactamente mi caso. Cuanto más estudiaba este asunto, más me remordía la conciencia y más despreciable y bajo y malvado me sentía. Y, por fin, de repente, comprendí que aquí se veía claramente la mano de la Providencia: me abofeteaba en la cara y me avisaba que siempre observaba mi maldad desde allá arriba, desde el cielo, mientras yo le robaba un negro a una pobre vieja que nunca me había hecho ningún daño. Y, entonces, algo me mostraba que hay Uno que siempre vigila y que no permite que esas miserables acciones sigan más allá de un límite. Al

darme cuenta de eso casi me caí al suelo, de tan grande
como era el miedo que tenía. Bueno, intenté suavizarlo
en mi favor, diciendo que me criaron para ser malvado y
que no tenía yo la culpa, pero algo dentro de mí seguía
diciendo: «Ahí tenías la escuela dominical y habrías podido asistir y, si lo hubieras hecho, te habrían enseñado
que la gente que actúa como tú has actuado con ese negro irá al fuego eterno».

Me daban escalofríos. Y casi había decidido que iba a
rezar a ver si podía dejar de ser la clase de muchacho que
era y volverme mejor. Así que me arrodillé. Pero no me
salían las palabras. ¿Por qué no me salían? Yo sabía muy
bien por qué no me salían. Era porque mi corazón no estaba limpio, era porque yo no era honrado, era también
porque actuaba con doblez. Estaba fingiendo abandonar
el pecado, pero muy dentro de mí estaba guardando el
mayor pecado de todos. Intentaba hacer que mi boca dijera que iba a hacer lo correcto y lo limpio, que iba a ponerme a escribir a la dueña de ese negro y a contarle dónde estaba, pero en algún sitio profundo de mí sabía que
era mentira y Él lo sabía. No puedes rezar una mentira...,
eso es lo que aprendí entonces.

Me sentía lleno de dificultades, lleno hasta no poder
más, y no sabía qué hacer. Por fin, se me ocurrió una idea
y me dije: «Voy a escribir la carta y luego veré si puedo
rezar». Fue asombroso cómo en seguida me sentí tan ligero como una pluma, y todas mis dificultades desaparecieron. Así que saqué un papel y un lápiz, ya contento y
animado, y me senté y escribí:

Señorita Watson:
Su negro fugitivo Jim está a dos millas río abajo de Pi-
kesville y el señor Phelps lo tiene y lo entregará a cambio
de la recompensa si usted la manda.

Huck FINN

Por primera vez en mi vida me sentía bueno y limpio
de pecado y sabía que ahora podía rezar. Pero no lo hice
en seguida, sino que dejé el papel a un lado y me quedé
allí pensando..., pensando en lo bueno que resultaba que
todo hubiera ocurrido así y en lo cerca que había estado

de perderme y de ir al infierno. Y seguía pensando. Y comencé a recordar nuestro viaje río abajo y veía a Jim delante de mí todo el tiempo: de día y de noche, a veces a la luz de la luna, a veces en tormentas; y veía cómo íbamos flotando río adelante, hablando y cantando y riéndonos. Pero, por alguna razón, no podía encontrar nada que endureciera mi corazón en contra de él, sino solo esa otra clase de cosas. Le veía cuando, en vez de llamarme, hacía mi guardia además de la suya para que yo pudiera seguir durmiendo; y le veía tan contento cuando volví esa noche de la niebla; y cuando le encontré otra vez en el pantano, allá arriba, donde ocurrió la venganza entre aquellas familias; y recordaba otras veces semejantes y veía cómo siempre me llamaba y me mimaba y hacía por mí todo cuanto podía, y lo bueno que era siempre. Y, por fin, recordé la vez aquella en que le salvé diciendo a unos hombres que teníamos la viruela a bordo de la balsa y recordé lo agradecido que estaba él y dijo que yo era el mejor amigo que el viejo Jim había tenido y el único que tenía entonces. Y, luego, por casualidad miré a mi alrededor y encontré el papel escrito.

Estaba en un buen aprieto. Cogí el papel y lo sostuve en la mano. Temblaba porque tenía que decidir para siempre entre dos cosas, y lo sabía. Reflexioné un minuto, conteniendo la respiración, y luego me dije a mí mismo:

—Muy bien, entonces iré al infierno —y rompí el papel.

Eran pensamientos espantosos y palabras espantosas, pero ya estaban dichas. Y seguí dándolas por dichas y no pensé nunca más en reformarme. Me quité todo el asunto de la cabeza y dije que iba a regresar otra vez a la maldad, que era más de mi estilo porque fui criado para ella, y no para el bien. Como comienzo, iba a ponerme a trabajar y robaría otra vez a Jim de la esclavitud. Y si se me ocurría algo peor, también lo haría porque, ya que estaba metido en el mal y metido para siempre, me daba igual llegar hasta el final que quedarme a medias.

Luego me puse a pensar cómo podría hacerlo y di vueltas en mi mente a una gran cantidad de maneras y, por fin, tracé un plan que me parecía conveniente. Así que luego localicé la posición de una isla boscosa que estaba un trecho río abajo y, tan pronto como hubo oscurecido bastante, salí con la balsa y me dirigí hacia allí y escondí la balsa y me acosté. Dormí toda la noche de un tirón y me levanté antes del amanecer y desayuné y me vestí con la ropa nueva comprada y después hice un hatillo con la otra ropa y con algunas cosas, cogí la canoa y me dirigí hacia la orilla. Tomé tierra río abajo, donde imaginé que estaría la granja de Phelps, escondí mi hatillo en el bosque y luego llené la canoa de agua y la cargué con piedras y la hundí donde pudiera encontrarla otra vez cuando quisiera, a un cuarto de milla aguas abajo de un pequeño aserradero de vapor que había en la orilla.

Luego eché a andar camino arriba y al pasar por delante del aserradero vi el letrero en que ponía: «Aserradero de Phelps», y cuando me iba acercando a las casas de la granja, unos doscientos o trescientos metros más allá, miré a un lado y a otro, pero no vi a nadie, aunque era ya pleno día. Pero no me importaba porque no quería ver a nadie todavía..., solo quería orientarme sobre el terreno. Según mi plan, iba a llegar allí desde la aldea y no desde aguas abajo. De modo que eché una ojeada por todo alrededor y seguí adelante, derecho hacia el pueblo. Bueno, al llegar, el primer hombre a quien vi fue al duque. Estaba pegando un cartel que anunciaba *La sin par realeza*, tres noches en escena, lo mismo que la vez anterior. ¡Qué cara dura tenían aquellos estafadores! Me topé con él antes de poder esquivar el encuentro. Pareció asombrado y dijo:

—¡Hola! ¿De dónde has salido?

Luego me preguntó entre contento y ansioso:

—¿Dónde está la balsa? ¿La tienes escondida en un buen sitio?

Dije:

—Pues eso es precisamente lo que iba a preguntarte a ti, alteza.

Entonces no pareció tan alegre y dijo:

—¿Por qué me lo ibas a preguntar a mí?

—Bueno —contesté—, cuando vi al rey en esa tabernucha ayer, me dije a mí mismo: «No podemos llevarle a casa hasta que se le pase la borrachera y eso será cosa de horas». Así que fui paseando por el pueblo, para hacer tiempo y esperar. Un hombre se me acercó y me ofreció diez centavos si le ayudaba a cruzar el río en un esquife para traer una oveja, acepté y me fui; pero cuando íbamos arrastrando la oveja hacia el bote, el hombre me dejó con la cuerda y él se puso detrás para empujar al animal y, como era demasiado fuerte para mí, se soltó y salió corriendo y nosotros detrás. No teníamos perro y por eso tuvimos que perseguirla por todos los alrededores hasta agotarla. No la cogimos hasta que ya había oscurecido; luego cruzamos el río con el animal y después me dirigí hacia la balsa. Cuando llegué allí y vi que había desaparecido, me dije: «Se han metido en un lío y han tenido que salir corriendo. Y se han llevado a mi negro, a él, que es el único negro que tengo en el mundo, y ahora estoy en un país extraño y ya no tengo ninguna propiedad ni nada y ninguna manera de ganarme la vida». Y me senté y lloré. Dormí toda la noche en el bosque. Pero ¿qué pasó con la balsa entonces? Y Jim... ¡El pobre Jim!

—¡Que el diablo me lleve si lo sé..., es decir, si sé lo que ha pasado con la balsa! Ese viejo idiota ganó cuarenta dólares en un negocio y, cuando le encontramos en la tabernucha, los holgazanes habían hecho apuestas de medio dólar con él y le habían sacado cada centavo que tenía, salvo lo que había gastado en *whisky*, y cuando le llevé a casa muy tarde por la noche y descubrimos que la balsa no estaba, dijimos: «Ese pequeño pícaro nos ha robado la balsa, nos ha dado esquinazo y se ha escapado río abajo».

—Pero no iba a dar esquinazo a mi negro, ¿verdad? El único negro que tenía en el mundo, y mi única propiedad.

—No se nos ocurrió pensar en eso. La verdad es que ya le considerábamos nuestro negro; sí, lo teníamos por nuestro... y Dios sabe que hemos pasado bastantes molestias gracias a él. Así que, cuando vimos que no había balsa y que estábamos sin un centavo, no había más remedio que probar suerte otra vez con *La sin par realeza*. Y desde entonces no he dejado de trabajar y estoy más seco que una pilonga. ¿Dónde están esos diez centavos? Dámelos.

Yo tenía bastante dinero, así que le di diez centavos, pero le rogué que los gastara en algo de comer y que lo compartiera conmigo porque era todo el dinero que tenía

Pilonga: Castaña secada al humo.

y no había comido nada desde el día anterior. No dijo nada. De pronto se volvió rápido hacia mí y me dijo:

—¿Tú crees que ese negro nos denunciará? ¡Si lo hiciera, le desollaríamos!

—¿Cómo podría denunciaros? ¿No se ha escapado?

—¡No! Ese viejo idiota le vendió y no me dio la parte que me correspondía y se ha gastado todo el dinero.

—¿Le vendió? —dije y empecé a llorar—. Pero si era mi negro y era mi dinero. ¿Dónde está? Quiero mi negro.

—Bueno, no puedes conseguirle y no hay remedio..., así que déjate de lloriquear. Mira, ¿imaginas que te atreverías a denunciarnos? Maldita sea, no creo que pueda fiarme de ti. Porque si es que piensas delatarnos...

Se detuvo, pero yo jamás había visto al duque con una mirada tan fea en los ojos. Seguí gimoteando y dije:

—Yo no quiero denunciar a nadie y, además, no tengo tiempo; debo ponerme en marcha y buscar a mi negro.

Parecía estar un poco preocupado y se quedó pensando, con el ceño fruncido y los carteles agitándose en su mano. Por fin dijo:

—Escucha una cosa. Tenemos que estar aquí tres días. Si prometes que no vas a denunciarnos y que no dejarás que el negro lo haga, te diré dónde puedes encontrarle.

Así que se lo prometí y él dijo:

—Un granjero que se llama Silas Ph... —y de pronto se detuvo.

Ves, me di cuenta de que empezó diciéndome la verdad, pero cuando se detuvo de esa manera y comenzó a cavilar y a pensarlo de nuevo, noté que estaba cambiando de opinión. Y fue así. No quería fiarse de mí, quería solo asegurarse de que yo no iba a meterme por medio durante tres días enteros. Así que al poco rato dijo:

—El hombre que le compró se llama Abram Foster..., Abram G. Foster..., y vive en el campo a cuarenta millas de aquí, en el camino de Lafayette[1].

—Muy bien —dije—. Puedo llegar a pie en tres días. Y voy a empezar esta tarde.

—No, esta tarde no. Te pondrás en camino ahora mismo y no perderás tiempo ni soltarás palabra mientras

_____

[1] Ciudad del estado de Luisiana (EE. UU.).

tanto. Sujetarás bien la lengua y seguirás adelante y así no te meterás en líos con nosotros, ¿me oyes?

Esa era la orden que quería oír y que había tratado de sacarle. Quería que me dejaran en paz para realizar mis planes.

—Así que lárgate —dijo— y puedes decirle al señor Foster lo que te parezca. Tal vez puedas hacerle creer que Jim es tu negro... Hay imbéciles que no exigen documentos..., por lo menos he oído decir que hay tales personas aquí en el sur. Y cuando le digas que son falsos el anuncio y la recompensa, quizás te crea si también le explicas nuestro propósito al imprimirlos. Ahora vete y dile lo que quieras, pero cuidado con abrir la boca.

Así que me marché y me fui hacia el campo, tierra adentro. No miré atrás, pero tenía la sensación de que me estaba vigilando. Sin embargo, sabía que se cansaría antes que yo. Seguí derecho por el campo como una milla antes de detenerme, luego regresé por el bosque hacia la casa de Phelps. Pensaba que lo mejor sería poner en marcha mi plan sin perder tiempo porque deseaba cerrarle la boca a Jim hasta que se marcharan esos tipos. No quería líos con esa clase de gente. Era ya bastante con lo que les había visto hacer y quería quedarme completamente libre de ellos.

Capítulo 32

Todo estaba en silencio cuando llegué a la granja y parecía como si fuese domingo. Hacía calor y mucho sol, los labradores se habían ido a los campos y se oía esa especie de vago zumbido de moscas y bichos en el aire que hace que todo parezca tan solo y tan triste y como si todo el mundo se hubiera muerto y se hubiera ido; entonces, cuando llega soplando un poco de brisa y estremece las hojas, te hace sentir pesaroso porque te parecen espíritus que susurran... espíritus muertos hace ya muchísimos años... y siempre piensas que hablan de ti. Por lo general, a uno le dan ganas de estar también muerto y de haber acabado con todo.

La granja de Phelps era una de esas pequeñas plantaciones de algodón y yo sé que todas son parecidas. Una cerca de madera alrededor de un terreno de casi una hectárea, en el cual estaba la casa; unos escalones hechos de troncos serrados y puestos verticalmente, formando los peldaños, como barriles de distintos tamaños, para trepar por encima de la cerca y también para que se suban en ellos las mujeres cuando montan a caballo; algunas manchas de hierba enfermiza en ese gran terreno, que en su mayor parte se veía desnudo y liso, como un sombrero viejo con el pelillo gastado; una casa grande de troncos y de cuerpo doble para la gente blanca; troncos descortezados con las juntas tapadas con barro o mortero, y alguna que otra franja encalada; una cocina de troncos redondos, con un pasadizo grande y ancho y con techo, que la unía a la casa; una cabaña de troncos para ahumar detrás de la cocina; y para los negros, tres pequeñas cabañas de troncos en fila al otro lado de la cabaña; una pequeña casucha sola allá, junto a la cerca, al fondo del terreno, y unas cuantas casuchas al otro lado; un depósito de cenizas y un caldero para hervir el jabón cerca de la

Hectárea: Medida de superficie que equivale a 10.000 m².

Mortero: Masa formada con arena, conglomerante y agua.

casucha pequeña; un banco junto a la puerta de la cocina con un cubo de agua y una calabaza; un sabueso dormido a pleno sol; más sabuesos dormidos aquí y allí; tres árboles que daban sombra allá en un rincón; en un lugar junto a la cerca unas matas de uva espina y de grosella; y fuera de la cerca, una huerta y un sembrado de sandías; luego empezaban los campos de algodón y, más allá de los campos, el bosque.

Uva espina: Variedad de la grosella que crece espontáneamente en Europa y en América.

Di la vuelta a la cerca y trepé por los escalones de detrás, junto al depósito de cenizas, y me dirigí hacia la cocina. Cuando avancé un trecho, oí el zumbido mortecino de un torno de hilar, que subía y bajaba de tono, como un lamento, y entonces sentí que prefería estar muerto... porque ese es el sonido más solitario y triste que hay en el mundo entero.

Torno: Máquina que hace que algo gire sobre sí mismo.

Seguí avanzando, sin hacer ningún plan en particular, solo confiando en que la Providencia pondría en mi boca las palabras convenientes cuando llegara el momento, porque me había dado cuenta de que la Providencia siempre ponía las palabras convenientes en mi boca cuando la dejaba hacer a ella.

Al llegar a mitad del camino, se levantó y saltó hacia mí primero un sabueso y luego otro y, por supuesto, me detuve y les planté cara y me quedé quieto. ¡Y qué escándalo armaron! En un cuarto de minuto yo era ya, como si dijéramos, una especie de cubo de rueda... con los radios fabricados de perros: un círculo de quince de ellos se apiñaban a mi alrededor, con los cuellos y los hocicos estirados hacia mí, ladrando y aullando; y seguían viniendo más y más perros; podías verlos llegar volando por encima de las cercas y doblando las esquinas y desde todas partes. Una negra salió deprisa de la cocina, con un rodillo en la mano, gritando: «¡Fuera, tú, Tige! ¡Tú, Spot! ¡Venga, fuera!», y fue dándoles primero a uno y luego a otro golpes secos que a varios les hicieron aullar y salir huyendo y al momento los demás los siguieron, aunque, al poco, la mitad de los sabuesos volvió, pero ahora meneando la cola y queriendo hacer amistad conmigo. Sé bien que no hay maldad ninguna en un sabueso.

Cubo: Pieza central en que van encajados los radios de las ruedas de un carruaje.

Y detrás de la mujer venían una negra pequeñita y dos muchachitos negros que no llevaban más que camisas de lienzo y se agarraban a las faldas de su madre y asomaban tímidos los ojos por detrás de ella, como siempre hacen. Y ya venía corriendo desde la casa la señora blanca, de unos cuarenta y cinco o cincuenta años, sin nada en la cabeza y con la rueca en la mano; y detrás de ella asomaron los niños pequeños blancos, comportándose de la misma manera que los pequeños negros. La señora me sonreía de tal forma que casi no se tenía en pie de alegría y dijo:

Rueca: Instrumento que sirve para hilar.

—Eres tú, al fin, ¿verdad?

Yo solté un «Sí, señora» antes de pensarlo.

Me agarró y me abrazó muy fuerte; luego me cogió las dos manos y me las apretó y siguió apretándomelas hasta que le vinieron las lágrimas a los ojos y le corrieron por la cara. Y parecía que por más que lo hacía no podía abrazarme y apretarme lo bastante, y seguía diciendo:

—No te pareces tanto a tu madre como yo me imaginaba, pero, ¡cielos!, eso qué importancia tiene, estoy tan contenta de verte. ¡Oh, Dios mío, me parece que te podría comer a besos! Niños, ¡es el primo Tom! Venid a decirle hola.

Pero los niños agacharon la cabeza y se metieron el dedo en la boca y se escondieron detrás de ella. Así que siguió hablando:

—Lize, date prisa y prepárale en seguida un desayuno caliente... ¿O te dieron el desayuno en el barco?

Dije que había desayunado en el barco. Así que ella se dirigió hacia la casa, llevándome de la mano, con los niños correteando detrás. Cuando entramos me hizo sentar en una silla de asiento de mimbre, ella se sentó en un taburete pequeño delante de mí, me cogió las dos manos y dijo:

—Ahora puedo mirarte bien y... ¡cielos, tantas y tantas veces como he tenido ganas de verte durante todos estos años y, por fin, ha llegado el momento! Llevamos un par de días o más esperándote. ¿Cómo te has retrasado? ¿Encalló el barco?

—Sí, señora, el barco...

—No me digas: «Sí, señora», llámame tía Sally. ¿Y dónde encalló?

Yo no sabía muy bien qué decir, porque no sabía si el barco venía subiendo o bajando el río. Pero hago muchas cosas por instinto, y mi instinto me decía que el barco subía..., que venía de abajo, de cerca de Orleáns. Eso no me ayudaba demasiado, sin embargo, porque no sabía los nombres de los bancos de arena de por allí abajo. Vi que tendría que inventar un banco u olvidar el nombre de aquel en que habíamos encallado o... Entonces se me ocurrió una idea y la solté:

—No fue la encalladura..., eso no nos hizo perder mucho tiempo. Es que se nos reventó la culata de un cilindro.

—¡Por el amor de Dios! ¿Hubo heridos?

—No, señora. Mató a un negro.

—Pues ha sido una suerte, porque a veces hay heridos. Hace dos años, por Navidad, tu tío Silas subía de Nueva Orleáns en el viejo *Lally Rook*, se reventó una culata de cilindro y dejó cojo a un hombre, que creo que murió después. Era bautista. Tu tío Silas conocía a una familia de Baton Rouge[1] que conocía bien a su familia. Sí, ya me acuerdo, sí, murió. Le empezó la gangrena y tuvieron que amputar. Pero no le salvó. Sí, era gangrena, eso fue. Se puso azul por todo el cuerpo y murió con la esperanza de una gloriosa resurrección. Dicen que era espantoso verle. Tu tío ha ido al pueblo a buscarte todos estos días. Y hoy también, no hace más de una hora, ya estará al llegar. Te habrás cruzado con él en el camino, ¿no?... Un hombre algo mayor con...

—No, no he visto a nadie, tía Sally. El barco llegó al amanecer y dejé mi equipaje en el bote del muelle y estuve paseando por el pueblo y por el campo alrededor, para hacer tiempo y no llegar demasiado temprano, así que he venido por el lado de atrás.

—¿A quién entregaste el equipaje?

—A nadie.

—¡Pero, niño, te lo van a robar!

—No donde lo escondí, creo que no —dije.

—¿Cómo es que te dieron el desayuno tan temprano en el barco?

Era un momento quebradizo, pero dije:

—El capitán me vio esperando por allí y me dijo que mejor sería comer algo antes de desembarcar. Y me llevó

Culata: Pieza metálica en que terminan ciertas partes de una maquinaria, por ejemplo, los cilindros de un motor de explosión.

Gangrena: Muerte de tejidos orgánicos que se produce por la falta de riego sanguíneo o por la infección de una herida.

[1] Capital del estado de Luisiana (EE. UU.).

a su camarote, al comedor de los oficiales, y me dio todo cuanto quise.

Yo estaba tan inquieto que no podía escucharla bien. Todo el tiempo tenía la mente puesta en los niños; quería llevarlos a un lado y sonsacarles un poco para averiguar quién era yo. Pero no tuve la ocasión porque la señora Phelps seguía hablando y hablando sin parar. Al poco rato me hizo sentir escalofríos por toda la espalda porque dijo:

—Pero no hacemos más que charlar y charlar, y tú no me has contado nada de mi hermana Sis ni de ninguno de ellos. Ahora yo me tomo un descanso y tú te pones en marcha; cuéntamelo todo..., cuéntame de todos ellos, de todos y cada uno de ellos y cómo se encuentran y qué hacen y todos los recados que me mandan y todo lo que se te ocurra.

Bueno, vi que estaba metido en un aprieto..., y en uno bueno además. La Providencia me había respaldado bien hasta entonces, pero ahora estaba bien encallado en la arena. Vi que era completamente inútil tratar de seguir... Tenía que darme por vencido. Así que me dije a mí mismo: «Aquí tenemos otra ocasión en que tengo que arriesgarme diciendo la verdad». Abrí la boca para comenzar, pero ella me agarró y deprisa me empujó detrás de la cama y dijo:

—¡Ahí viene! Agacha la cabeza un poco más..., ya, ya vale; ahora no se te puede ver. Procura no asomarte. Voy a gastarle una broma. Niños, ni una palabra.

Vi que estaba en un apuro. Pero no servía de nada preocuparme; no había nada que hacer, salvo quedarme quieto y tratar de estar atento para alejarme de donde iban a caer los relámpagos.

Solo vi un momento al viejo caballero cuando entró; luego, la cama le tapó de mi vista. La señora Phelps corrió hacia él y le dijo:

—¿Ha llegado ya?

—No —dijo su marido.

—¡Por el amor de Dios! —exclamó—. ¿Qué le puede haber pasado?

—No tengo idea —dijo el viejo caballero— y debo añadir que esto me pone realmente inquieto.

—¡Inquieto! —dijo ella—. ¡Yo estoy a punto de perder la cabeza! Tiene que haber llegado; te has cruzado con él por el camino y no le has visto. Estoy segura de que es así..., algo me lo dice.

—Pero, Sally, no puedo dejar de haberle visto por el camino..., y tú lo sabes.

—Pero, ¡oh, cielos, qué dirá Sis! Tiene que haber llegado. Es que no le has encontrado. El...

—Oh, no me pongas más angustiado de lo que estoy ya. No puedo entenderlo por más que le doy vueltas. No sé qué hacer y no me importa admitirlo: estoy asustado de veras. Pero no ha venido, no hay esperanza, porque no pudo haberse venido sin que le viéramos. Sally, es terrible, realmente terrible..., algo le ha pasado al barco, ¡seguro!

—Pero, ¡Silas! Mira allá..., allá, por el camino... ¿No viene alguien?

Él corrió a la ventana cerca de la cabecera de la cama y eso dio a la señora Phelps la ocasión que buscaba. Se agachó rápido al pie de la cama y me dio un tirón y salí fuera. Y cuando él se volvió de la ventana, allí estaba ella, sonriendo radiante como una casa en llamas, y yo, de pie a su lado, bastante manso y sudoroso. El viejo caballero miró asombrado y dijo:

—Pero ¿quién es ese?

—¿Quién crees que es?

—No tengo idea. ¿Quién es?

—¡Es Tom Sawyer!

¡Diablos, casi me caí de espaldas! Pero no era momento de celebrarlo; el viejo me agarró la mano y me la apretó y siguió apretándola y durante todo ese tiempo cómo bailaba y cómo reía y cómo lloraba la mujer. Y, luego, cuántas preguntas me dispararon para enterarse de cosas de Sid, Mary[2] y los demás miembros de la tribu.

Pero si ellos sentían alegría, no era nada comparada con la mía porque era igual que nacer de nuevo: estaba tan contento de saber quién era... Bueno, me tuvieron retenido durante dos horas y, por fin, cuando mi barbilla

---

[2] Sid, el hermano de Tom Sawyer, y Mary, su prima, son dos personajes que aparecen en *Las aventuras de Tom Sawyer*.

estaba tan cansada de hablar que ya casi no daba de sí, les había contado más cosas de mi familia —quiero decir, de la familia Sawyer— de las que podían haberles pasado a seis familias Sawyer. Y les expliqué cómo se reventó la culata del cilindro en la desembocadura del río White[3] y cómo tardaron tres días en arreglarla. Lo cual estaba bien y les convenció bastante porque ellos no sabían si en arreglar eso se tardarían tres días o más. Si hubiera dicho que aquella pieza era una cabeza de tornillo, les habría resultado lo mismo de bien.

Ahora me sentía de veras bastante cómodo por un lado y bastante incómodo por el otro. Ser Tom Sawyer era fácil y cómodo y siguió siéndolo hasta que, después de un rato, oí el jaleo de un vapor bajando el río. Luego me dije a mí mismo: «Suponte que llega Tom Sawyer en ese barco... Y suponte que entra aquí en cualquier momento y grita mi nombre antes de que yo le pueda hacer señas para que se calle...».

Bueno, yo no quería que pasaran las cosas de esa manera, no convenía en absoluto. Debía ir por el camino a aguardarle. Así que les dije a los señores que pensaba acercarme al pueblo a traer mi equipaje. El viejo caballero quería acompañarme, pero le dije que no, que yo mismo podría conducir el caballo y que prefería que no se molestara por mí.

---

[3] Río que pasa por los estados de Arkansas y de Misuri y desemboca en el Misisipi.

Capítulo 33

Así que me dirigí al pueblo en la carreta y, cuando llegué a mitad del camino, vi venir una carreta y, en efecto, era Tom Sawyer. Me detuve y esperé a que se acercara. Dije: «¡Espera!», y la carreta se paró junto a mí y él abrió una boca como un baúl y se quedó así, sobrecogido, y tragó saliva dos o tres veces como una persona que tiene la garganta seca y luego dijo:

—Nunca te he hecho daño. Tú lo sabes. Entonces, ¿por qué has vuelto para perseguirme a mí?

—No he vuelto... no he estado muerto —dije.

Cuando oyó mi voz, se puso más normal, pero aún no estaba completamente seguro. Dijo:

—No me hagas una jugarreta porque yo no te la haría a ti. ¿Palabra de indio que no eres un fantasma?

—Palabra de indio —dije.

—Bueno..., yo..., yo..., bueno, tu palabra debería convencerme, por supuesto, pero hay una cosa que no puedo comprender de ninguna manera. Mira, ¿no te asesinaron?

—No. No me asesinaron..., yo les hice una jugarreta. Súbete aquí y tócame si no me crees.

Así que lo hizo y eso le dejó satisfecho. Y estaba tan contento de verme de nuevo que no sabía qué hacer. Y quería escuchar toda la historia en seguida porque se trataba de una gran aventura, y además misteriosa, así que saber que iba a contársela le llegó al alma. Pero yo dije: «Déjalo para un poco después», y le pedí a su cochero que esperara y ya en mi carreta nos apartamos un trecho y le conté a Tom el apuro en que me encontraba y le pregunté qué creía él que debíamos hacer. Dijo que le dejara pensarlo un momento sin interrumpirle. Así que pensó y pensó y al rato dijo:

—Está bien; ya lo tengo. Lleva mi baúl en tu carreta y haz como si fuera tuyo; regresas hacia allá despacio y te entretienes hasta llegar a la casa a la hora que debes. Y yo regresaré un trecho hacia el pueblo y volveré desde allí y llegaré como un cuarto de hora o media hora después que tú. Puedes fingir que no me conoces al principio.

Dije:

—Muy bien. Pero espera un minuto. Hay algo más..., algo que nadie sabe salvo yo. Y es que hay un negro aquí que estoy tratando de robar para librarle de la esclavitud. Se llama Jim..., el Jim de la vieja señorita Watson.

Dijo:

—¡Cómo! ¿Que Jim está...?

Se detuvo y empezó a pensar. Y yo entonces le dije:

—Yo sé lo que vas a replicar. Dirás que es un asunto sucio y despreciable; pero ¿qué me importa? Yo soy también despreciable y voy a robarle y quiero que te calles y no digas nada. ¿Lo harás?

Se le encendieron los ojos y dijo:

—¡Te ayudaré a robarle!

Bueno, yo me quedé atontado, como si me pegaran un tiro. Eran las palabras más asombrosas que había oído nunca... y debo decir que Tom Sawyer perdió bastante en mi aprecio. No podía creerlo. ¡Tom Sawyer, un ladrón de negros!

—¡Oh, bah! —dije—. Estás bromeando.

—No es broma, no.

—Bueno, entonces —dije—, broma o lo que tú quieras, si oyes hablar algo de un negro fugitivo, no se te olvide recordar que tú no sabes nada de él y que yo no sé nada de él.

Luego cogió el baúl y lo metió en mi carreta. Él siguió su camino y yo seguí el mío. Pero, por supuesto, se me olvidó conducir lentamente a causa de lo contento que estaba y de la cantidad de pensamientos que tenía, así que llegué a casa demasiado rápido para haber hecho de veras un viaje tan largo como ese. El viejo caballero estaba en la puerta y dijo:

—¡Pero es maravilloso! ¿Quién habría pensado que esa yegua era capaz de semejante cosa? Ojalá que hubiéramos registrado el tiempo. Y no está ni sudada..., ni una gota. Es maravilloso. Pues no vendería esa yegua ahora ni por cien dólares..., honradamente, no lo haría. Y antes habría aceptado quince y habría pensado que no valía más.

No dijo más que eso. Era el alma más buena y el hombre más inocente que he visto jamás. Pero no era sorprendente que fuera así, porque no era solo un granjero, era predicador también, y tenía una pequeña iglesia hecha de troncos detrás de la plantación. Él mismo la había construido y pagado con su propio dinero, arreglándola para que fuera iglesia y escuela. Y no cobraba nada por predicar, aunque sus sermones valían la pena. Supe que había muchos otros granjeros-predicadores como él y que hacían lo mismo que él allá en el sur.

Al cabo de media hora, la carreta de Tom se paró junto a los escalones de la cerca, delante de la casa, y la tía Sally la vio por la ventana, porque solo estaba a unos cincuenta metros, y dijo:

—Anda, ¡alguien ha venido! ¿Quién podrá ser? Creo que es un forastero. Jimmy —ese era uno de los niños—, anda y dile a Lize que ponga otro cubierto en la mesa.

Todo el mundo corrió hacia la puerta de entrada porque, claro, no llega un forastero todos los años y por eso crea más interés que la fiebre amarilla[1] cuando llega. Tom ya había trepado por los escalones y venía hacia la casa, y la carreta se alejaba por el camino del pueblo. Todos estábamos apiñados en la puerta de entrada. Tom llevaba puesta su ropa comprada en una tienda y tenía un público dispuesto..., y esto último siempre le entusiasmaba a Tom Sawyer. En esas circunstancias no le era nada difícil echarle a todo la cantidad de estilo que convenía. No era un muchacho de los que cruzarían ese jardín mansamente como ovejas, no; él entró con tranquilidad y compostura como un buen carnero. Cuando llegó delante de nosotros, se quitó el sombrero con un gesto gracioso y frágil, como si fuera la tapadera de una caja de mariposas dormidas a las que no quería molestar, y dijo:

—¿Tengo el gusto de hablar con el señor Archibald Nichols?

[1] Enfermedad viral, aguda e infecciosa, que ha provocado a lo largo del tiempo epidemias devastadoras. Se le da el nombre de «amarilla» por los signos de ictericia que se presentan en algunos pacientes.

—No, hijo mío —dijo el viejo caballero—. Siento decirte que tu cochero te ha engañado; la granja de Nichols está a una distancia de tres millas más allá. Pasa, pasa.

Tom echó una mirada por encima del hombro y dijo:

—Demasiado tarde..., ya se ha perdido de vista.

—Sí, se ha ido, hijo mío, y debes entrar y comer con nosotros; luego engancharemos la yegua y te llevaremos a casa de Nichols.

—Oh, no quiero causarles semejante molestia. No, de ninguna manera. Iré a pie... No me importa caminar esa distancia.

—Pero no consentiremos que vayas a pie... Eso no sería mostrar la hospitalidad del sur. Pasa.

—Oh, sí, pasa —dijo la tía Sally—. No supone ninguna molestia, ninguna. Tienes que quedarte. Son tres largas millas de camino polvoriento y no te permitiremos ir a pie. Y, además, ya les dije cuando te vi llegar que pusieran otro cubierto, así que no puedes desilusionarnos. Entra ya, estás en tu casa.

Y Tom les dio las gracias con mucha cordialidad y finura y se dejó convencer y entró y, cuando estaba dentro, dijo que era un forastero de Hicksville y que se llamaba William Thompson y saludó con otra reverencia.

Bueno, siguió hablando y hablando, contando historias de Hicksville y de todos sus habitantes, todo lo que podía inventar. Yo empezaba a ponerme nervioso y me preguntaba cómo iba esto a ayudarme a salir de mi lío y, por fin, sin dejar de hablar, se inclinó y besó a la tía Sally justo en la boca y luego se puso cómodo en la silla otra vez y siguió hablando. Pero ella dio un salto cuando él la besó, se limpió la boca con el dorso de la mano y dijo:

—¡Cachorro atrevido!

Él pareció un poco herido por esas palabras y dijo:

—Me sorprende, señora.

—¿Te sorprende...? ¿Pues quién crees que soy yo? Me dan ganas de... Oye, ¿qué pretendías con eso de besarme?

Él aparentó una actitud humilde y dijo:

—No pretendía nada, señora. No tenía malas intenciones. Yo..., yo... pensé que le gustaría.

—¡Pero tú eres tonto de nacimiento! —y cogió la rueca y pareció que casi no podía contener las ganas de darle un buen golpe con ella—. ¿Qué te hizo pensar que me gustaría?

—Pues no sé. Es solo que ellos me dijeron que le gustaría.

—Ellos te lo dijeron. Quienquiera que te lo haya dicho es otro lunático. Nunca he oído cosa semejante. ¿Quiénes son ellos?

Lunático: Loco,
chiflado.

—Pues todo el mundo. Todos me lo dijeron, señora.

Aquello ya era casi demasiado para ella. Sus ojos relampagueaban, sus dedos se movían como si quisiera arañarle y dijo:

—¿Quiénes son todos? Dime los nombres o habrá un idiota menos en este mundo.

Él se levantó y puso cara de afligido y, manoseando el sombrero, dijo:

—Lo siento, no lo esperaba. Me dijeron que lo hiciera. Todos me lo dijeron. Todo el mundo dijo: «Bésala, ya verás cómo le gusta». Todos..., uno por uno. Pero lo siento, señora, y no lo haré nunca más..., palabra de honor.

—Que no lo harás, ¿eh? ¡Ya lo creo que no lo harás!

—No, señora, y lo digo honradamente; no lo haré otra vez... hasta que me lo pida usted.

—¡Hasta que te lo pida yo! Bueno, ¡nunca he visto una cosa semejante en toda mi vida! Te aseguro que aunque vivas más años que Matusalén[2], vas listo si esperas que yo te lo pida a ti... ni a ninguno como tú.

—Bueno —dijo—, sí que me sorprende. No consigo comprenderlo de ninguna manera. Dijeron que le gustaría y yo pensé que le gustaría. Pero...

Se detuvo y miró alrededor lentamente, como si quisiera encontrar una cara amistosa en alguna parte, y llegó al viejo caballero y dijo:

—¿No pensaba usted que le gustaría que la besara?

—Pues no; yo..., bueno, no. Creo que no.

Luego me miró a mí de la misma manera y dijo:

—Tom, ¿no pensabas tú que la tía Sally abriría los brazos y diría: «¡Sid Sawyer...!»?

---

[2] La persona de más edad que se menciona en el Antiguo Testamento («El total de los días de Matusalén fue de novecientos sesenta y nueve años, y murió», *Génesis* 5,27).

—¡Por mi vida! —dijo ella, interrumpiéndole, y saltó hacia él—. Tú, pícaro insolente, engañándome de esa manera.

E iba a abrazarle, pero él se defendió y dijo:

—No, no hasta que no me lo hayas pedido.

Así que ella no perdió tiempo, le pidió permiso y le abrazó y le besó una y otra vez. Luego se lo entregó al viejo, y este tomó lo que sobraba. Y ya cuando se habían calmado un poco, ella dijo:

—Pues esto sí que ha sido una sorpresa. No te esperábamos a ti, sino solo a Tom. Sis no me escribió que iba a llegar nadie más que él.

—Es que no se pensó que viniera nadie más que Tom —dijo—, pero yo le rogué y le rogué que me dejara venir y en el último momento me dio permiso a mí también. Así que, en el viaje, se nos ocurrió a Tom y a mí que sería una sorpresa magnífica que llegara él primero a la casa y que yo me demorara y llegara más tarde y fingiera ser forastero. Pero fue un error, tía Sally. Este no es un lugar seguro para un forastero.

—No..., para cachorros descarados, no, Sid. Debí haberte dado unas buenas bofetadas; no me había enfadado tanto desde hacía no sé cuánto tiempo. Pero no me importa, no me importan las condiciones... Estaría dispuesta a aguantar mil bromas de esas solo para teneros aquí. ¡Mira que representar una comedia así! No lo niego, me quedé casi petrificada de asombro cuando me diste ese besazo.

Comimos fuera, en el amplio pasadizo entre la casa y la cocina. Había en la mesa comida bastante como para siete familias..., y toda caliente, además; nada de esa carne dura sin sabor que se ha guardado toda la noche en un armario de un sótano húmedo y que por la mañana sabe a trozo de caníbal frío. El tío Silas rezó un rato largo bendiciendo la comida, pero valía la pena esperar, y tampoco se enfrió lo más mínimo, como he visto ocurrir en otras ocasiones con esa clase de interrupciones.

Durante toda la tarde duró la conversación, y yo y Tom estuvimos todo el rato al acecho, pero fue inútil porque no dijeron nada del negro fugitivo y teníamos miedo de tocar el asunto. Sin embargo, esa misma noche, durante la cena, uno de los pequeños dijo:

—Papá, ¿no podemos ir Tom y Sid y yo al espectáculo?

—No —dijo el viejo—. Creo que no va a haber función. Y no os permitiría ir aunque la hubiera porque ese negro fugitivo nos contó a Burton y a mí muchas cosas sobre esa escandalosa función, y Burton dijo que iba a avisar a la gente, así que me imagino que ya habrán echado del pueblo a esos holgazanes descarados.

¡Así que ya los habían cogido...! Pero yo no podía hacer nada. Tom y yo íbamos a dormir en el mismo cuarto y en la misma cama, así que, como estábamos cansados, dimos las buenas noches y subimos a acostarnos en seguida después de cenar, y salimos por la ventana y nos descolgamos por el tubo del pararrayos y nos dirigimos hacia el pueblo porque yo no creía que nadie fuera a prevenir al rey y al duque y, si no me daba prisa y les ponía al corriente, seguro que iban a meterse en un lío.

Por el camino, Tom me contó toda la historia de cómo creían que me habían asesinado y de cómo desapareció papá poco tiempo después y no volvió ya nunca más y de cómo se armó un escándalo cuando Jim se escapó. Y yo le conté a Tom todo lo que tuve tiempo de contarle sobre los pícaros de *La sin par realeza* y sobre el viaje en balsa. Cuando llegamos al pueblo e íbamos caminando por el centro —serían ya las ocho y media—, vimos que venía un tropel enfurecido de gente con antorchas entre un espantoso ruido: gritaban y chillaban y daban golpes a cacharros de hojalata y tocaban trompetas. Saltamos a un lado para dejarles paso y, mientras iban delante, vi que tenían al rey y al duque a horcajadas sobre un travesaño, es decir, yo sabía que eran el rey y el duque, aunque estaban cubiertos de brea y de plumas y no tenían parecido ninguno con nada que recordara a seres humanos: parecían solo un par de enormes y monstruosos penachos de soldado. Bueno, me puso enfermo verlos, sentía pena de aquellos pobres bribones lastimosos y me parecía que nunca jamás podría sentir resentimiento contra ellos. Era una cosa espantosa el verlo. Los seres humanos pueden ser espantosamente crueles los unos con los otros.

Sentimos que habíamos llegado demasiado tarde..., no podíamos ayudarlos. Preguntamos a unos de los rezagados sobre lo ocurrido y nos dijeron que todos asistieron a la función con cara de inocentes y se callaron y disimularon hasta que el pobre rey estaba en medio de sus cabriolas en el escenario. Luego, alguien dio la señal, y el público se levantó y se lanzó a por ellos.

Regresamos lentamente a casa y yo no me sentía tan fogoso como antes, sino un poco despreciable y humilde y, por alguna razón, culpable, aunque no había hecho nada. Pero siempre pasa eso: no importa si actúas bien o mal, la conciencia de uno no tiene sentido común y se lanza contra ti siempre. Si yo fuera dueño de un perro callejero que no tuviera más inteligencia que la conciencia de una persona, lo envenenaría. La conciencia ocupa más sitio que todo el resto de las entrañas de uno y, además, no vale para nada. Tom Sawyer es de la misma opinión.

Capítulo 34

Dejamos de hablar y nos pusimos a pensar. Al poco rato dijo Tom:

—Mira, Huck, ¡qué tontos hemos sido en no pensarlo antes! Apuesto a que sé dónde está Jim.

—¡No...! ¿Dónde?

—En esa casucha de allá abajo, junto al depósito de cenizas. Verás, cuando estábamos comiendo, ¿no viste a un negro entrar ahí llevando comida?

—Sí.

—¿Para quién pensabas que era?

—Para un perro.

—Yo también... Bueno, pues seguro que no era para un perro.

—¿Por qué lo dices?

—Porque una parte de la comida era sandía.

—Es verdad..., yo también me fijé. Pues mira que no se me ocurrió pensar que un perro no come sandía. Esto te muestra cómo se puede ver algo y no verlo al mismo tiempo.

—Bueno, el negro quitó el candado al entrar y lo volvió a poner al salir. Le entregó una llave al tío mientras nos levantábamos de la mesa..., la misma llave, creo yo. La sandía indica que es un hombre y la llave indica que está preso y no es probable que haya dos presos en una plantación tan pequeña, donde la gente es tan generosa y buena. Jim es el preso. Muy bien: me alegro de que lo hayamos descubierto al estilo de los detectives; yo no daría un rábano por los otros métodos. Ahora tú haces trabajar un poco la mente y piensas un plan para raptar a Jim. Yo estudiaré otro y escogeremos el que nos guste más.

¡Qué cabeza tenía Tom para ser solo un muchacho! Si yo tuviera la cabeza de Tom Sawyer, no la cambiaría por

Contramaestre: Oficial que dirige a la marinería. ser duque ni contramaestre de un barco de vapor ni payaso ni nada que pueda imaginarme. Me puse a pensar un plan, pero no lo hice más que por hacer algo; yo sabía muy bien de dónde iba a salir el plan adecuado. Al poco rato, Tom dijo:

—¿Listo?

—Sí —respondí.

—Muy bien..., suéltalo.

—Mi plan es este. Es fácil averiguar si Jim está dentro. Luego sacamos mi canoa mañana por la noche y traemos la balsa de la isla. Después, durante la primera noche oscura que haya, robamos la llave del pantalón del viejo cuando se haya acostado y nos vamos con Jim río abajo en la balsa, escondiéndonos de día y navegando de noche, como hacíamos Jim y yo antes. ¿No saldría bien ese plan?

—¿Salir bien? Pues claro, como una riña de ratas. Pero Intríngulis: Complicación. es demasiado sencillo, no tiene intríngulis. ¿Para qué sirve un plan que no te propone más dificultades que esas? Es tan blando como la leche de ganso. Huck, daría tan poco que hablar como si asaltáramos una fábrica de jabón.

No dije nada porque no había esperado otra cosa. Pero sabía que cuando él tuviera su plan hecho, no habría ninguna de esas críticas.

Y no las hubo. Me contó su plan y vi en un minuto que valía por quince de los míos en cuanto a estilo y que haría de Jim un hombre tan libre como el mío y, además, era un plan que quizás consiguiera matarnos a todos. Así que yo estaba satisfecho y dije que nos pondríamos en marcha. No hace falta que cuente ahora el plan porque yo sabía que, al fin, no saldría igual. Sabía que Tom lo cambiaría a cada rato sobre la marcha, introduciendo detalles magníficos cuando tuviera la oportunidad. Y eso fue lo que pasó. Bueno, una cosa había totalmente cierta, y era que Tom se tomaba el asunto en serio y que, sin duda, iba a ayudarme a robar al negro de la esclavitud. Darme cuenta de eso era demasiado para mí y no lo comprendía. Aquí veías a un muchacho que era respetable, bien criado, que tenía una honradez que podía perder y una familia honrada. Y era listo y no una cabeza tonta porque sabía mucho y no era un ignorante. Un muchacho así, que no era mezquino, sino generoso, y, sin embargo, aquí le tenías sin más orgullo ni más sentido de la justicia ni más sentimientos que los que yo veía; un muchacho que iba a rebajarse y a meterse en este asunto y a traer para él y para su familia la vergüenza ante todo el mundo. Yo no podía entenderlo de ninguna manera. Era ultrajante y yo sabía que debía decírselo francamente y comportarme como un amigo verdadero y darle la oportunidad de dejar las cosas como estaban y de salvarse. Así que comencé a decírselo, pero me mandó callar y dijo:

Ultrajante: Bochornoso, degradante.

—¿Acaso piensas que no sé lo que hago? ¿No suelo saber en qué me meto?

—Sí.

—¿No te he dicho que iba a ayudarte a robar al negro?

—Sí.

—Bueno, cállate entonces.

No dijo nada más ni yo dije nada más. Era inútil hablar porque, cuando él decía que iba a hacer algo, siempre lo hacía. Pero yo no podía comprender cómo se mostraba dispuesto a entrar en este asunto, así que lo dejé estar y no me preocupé más de ello. Si Tom estaba empeñado en que fuera así, yo no podía hacer nada.

Cuando llegamos, la casa estaba a oscuras y en silencio, así que seguimos hacia la choza que había junto al depósito de cenizas para examinarla. Cruzamos el terreno de los alrededores de la casa para ver qué hacían los sabuesos. Nos conocían y no hicieron más ruido del que siempre hacen los perros de campo cuando pasa algo cerca de ellos por la noche. Cuando llegamos a la cabaña, la miramos de frente y por los dos lados; y en el lado que yo no conocía, que era el del norte, encontramos un agujero cuadrado que servía de ventana, a bastante altura, y que estaba cruzado por una gruesa tabla clavada. Le dije a Tom:

—Aquí tenemos la solución. Si quitamos la tabla, este agujero es lo bastante grande para que pase Jim.

—Eso es tan sencillo como un-dos-tres o tan fácil como hacer novillos. Huck Finn, yo esperaba que pudiéramos encontrar algún recurso más complicado que ese.

—Está bien —dije—. ¿Qué te parece entonces si aserráramos los troncos, como hice yo antes de que me asesinaran aquella vez?

—Eso ya tiene más carácter —dijo—. Es realmente misterioso, está lleno de dificultades y es bastante bueno, pero apuesto que podemos encontrar algo que lleve por lo menos el doble de tiempo. No tenemos prisa, vamos a seguir investigando.

Entre la choza y la cerca por el lado de atrás había un cobertizo que se unía a la choza en el alero y que estaba hecho de tablas. Era tan largo como la choza, pero estrecho..., solo de unos dos metros de ancho. La puerta del cobertizo estaba en el lado sur y tenía un candado. Tom fue al caldero de hervir jabón y buscó por allí y trajo la barra de hierro con la que levantaban la tapa y con ella forzó una de las armellas. Cayó la cadena, abrimos la puerta y entramos; la cerramos y prendimos un fósforo y vimos que el cobertizo estaba construido junto a la cabaña, pero que no comunicaba con ella. El cobertizo no tenía pavimento ni nada dentro, salvo unas azadas, layas y picos viejos y gastados y un arado cojo. Se apagó el fósforo, salimos, metimos la armella otra vez y la puerta se quedó cerrada con candado tan bien como antes. Tom estaba alegre. Dijo:

—Ya vamos bien. Vamos a cavar un túnel para sacarle. ¡Nos llevará como una semana!

Luego nos dirigimos hacia la casa y yo entré por la puerta de atrás: solo tenía uno que tirar de la cuerda de cuero, porque allí no cierran las puertas con llave..., pero eso no era lo bastante romántico para Tom Sawyer; no le iba a satisfacer nada, salvo trepar por el tubo del pararrayos. Pero después de trepar hasta la mitad y fallar y caerse como tres veces y casi romperse la cabeza en el último intento, pensó que tendría que dejarlo. Sin embargo, después de descansar, declaró que iba a intentarlo una vez más para traer la buena suerte, y aquella vez logró hacer el viaje entero.

Por la mañana nos levantamos con el sol y fuimos a las cabañas de los negros para acariciar a los perros y hacernos amigos del negro que le llevaba la comida a Jim..., si era a Jim a quien llevaba comida, que todavía nosotros no lo sabíamos. Los negros acababan de desayunar y empezaban a dirigirse hacia los campos; y el negro de Jim estaba llenando una cacerola de hojalata con pan y car-

Armella: Anillo de metal que suele tener un tornillo para fijarlo.

Azada: Herramienta con una pala cuadrangular de hierro, cortante en uno de sus lados y en el opuesto encajada en un mango. Se utiliza para cavar la tierra.

Laya: Herramienta de hierro con un mango de madera que sirve para labrar la tierra y revolverla.

ne y cosas y, mientras salían los otros, alguien trajo la llave de la casa.

Este negro tenía cara de buenazo y de cabezota boba y llevaba el pelo atado en pequeños mechones con hilo para alejar a las brujas. Dijo que aquellas noches las brujas le molestaban de una forma espantosa y le hacían ver toda clase de cosas extrañas y oír todo tipo de extrañas palabras y ruidos, y él creía que nunca en la vida había llevado tanto tiempo embrujado. Se puso tan emocionado al contarlo y siguió hablando tanto de sus problemas que se le olvidó lo que iba a hacer. Así que Tom dijo:

—¿Para quién es esa comida? ¿Vas a dar de comer a los perros?

El negro sonrió y la sonrisa se extendió poco a poco por la cara, como cuando tiras un trozo de ladrillo en un charco de barro, y dijo:

—Sí, señorito Sid, un perro. Un perro muy extraño, además. ¿Quieres entrar a verle?

Yo le di un empujón a Tom y le susurré:

—¿Vas a entrar ahora mismo, a la luz del día? Ese no era el plan.

—No, no lo era; pero es el plan ahora.

Así que, el diablo le lleve, fuimos andando, pero no me gustaba mucho. Cuando estábamos dentro, no podíamos ver casi nada, de tan a oscuras como estaba; pero Jim se encontraba allí, en efecto, y él sí podía vernos y gritó:

—¡Oh, Huck! ¡Y, por Dios, ¿no es el señorito Tom?!

Yo estaba seguro de que eso iba a pasar, lo esperaba. No sabía qué hacer y, de haberlo sabido, no hubiese podido hacerlo porque el negro entró de repente y dijo:

—¡Pero por el amor de Dios! ¿Conoce a los caballeros?

Ya podíamos ver bastante bien. Tom se volvió hacia el negro, le miró fijamente y con aspecto de sorpresa le dijo:

—¿Quién dices que nos conoce?

—Pues este negro fugitivo.

—Creo que no. ¿Cómo se te ha metido esa idea en la cabeza?

—¿Cómo se me ha metido? ¿No ha gritado ahora mismo como si os conociera?

Tom dijo un poco confundido:

—Bueno, qué cosa más curiosa. ¿Quién ha gritado? ¿Cuándo ha gritado? ¿Qué es lo que ha gritado?

Y se volvió hacia mí con una tranquilidad perfecta y dijo:

—¿Tú has oído gritar a alguien?

Claro que no había nada que decir salvo una cosa, así que dije:

—No, yo no he oído a nadie decir nada.

Luego se volvió hacia Jim y le miró de pies a cabeza como si no lo hubiera visto nunca y dijo:

—¿Tú has gritado?

—No, señor —dijo Jim—. No he dicho nada, señor.

—¿Ni una palabra?

—No, señor, no he dicho ni una palabra.

—¿Nos has visto antes alguna vez?

—No, señor, que yo sepa, no.

Así que Tom se volvió hacia el negro, que parecía estar algo enloquecido y afligido, y dijo con tono algo brusco:

—¿Qué crees que es lo que te pasa? ¿Qué te ha hecho pensar que alguien gritó?

—Oh, son esas malditas brujas, señor, y me gustaría estar muerto, eso es lo que me gustaría. Siempre están haciéndomelo, señor, y casi me matan de tanto como me asustan. Por favor, no se lo digas a nadie, señor, o el viejo señor Silas me va a reñir porque él dice que no existen las brujas. Ojalá que estuviera aquí ahora, ¡entonces qué diría! Apuesto que esta vez no podría encontrar más explicación que las brujas. Pero siempre es así: la gente tiene algo metido en la cabeza y no se lo puedes sacar; la gente no investiga nada para descubrirlo por sí misma y cuando tú lo descubres y se lo dices, pues no te lo cree.

Tom le dio una moneda de diez centavos y le dijo que no se lo contaríamos a nadie y le dijo que se comprara más hilo para atarse el pelo. Luego miró a Jim y dijo:

—Me pregunto si el tío Silas va a ahorcar a este negro. Si yo cogiera a un negro que es lo bastante ingrato como para escaparse, no le entregaría, le ahorcaría.

Y mientras el negro se acercaba a la puerta a mirar la moneda y a morderla a ver si era buena, Tom susurró al oído de Jim:

—No les dejes saber que nos conoces. Si oyes que alguien está cavando por las noches, somos nosotros; vamos a liberarte.

Jim solo tuvo tiempo de agarrarnos la mano y apretárnosla. Luego volvió el negro y le dijimos que volveríamos alguna vez si él quería, y dijo que sí, pero mejor en la oscuridad porque las brujas le atacaban la mayor parte de las veces en la oscuridad y entonces le gustaba tener gente cerca que le hiciera compañía.

Capítulo 35

Todavía faltaba casi una hora para el desayuno, así que nos dirigimos hacia el bosque porque Tom dijo que necesitábamos alguna luz para cavar por la noche y él opinaba que una linterna daba demasiada luz y podría meternos en líos; lo que debíamos tener era una porción de trozos de esa madera podrida que se llama hongo luminoso y que da un resplandor tenue cuando se deja en un lugar oscuro[1]. Llevamos una brazada, la escondimos entre la maleza y nos sentamos a descansar. Y Tom dijo un poco descontento:

—Maldita sea, todo este asunto es de lo más fácil y torpe que puedes imaginar. Y se hace complicado idear un plan difícil. No hay ni guardia que drogar... Debería haber por lo menos un guardia. No hay ni un perro a quien dar unos polvos que lo hagan dormir. Y ahí tienes a Jim con una pierna atada a la pata de su cama con una cadena de tres metros, pero para librarle no tienes más que levantar la cama y sacar la cadena. Y el tío Silas se fía de todo el mundo; le da la llave a ese negro cabeza de calabaza y no manda a nadie a vigilar. Jim ya habría podido escaparse por ese agujero de la ventana, solo que le sería inútil tratar de viajar con una cadena de tres metros atada a la pierna. Créeme, Huck, esta condenada fuga es el asunto más estúpido que he visto nunca. Tenemos que inventar todas las dificultades. Bueno, no tiene remedio; hay que hacerlo lo mejor posible con los materiales que tenemos. Sin embargo, hay una cosa a nuestro favor: hay más honra en liberarle a pesar de las muchas dificultades y muchos peligros cuando ni uno solo de esos peligros y

---

[1] Alusión a un fenómeno de bioluminiscencia (producción de luz por parte de organismos vivos) que tiene lugar en la madera en descomposición y que se debe a bacterias o a los micelios de ciertos hongos.

dificultades te lo ha puesto la gente que tenía el deber de ponerlos, y has de inventarlos todos de tu propia cabeza. Pon por caso lo que dije de la linterna. Cuando examinas los hechos concretos, francamente tenemos que hacer como si fuera peligroso encender una linterna, aunque de veras creo que podríamos trabajar con una procesión de antorchas si quisiéramos. Ahora que lo pienso, hay que hacer una sierra en la primera ocasión que tengamos.

—¿Para qué queremos una sierra?

—¿Que para qué queremos una sierra? ¿No hay que serrar la pata de la cama de Jim para soltar la cadena?

—Pero si acabas de decir que se podría levantar la cama y sacar la cadena.

—¡Desde luego, esa manera de pensar es muy típica de ti, Huck Finn! Siempre tienes las ideas más infantiles para hacer una cosa. ¿Pero es que nunca has leído ni un libro en tu vida? ¿Ni del barón Trenck ni de Casanova ni de Benvenuto Cellini ni de Enrique IV[2] ni de ninguno de aquellos héroes? ¿Quién ha oído hablar de liberar a un preso por un procedimiento tan propio de solteronas como ese? No, lo que hacen las mejores autoridades en la materia es serrar la pata de la cama, dejarla puesta como estaba, tragarse las virutas para que no se encuentren y poner un poco de grasa y tierra en el sitio serrado, de manera que ni el senescal más sagaz pueda ver un rastro de la sierra y piense, por tanto, que la pata de la cama está perfectamente entera. Luego, la noche que estás listo para escapar, das un puntapié a la pata y se cae; sacas la cadena y ya estás suelto. No tienes más que atar

Senescal: Mayordomo mayor de la casa real.

---

[2] Friedrich von der *Trenck* (1726-1794), aventurero alemán, oficial de Federico II de Prusia, tras varios enredos amorosos con la hermana del rey, la princesa Amelia, fue encarcelado, pero logró fugarse. Giacomo *Casanova* (1725-1798), aventurero italiano, muy conocido por sus correrías amorosas, fue encarcelado en Venecia en 1755 por diversas causas y un año después escapó acompañado de un monje que conoció en la prisión. *Benvenuto Cellini* (1500-1571), escultor y orfebre italiano, fue acusado de diversos delitos y encarcelado, pero consiguió evadirse. *Enrique IV* de Francia (1553-1610), que había combatido en el bando hugonote durante la tercera guerra de religión francesa, a raíz de la matanza de San Bartolomé en 1576 contra los hugonotes se vio obligado, para salvar su vida, a convertirse al catolicismo y a permanecer en la corte, siendo vigilado en todos sus movimientos, pero a finales de ese año consiguió escapar, abjurando después de su adhesión al catolicismo.

Escala: Escalera de mano fabricada con cuerda, madera o ambos materiales.

tu escala a las almenas, descolgarte por ella, romperte la pierna en el foso..., porque ya sabes que a la escala de cuerda siempre le faltan seis metros..., y allí están tus caballos y tus vasallos leales, que te recogen y te echan encima de la silla y te largas hacia tu tierra nativa de Languedoc[3] o de Navarra o donde sea. Es espléndido, Huck. Ojalá que tuviera foso esta cabaña. Si tenemos tiempo la noche de la escapada, cavaremos uno.

Dije:

—¿Para qué queremos un foso cuando vamos a sacarle a hurtadillas por el túnel?

Pero no me oyó. Se había olvidado de mí y de todo. Apoyaba la barbilla en la mano, pensando. Al rato suspiró y meneó la cabeza; luego suspiró de nuevo y dijo:

—No, no se puede hacer... Eso solo se podría hacer en caso de gran necesidad.

—¿El qué? —dije.

—Pues serrarle la pierna a Jim —dijo.

—¡Cielos! —repuse—. Pero no hay ninguna necesidad de hacer eso. ¿Y para qué querrías serrarle la pierna?

—Bueno, algunas de las mejores autoridades en la materia lo han hecho. No podían quitarse la cadena, así que se cortaron la mano y se largaron. Y una pierna sería aún mejor. Pero hay que dejarlo. No es suficientemente necesario en este caso y, además, Jim es un negro y no entendería las razones que hay para ello ni entendería cómo son las costumbres en Europa, así que lo dejaremos. Pero una cosa sí: puede tener una escala de cuerda; podemos desgarrar nuestras sábanas y hacerle una escala de cuerda sin dificultad. Y podemos enviársela en un pastel, así es como se hace casi siempre. Y te aseguro que he comido pasteles peores.

—Pero qué cosas dices, Tom Sawyer —dije—. A Jim no le hace falta una escala de cuerda para nada.

—Sí le hace falta. Mejor sería que dijeras: «Qué cosas digo»; no sabes nada de esto. Tiene que tener una escala de cuerda, todos la tienen.

—¿Pero qué diablos puede hacer con ella?

—¿Hacer? Puede esconderla en su cama, ¿no? Eso es lo que hacen todos, y él tiene que hacerlo también. Huck, pare-

[3] Región del sur de Francia.

ce que nunca quieres hacer nada conforme a las reglas, quieres siempre empezar con algo nuevo. Suponte que Jim no hace nada con la escala... ¿No quedará en su cama para servir de pista cuando se haya escapado? ¿Y no crees que querrán pistas? Claro que sí. ¿Y no les dejarías ninguna? ¡Eso sí que sería una escena bonita! Jamás he oído cosa igual.

—Bueno, si está en el reglamento que deba tenerla, de acuerdo, que la tenga, porque no quiero ir en contra de ningún reglamento, pero una cosa, Tom Sawyer: si nos ponemos a hacer tiras de nuestras sábanas para hacer una escala de cuerda, vamos a meternos en un lío con la tía Sally, tan seguro como que has nacido. Pero, tal y como lo entiendo yo, una escala de corteza de nogal no cuesta nada, no estropea nada y sirve para meterla en un pastel y esconderla dentro de un jergón de paja, vale lo mismo que cualquier escala de cuerda que puedas encontrar. Y en cuanto a Jim, no tiene experiencia, así que no le importará qué clase de...

—¡Oh, bah! Huck Finn, si fuera tan ignorante como tú, me callaría..., eso es lo que haría yo. ¿Quién ha oído hablar de un preso escapándose con una escala de corteza de nogal? Bien..., es sencillamente ridículo.

—Bueno, muy bien, Tom, hazlo como te parezca. Pero si quieres seguir mis consejos, me dejarás que coja prestada una sábana del tendedero de la ropa.

Dijo que eso valdría. Y aquello le dio otra idea y dijo:

—Coge prestada una camisa también.

—¿Para qué queremos una camisa, Tom?

—La queremos para que Jim vaya escribiendo su diario.

—El diario de tu abuela... Jim no sabe escribir.

—Qué importa que no sepa escribir... Si le hacemos una pluma con una cuchara vieja de peltre o con un trozo de un aro viejo de hierro de un barril, puede trazar señales en la camisa, ¿no?

Peltre: Aleación de cinc, plomo y estaño.

—Pero, Tom, podemos arrancar una pluma de un ganso y hacerle una mejor, y más rápido, además.

—Los presos no tienen gansos corriendo alrededor de la torre del homenaje para sacarles plumas, so bobo. Siempre hacen sus plumas del material más duro y resistente y difícil de que pueden echar mano, de un candelero viejo de bronce o algo así y, además, tardan semanas y semanas y meses y meses en limarla porque tienen que

Torre del Homenaje: Torre principal y más resguardada de una fortificación, donde el castellano hacía el juramento de guardar fidelidad y de defender la fortaleza con valor.

hacerlo frotándola contra la pared. Ellos no usarían una pluma de ganso si la tuvieran. No es muy reglamentario.

—Bueno, entonces, ¿de qué vamos a hacer la tinta?

—Muchos la hacen de herrumbre y lágrimas, pero esos son los presos corrientes y las mujeres; las mejores autoridades emplean su propia sangre. Jim puede hacerlo así y, cuando quiera enviar un mensajillo misterioso de los corrientes para hacerle saber al mundo dónde le tienen cautivo, puede escribirlo en el revés de un plato de hojalata con un tenedor y tirar el plato por la ventana. Máscara de Hierro[4] siempre hacía eso, es un recurso estupendo.

—Jim no tiene un plato de hojalata. Le dan de comer en una cacerola.

—No pasa nada; podemos conseguirle uno.

—Nadie podrá leer sus platos.

—Eso no tiene nada que ver con el asunto, Huck Finn. Lo único que tiene que hacer es escribir en el plato y tirarlo fuera. No tienes que poder leerlo. La mitad de las veces no puedes leer nada de lo que escribe un preso en un plato ni en ninguna parte.

—Pues, entonces, ¿qué sentido tiene gastar los platos?

—Y qué, maldita sea, no son platos del preso.

—Pero son de alguien, ¿no?

—Bueno, ¿y qué? ¿Qué le importa eso al preso...?

Cortó la frase porque oímos que sonaba la llamada para el desayuno. Así que nos largamos hacia la casa.

Durante la mañana cogí prestados una sábana y una camisa blanca del tendedero de la ropa y encontré un saco viejo y las puse dentro. Fuimos y trajimos los trozos del hongo luminoso y también los pusimos en el saco. Yo lo llamaba coger prestado porque papá siempre lo decía así, pero Tom decía que no era coger prestado, sino robar. Dijo que representábamos a presos, y a los presos no les importa cómo consiguen una cosa con tal de conseguirla y que nadie les echa la culpa por eso tampoco. «No

Herrumbre: Óxido de hierro.

[4] Misterioso personaje francés, cuya leyenda se remonta a los siglos XVII y XVIII, y del que se cuenta que vivió preso en La Bastilla hasta su muerte. Allí recibía un trato privilegiado, pero su rostro tenía que estar siempre cubierto por una máscara de hierro. Alexandre Dumas lo inmortalizó en su obra *El Vizconde de Bragelonne* (1848-1850), donde lo presenta como hermano gemelo de Luis XIV.

es un crimen el que un preso robe lo que necesita para escaparse —decía Tom— y, además, está en su derecho», y así, mientras representábamos a un preso, teníamos pleno derecho a robar de la plantación cualquier cosa de la que tuviéramos la menor necesidad para librarnos de la prisión. Dijo que si no fuéramos presos, eso de robar sería una cosa bien distinta y que solo una persona mezquina y despreciable robaría cuando no era un preso. Así que declaramos que robaríamos todo lo que teníamos al alcance de la mano. Y, sin embargo, Tom me echó una bronca cuando algunos días después robé y me comí una sandía de la huerta de los negros; me obligó a ir allí y darles a los negros diez centavos sin decirles para qué eran. Tom explicó que lo que quería decir era que podíamos robar cualquier cosa que necesitáramos. «Bueno —le dije—, me hacía falta esa sandía». Pero él dijo que no me hacía falta para escaparme de la prisión; ahí es donde radicaba la diferencia. Dijo que si la hubiera querido con objeto de esconder dentro un cuchillo y pasárselo así de contrabando a Jim para que matara al senescal, habría hecho bien. Así que lo dejé estar, aunque yo no veía ninguna ventaja en representar a un preso si tenía que sentarme a discutir con Tom sobre unas distinciones de aquellas, tan finas como panes de oro, cada vez que se me presentaba la ocasión de tragarme una sandía.

Pan de oro: Hoja muy fina de oro que se utiliza para dorar algo.

Bueno, como iba contando, aquella mañana esperamos hasta que todo el mundo estuvo dedicado a su trabajo y no se veía a nadie alrededor de la casa. Luego, Tom llevó el saco al cobertizo mientras yo me quedaba vigilando a cierta distancia. Al rato salió y fuimos al montón de leña y nos sentamos encima para hablar.

Dijo:

—Todo está arreglado ya, salvo las herramientas, y eso es fácil.

—¿Herramientas? —dije.

—Sí.

—Herramientas, ¿para qué?

—Pues para cavar. No vamos a sacar la tierra a mordiscos, ¿no?

—¿Esos picos y palas viejos no son bastante buenos para cavar un agujero y sacar a un negro?

Se volvió hacia mí con una cara de lástima tal que habría hecho llorar a cualquiera.

—Huck Finn, ¿has oído jamás que un preso tuviera picos y palas y todos los aparatos modernos en su armario para abrirse un agujero por donde escapar? Ahora contéstame a esto..., si tienes alguna capacidad de razonar, por pequeña que sea... ¿Qué oportunidad tendría de hacerse un héroe? Pues podrían prestarle la llave y acabar con el asunto de una vez. Picos y palas... no se le facilitarían ni a un rey.

—Bueno, entonces —dije—, si no queremos picos y palas, ¿qué es lo que queremos?

—Un par de cuchillos de mesa.

—¿Para cavar un túnel bajo los cimientos de esa cabaña?

—Sí.

—Diablos, es una tontería, Tom.

—No tiene importancia lo tonto que pueda ser, es la forma correcta de hacerlo..., es la forma regular. Y no hay otra forma, que yo sepa, y he leído todos los libros que dan alguna información sobre estas cosas. Siempre se cava con un cuchillo de mesa, y no es en tierra donde se cava, no creas; normalmente es en roca maciza. Y se tarda semanas y semanas y semanas y así siempre. Pues fíjate en uno de esos presos de la celda más profunda de la mazmorra del castillo de If en el puerto de Marsella[5]; él se escapó de esa forma y ¿cuánto crees tú que tardó?

—No lo sé.

—Anda, adivínalo.

—No sé. Un mes y medio.

—Treinta y siete años..., y salió en China. Así es como debe ser. Me gustaría que la base de esta fortaleza fuera de roca maciza.

—Jim no conoce a nadie en China.

—¿Y eso qué tiene que ver? Ese otro tipo tampoco conocía a nadie allí. Pero siempre te andas por las ramas. ¿Por qué no puedes ceñirte a lo principal?

[5] Referencia a Edmond Dantès, el protagonista de *El conde de Montecristo* (1845-1846), de Alexandre Dumas, que logró huir del *castillo* que se alza en la pequeña isla de *If*, en la bahía de Marsella, que fue prisión estatal a partir del siglo XVII.

—Muy bien..., a mí no me importa dónde salga, con tal que salga, y creo que a Jim tampoco le importa. Pero hay un problema, sin embargo: Jim es demasiado viejo para que le saquen cavando con un cuchillo de mesa. No sobrevivirá lo bastante.

—Sí sobrevivirá. No creerás que nos va a llevar treinta y siete años cavar un túnel a través de un cimiento de tierra, ¿verdad?

—¿Cuánto nos llevará, Tom?

—Bueno, no podemos arriesgarnos a invertir todo el tiempo que debería invertirse, porque puede que el tío Silas tenga noticias dentro de poco de ese sitio cerca de Nueva Orleáns. Le avisarán de que Jim no es de allí. Luego, su próximo paso será poner anuncios sobre Jim o algo por el estilo. Así que no podemos correr el riesgo de gastar el tiempo debido en cavar su túnel de fuga. Lo correcto, creo, sería pasar un par de años haciéndolo, pero no, no podemos. Con las cosas tan inseguras como están, lo que yo recomiendo es esto: que nos pongamos a cavar en seguida, lo más pronto posible, y después podemos imaginarnos que tardamos treinta y siete años. Luego, a la primera señal de alarma que se presente, podemos sacarle y llevárnosle de acá corriendo. Sí, yo creo que será la mejor forma.

—Ahora sí veo que eso tiene algún sentido —dije—. Imaginarse algo no cuesta nada; imaginar no es difícil y, si viene al caso, a mí no me importa imaginar que tardamos ciento cincuenta años. No me tendría que esforzar para hacerlo, después de adquirir un poco de práctica. Así que voy a dar un paseíto y a llevarme un par de cuchillos de mesa.

—Llévate tres —dijo—. Queremos uno para hacer una sierra.

—Tom, si no es antirreglamentario e irreligioso sugerirlo —dije—, hay una hoja de sierra oxidada allí metida, entre las tablas de chilla del ahumadero.

Parecía un poco desalentado y cansado. Dijo:

—Es inútil tratar de enseñarte nada, Huck. Vete ya y tráete los cuchillos..., tres cuchillos.

Así que fue lo que hice.

Capítulo 36

Aquella noche, en cuanto pensamos que ya dormían todos, bajamos por el tubo del pararrayos y nos encerramos en el cobertizo; sacamos luego los trozos de hongo luminoso y nos pusimos a trabajar. Despejamos el suelo en un espacio de un metro y medio alrededor del centro del tronco de la base. Tom dijo que estábamos exactamente detrás de la cama de Jim y que cavaríamos el túnel debajo de ella y, al terminar, nadie en la cabaña sabría que había un agujero allí. Porque la colcha de Jim colgaba casi hasta el suelo y hubieras tenido que levantarla y mirar debajo de la cama para ver el agujero. Así que cavamos y cavamos con los cuchillos de mesa hasta casi medianoche. Entonces estábamos rendidos y teníamos las manos con ampollas y a pesar de todo no parecía que hubiéramos adelantado casi nada. Por fin dije:

—Este no es un trabajo de treinta y siete años; este es un trabajo de treinta y ocho años, Tom Sawyer.

Él no dijo nada. Pero suspiró y al rato dejó de cavar y entonces, durante bastante rato, supe que estaba pensando. Luego dijo:

—Es inútil, Huck, no va a resultar. Si fuéramos presos sí resultaría, porque entonces tendríamos tantos años como quisiéramos, y sin prisas. Y no podríamos cavar más que unos minutos cada día mientras relevaban la guardia, y así no nos saldrían ampollas en las manos y podríamos seguir constantemente, año tras año, y hacerlo bien y como se debe hacer. Pero nosotros no podemos entretenernos, tenemos que darnos prisa, no tenemos tiempo que perder. Si pasáramos otra noche así, tendríamos que suspender el trabajo durante una semana para que se nos curaran las manos... Antes no creo que pudiésemos ni tocar un cuchillo de mesa.

—Bueno, entonces, ¿qué vamos a hacer, Tom?

—Te lo diré. No es correcto y no es moral, a mí no me gustaría que se supiera, pero no hay más remedio: tenemos que cavar el túnel con los picos y hacer como que son cuchillos de mesa.

—Eso sí que es hablar bien —dije—; parece que vas haciéndote cada vez más sensato, Tom Sawyer. Los picos son lo suyo, sea moral o no. Y en cuanto a mí, en todo caso, me importa un pepino la moralidad del asunto. Cuando me pongo a robar un negro o una sandía o un libro de la escuela dominical, me importa muy poco el cómo lo hago con tal que lo haga. Lo que quiero es mi negro o lo que quiero es mi sandía o lo que quiero es mi libro de la escuela dominical. Y si un pico es la cosa que está más a mano, pues con el pico voy a cavar y voy a sacar ese negro o esa sandía o ese libro de la escuela dominical, y no doy una rata muerta por lo que las autoridades en la materia piensen sobre el particular.

—Bueno —dijo—, en un caso como este hay una excusa para recurrir a los picos y al fingimiento. Si no fuera así, yo no lo aprobaría ni me quedaría a un lado mientras se rompían las reglas..., porque lo que está bien está bien, y lo que está mal está mal, y uno no tiene por qué hacerlo mal cuando no es ignorante y sabe las cosas. Podría valer que tú cavaras el túnel para Jim con un pico, sin fingir, porque tú no sabes nada que sea mejor; pero para mí no vale porque sí sé lo que se debe hacer. Dame un cuchillo de mesa.

Él tenía el suyo, pero le entregué el mío. Lo tiró al suelo y dijo:

—Dame un cuchillo de mesa.

No sabía qué hacer..., pero de pronto lo comprendí. Rebusqué entre las herramientas viejas, saqué un azadón y se lo di, y él lo cogió y se puso a trabajar y no dijo ni una palabra.

Azadón: Herramienta parecida a la azada, con la pala más curva y más larga que ancha.

Siempre era así de escrupuloso, tan lleno de principios.

Yo cogí una pala y nos dedicamos a picar y a palear por turnos, y las cosas iban a toda marcha. Seguimos trabajando alrededor de media hora, que era todo el tiempo que pudimos mantenernos en pie, pero ya teníamos un agujero bastante grande como para demostrar el esfuerzo que habíamos hecho. Cuando llegué al piso de arriba, miré por la ventana y vi a Tom haciendo todo lo que podía para trepar por el tubo del pararrayos, pero no pudo lograrlo, de lo doloridas que tenía las manos. Por fin dijo:

—Es inútil, no puedo. ¿Qué crees que debo hacer? ¿No se te ocurre nada?

—Sí —dije—, pero supongo que no es reglamentario. Sube por las escaleras e imagina que son el tubo del pararrayos.

Así lo hizo.

Al día siguiente, Tom robó una cuchara de peltre y un candelero de bronce, con los que hacer unas plumas para Jim, y robó seis velas de sebo. Y yo rondé alrededor de las cabañas de los negros y esperé la ocasión y, por fin, robé tres platos de hojalata. Tom dijo que no eran suficientes, pero yo dije que nadie vería los platos que tiraba *Brezo:* Arbusto Jim porque iban a caer entre los brezos y los chamicos *de la familia* bajo el agujero de la ventana... Luego podíamos devol- *de las Ericáceas.* vérselos y él podría usarlos otra vez. Así que Tom quedó *Chamico:* Arbusto satisfecho. Luego dijo: *silvestre.*

—Ahora lo que tenemos que estudiar es cómo hacer llegar estas cosas a Jim.

—Las llevamos por el túnel —dije— cuando lo tengamos terminado.

Me miró con desprecio y dijo algo así como que nadie había oído nunca una idea tan idiota y luego se puso a pensar. Al poco rato había ideado otros dos recursos, pero todavía no hacía falta decidir cuál íbamos a emplear. Dijo que primero teníamos que enterarle a Jim de nuestros planes.

Esa noche bajamos por el tubo del pararrayos un poco después de las diez y llevamos una de las velas y escuchamos bajo el agujero de la ventana y oímos roncar a Jim, así que tiramos dentro la vela y no le despertó. Luego nos pusimos a trabajar con furia con el pico y la pala y en unas dos horas y media la tarea quedó terminada. Nos arrastramos dentro, debajo de la cama de Jim, y tanteamos por allí y encontramos la vela y la encendimos y miramos a Jim un rato y le encontramos con aspecto saludable y sano. Luego le despertamos lenta y suavemente. Estaba tan contento de vernos que casi lloró, y nos llamó

«tesoro» y todos los nombres cariñosos que se le ocurrían.

Cortafrío: Cincel con el que se corta el hierro en frío.

Era partidario de que buscáramos un cortafrío en seguida para cortarle la cadena y poder largarnos todos sin perder tiempo. Pero Tom le mostró cuán irregular resultaría eso y se sentó y le contó todos nuestros planes y cómo podríamos alterarlos en cualquier momento que hubiera señal de alarma; y le tranquilizó diciéndole que no debía temer nada porque seguro que íbamos a verle libre. Así que Jim dijo que estaba de acuerdo y nos sentamos un rato a hablar de los días pasados. Luego, Tom le hizo muchas preguntas y cuando Jim le contó que el tío Silas le visitaba para rezar con él cada día o a lo sumo cada dos días y que la tía Sally entraba a ver si estaba cómodo y si tenía bastante de comer y que los dos le trataban con mucha amabilidad, Tom dijo:

—Ahora sí que sé cómo arreglar nuestros planes. Vamos a pasarte unas cosas con mis tíos.

Dije:

—No hagas una cosa semejante. Es una de las ideas más burras que he oído nunca.

Pero no me hizo el menor caso y siguió adelante. Así procedía siempre cuando tenía sus planes trazados.

De modo que le dijo a Jim que tendríamos que pasarle de contrabando el pastel de la escala de cuerda, además de otras cosas grandes, con Nat, el negro que le traía la comida y que Jim debía tener cuidado y no mostrar sorpresa y no dejar que Nat le viera sacar las cosas; que pondríamos cosas pequeñas en los bolsillos del tío y que Jim tenía que robárselas de los bolsillos; otras veces ataríamos cosas a las cintas del delantal de la tía o se las pondríamos en el bolsillo del delantal, si teníamos ocasión; y le contó a Jim qué cosas serían y para qué valían. Y le contó cómo escribir el diario con sangre en la camisa, y todo lo demás. Se lo contó todo. Jim no podía entender el sentido de la mayor parte de aquellas cosas, pero admitía que éramos gente blanca y sabíamos más que él, así que estaba satisfecho y dijo que haría todo exactamente como Tom se lo había explicado.

Jim tenía muchas pipas de maíz y tabaco, así que pasamos allí un rato de veras agradable juntos; luego salimos a gatas por el agujero y fuimos a casa a acostarnos, con las manos que parecían que alguien nos las hubiera masticado. Tom estaba muy animado. Dijo que era la diversión mejor de su vida, y la más intelectual; y dijo que si él pudiera idear el modo de hacerlo, seguiríamos con aquello toda la vida y, además, dejaríamos a nuestros hijos la tarea de liberar a Jim, porque él creía que Jim le tomaría cada vez más gusto al asunto a medida que se fuera acostumbrando. Dijo que de esa manera se podría prolongar todo esto durante ochenta años y sería el tiempo más largo de la historia empleado para liberar a nadie. Y dijo que nos haría célebres a todos los que habíamos intervenido.

Por la mañana nos dirigimos a la pila de leña y partimos en trozos manejables los candeleros de bronce y Tom se los metió en el bolsillo junto con la cuchara de peltre. Luego fuimos a las cabañas de los negros y, mientras yo distraía a Nat, Tom metió un trozo de candelero en el pan de maíz que estaba en la cacerola de Jim. Acompañamos a Nat para ver cómo salía la cosa, y salió de forma notable: cuando Jim tomó un bocado del pan, el trozo de candelero casi le hace puré los dientes, así que nunca hubo una cosa que resultara tan bien. Tom mismo lo dijo. Jim no dejó entrever nada; solo dio a entender que seguramente era un trozo de piedra o de algo que, como sabes, siempre suele encontrar uno en el pan. Pero en adelante no mordía nada sin antes atravesarlo con el tenedor por tres o cuatro sitios.

Y mientras estábamos allí, en la luz mortecina, salieron un par de sabuesos de debajo de la cama de Jim. Después llegaron más, amontonándose hasta once sabuesos, y casi no quedaba sitio donde respirar. ¡Demonios, se nos olvidó cerrar la puerta del cobertizo! El negro Nat solo gritó una vez: «¡Brujas!», cayó desmayado al suelo entre los perros y se puso a gemir como si estuviera muriéndose. Tom abrió la puerta de un tirón, echó afuera un pedazo de carne del plato de Jim y los perros se lanzaron hacia allá y en dos segundos él salió también y volvió a entrar y cerró la puerta de nuevo, y yo sabía que había cerrado además la otra puerta. Luego se ocupó del negro, mimándole y diciéndole palabras cariñosas y preguntándole si de nuevo había imaginado ver alguna cosa rara. El negro levantó la cabeza, parpadeó mirando por todo alrededor y dijo:

—Señorito Sid, me dirás que soy un tonto, pero creo que si no he visto casi un millón de perros o diablos o algo así, pues que me caiga muerto aquí mismo sobre mis propias huellas. Los he visto, seguro, sin ninguna duda. Señorito Sid, los he sentido..., los he sentido, señor, estaban todos encima de mí. Maldita sea, si solo pudiera echarle mano a una de esas brujas..., solo una vez..., una vez nada más..., es todo lo que pido. Pero aún me gustaría más que me dejaran en paz. Eso es lo que quiero.

Tom dijo:

—Bueno, te diré lo que pienso. ¿Sabes por qué vienen aquí justo a la hora del desayuno de este negro fugitivo? Es porque las brujas tienen hambre, es por eso. Tú debes prepararles un pastel de brujas, eso es lo que tienes que hacer.

—Pero, por todos los cielos, señorito Sid, ¿cómo voy a hacer un pastel de brujas? No sé hacerlo. Nunca antes he oído hablar de una cosa semejante.

—Bueno, entonces, tendré que hacerlo yo mismo...

—¿Lo harás, bonito, lo harás? ¡Oh, yo besaría el suelo debajo de tus pies!

—Muy bien, lo haré, tratándose de ti y considerando que has sido bueno con nosotros y que nos has mostrado a este negro fugitivo. Pero hay que tener muchísimo cuidado. Cuando lleguemos por acá, tienes que volverte de espaldas y luego no dar a entender que has visto nada en absoluto de lo que pongamos en la cacerola. Y no mires cuando Jim lo saque de la cacerola..., algo podría ocurrir, no sé qué. Y, sobre todo, no toques las cosas de las brujas.

—¿Tocarlas, señorito Sid? ¿De qué estás hablando? Yo no pondría ni el peso de un dedo en esas cosas, no lo haría ni por diez centenares de miles de millones de dólares ni por nada.

Capítulo 37

Con eso quedó todo arreglado. Así que salimos y nos fuimos al montón de basura que había detrás de la casa, donde ponían las botas viejas y trapos y trozos de botellas y cosas gastadas de hojalata y toda esa clase de cacharros, revolvimos en el montón, encontramos una palangana vieja de hojalata y tapamos los agujeros lo mejor que pudimos, para poder hacer en ella el pastel. Llevamos la palangana al sótano y la llenamos de harina robada y luego, cuando subíamos a desayunar, encontramos un par de clavos gruesos que, según dijo Tom, le serían útiles al preso para garabatear con ellos su nombre y sus pesares en los muros de la mazmorra, así que Tom dejó caer uno de aquellos clavos en el bolsillo del delantal de la tía Sally cuando ella lo tenía colgado en una silla y a continuación metimos el otro clavo en la cinta del sombrero del tío Silas, que estaba encima de la cómoda; y todo porque les habíamos oído decir a los niños que sus padres iban a la casa del negro fugitivo esa mañana. Luego entramos por fin a desayunar y Tom dejó caer la cuchara de peltre en el bolsillo de la chaqueta del tío Silas y, como la tía Sally no había llegado todavía, aún tuvimos que esperar un rato.

Cuando llegó, noté que estaba acalorada y enrojecida y enfadada, hasta el punto de que casi no pudo esperar a que terminara la bendición; se puso en seguida a echar el café con una mano y a golpear con el dedal de la otra mano la cabeza del niño que le caía más cerca, y dijo:

—He revuelto todo de arriba abajo y por mi vida que no puedo entender adónde ha ido a parar tu otra camisa.

Se me hundió el corazón entre los pulmones y también los hígados y las demás cosas del cuerpo, y un trozo duro de corteza de pan se puso en camino hundiéndose detrás de ellas, garganta abajo, y tropezó allí con un gol-

pe de tos y salió disparado a través de la mesa y le dio en
el ojo a uno de los niños y le hizo enroscarse al pobre
como un gusano y le arrancó un chillido del tamaño de
un grito de guerra. A Tom, mientras tanto, se le puso la
cara un poco azul, como de náuseas, y durante un cuarto
de minuto o más la situación llegó a tal estado que yo habría liquidado todo el asunto por la mitad de precio si
hubiera encontrado comprador. Pero después de un rato
ya estábamos bien otra vez... Fue la súbita sorpresa la
que nos golpeó de esa manera. El tío Silas dijo:

—Es extraordinario y raro y no lo entiendo. Sé perfectamente que me la quité porque...

—Porque no la llevas puesta. ¡Vaya, escúchenle al señor! Yo sé que te la quitaste, y lo sé de una manera mucho más segura que la de fiarme de tu memoria de viejo
distraído porque ayer la camisa estaba en el tendedero,
la vi con mis propios ojos. Pero ha desaparecido, esa es la
esencia del asunto, y tendrás que ponerte una de franela
roja hasta que tenga tiempo de hacerte otra nueva. Y será
la tercera que habré hecho en dos años. Tiene una que estar volando siempre para proveerte de camisas y no sé
qué es lo que haces con ellas, es algo que no puedo comprender. A tu edad tendrías que haber aprendido a cui-
darlas, aunque fuera solo un poco.

Franela: Tela fina de lana o de algodón.

—Lo sé, Sally, e intento hacer todo lo que puedo. Pero
no debe ser mía toda la culpa porque, como sabes, no las
veo ni tengo nada que ver con ellas salvo cuando las llevo puestas, y no creo que haya perdido nunca una que
llevara encima.

—Bueno, habrías hecho todo lo posible para perderla
aun llevándola encima, Silas; lo habrías hecho si pudieras, creo yo. Y no es solo la camisa lo que ha desaparecido. También falta una cuchara, y aún hay más... Había
diez cucharas y solo quedan nueve. Me imagino que el
ternero se llevó la camisa, pero el ternero no se llevó la
cuchara, de eso estoy segura.

—¿Falta algo más, Sally?

—Faltan seis velas, eso es lo que falta. Las ratas han
podido llevarse las velas, y me imagino que lo hicieron;
me pregunto cómo no se llevan la casa entera, con eso de
que vas a tapar los agujeros y no los tapas nunca, y si las

ratas no fueran tontas, dormirían en tu pelo, Silas, y tú no te enterarías nunca. Pero no se puede cargar a las ratas la desaparición de la cuchara, de eso estoy segura.

—Bueno, Sally, tengo la culpa, lo reconozco; he sido negligente, pero no pasará de mañana sin que tape esos agujeros.

—Oh, yo no me daría prisa; es igual que lo hagas el año que viene. ¡Matilda Angelina Araminta Phelps!

¡Zas...! Cayó el dedal y la niña retiró las garras del azucarero sin entretenerse más. En el mismo instante, la negra entró por el pasillo y dijo:

—Señora, ha desaparecido una sábana.

—¡Una sábana desaparecida! ¡Por el amor de Dios!

—Hoy mismo taparé esos agujeros —dijo el tío Silas con cara triste.

—¡Por favor, cállate! ¿Crees que las ratas se han llevado la sábana? ¿Dónde imaginas que puede haberse metido, Lize?

—Santo cielo, no tengo ni idea, señora Sally. Ayer estaba en el tendedero, estoy segura, pero se ha evaporado; ya no está allí.

—¡Pero esto es el fin del mundo! Nunca, en todos los días de mi vida, he visto cosa igual. Una camisa y una sábana y una cuchara y seis ve...

—Señora —dijo entrando una joven mulata—, falta un candelero de bronce.

—¡Fuera de aquí, desvergonzada, o te daré con la sartén! —gritó la tía Sally.

Bueno, estaba que hervía. Me puse solo a esperar la oportunidad de irme; pensaba escapar y marcharme al bosque hasta que el tiempo se calmara. Ella seguía enfurecida, llevando adelante la insurrección ella sola, con todos los demás bastante mansos y quietos. Por fin, el tío Silas, con una expresión de ridículo, sacó aquella cuchara de su bolsillo. La tía Sally se quedó parada con la boca abierta y las manos levantadas y, en cuanto a mí, me habría gustado encontrarme en Jersusalén o en alguna otra parte. Pero no duró mucho la espera porque ella dijo:

—Justo lo que pensaba. La tenías en el bolsillo todo el tiempo y es probable que tengas las otras cosas también. ¿Cómo ha llegado ahí?

—De verdad que no lo sé —dijo, como pidiendo perdón—, tú sabes que te lo diría. Antes del desayuno estaba estudiando mi texto en el capítulo diecisiete de los *Hechos*[1] y me imagino que la metí ahí, sin darme cuenta, pensando meter el Nuevo Testamento. Y debe de ser así porque no tengo el Nuevo Testamento, pero iré a ver y, si el Nuevo Testamento está donde lo tenía puesto, sabré que no lo metí, y eso mostrará que dejé encima el Nuevo Testamento y eché mano de la cuchara y...

—¡Por el amor de Dios! ¡Déjame en paz! Venga, fuera de aquí todo el mundo, toda la cuadrilla, y no se os ocurra acercaros a mí hasta que haya recobrado la serenidad.

Yo la habría oído decirlo aunque lo hubiera dicho para sus adentros, y más aún tal y como lo dijo, en voz alta, y creo que me habría levantado a obedecerla aunque hubiera estado muerto. Mientras cruzábamos la sala, el viejo echó mano al sombrero y el clavo se cayó al suelo, él se limitó a recogerlo y a dejarlo sobre la repisa de la chimenea; no dijo nada y salió. Tom le vio hacer eso y se acordó de la cuchara y dijo:

—Bueno, es inútil enviar más cosas con él; no es de fiar.

Luego dijo:

—Pero nos ha hecho un favor con eso de la cuchara sin saberlo, así que vamos a hacerle a él un favor sin que lo sepa... Vamos a tapar los agujeros de las ratas.

Había una notable cantidad de ellos en el sótano y tardamos una hora entera, pero hicimos un buen trabajo y los dejamos bien tapados. Luego oímos pasos en la escalera, apagamos la vela y nos escondimos. Y vimos bajar al viejo con la vela en una mano y un hato de cosas en la otra y con una cara tan distraída como el año penúltimo. Iba como alelado, primero hacia un agujero y luego hacia otro, mirándolos, hasta que los hubo visto todos. Entonces se quedó allí unos cinco minutos, quitando las gotas secas de la vela con los dedos y cavilando. Luego se volvió, despacio y soñoliento, hacia las escaleras, diciendo:

—Pues por vida mía que no recuerdo cuándo lo he hecho. Podría demostrarle ahora a Sally que yo no tenía la

---

[1] Los *Hechos de los Apóstoles*, quinto libro del Nuevo Testamento.

culpa por eso de las ratas. Pero no importa, dejémoslo estar; me imagino que no se adelantaría nada.

Y así siguió escaleras arriba, hablando entre dientes, y luego salimos nosotros. Era un viejo enormemente simpático. Y aún sigue siéndolo.

Tom estaba bastante preocupado por cómo conseguir una cuchara y dijo que no podríamos pasarnos sin ella, así que se puso a inventar un plan. Cuando lo había pensado bien, me contó cómo íbamos a hacerlo y luego estuvimos acechando junto a la cesta de las cucharas hasta que vimos venir a la tía Sally y, entonces, Tom se puso a contar las cucharas, dejándolas a un lado, yo deslicé una dentro de mi manga y Tom dijo:

—Pero, tía Sally, si todavía no hay más que nueve cucharas.

Ella dijo:

—Vete a jugar y no me molestes. Yo sé que están todas, las he contado yo.

—Bueno, yo las he contado dos veces, tía, y me salen nueve.

Parecía haber perdido toda la paciencia, pero, por supuesto, se acercó a contarlas... Cualquiera habría hecho lo mismo.

—¡Válgame Dios, si no hay más que nueve! ¡Pero cómo puede ser! ¡Qué demonios! Las contaré otra vez.

Así que devolví la que tenía escondida y, cuando terminó de contar, dijo:

—¡Al diablo con el lío este, ahora hay diez! —y parecía molesta y preocupada al mismo tiempo.

Pero Tom dijo:

—Tía, yo creo que no hay diez.

—¿No me has visto contarlas, pedazo de alcornoque?

—Sí, pero...

—Bien, las contaré otra vez.

Así que birlé una y salieron nueve, igual que antes. Bueno, ya estaba que se subía por las paredes, temblando toda ella de lo enfadada que estaba. Pero contó y contó hasta que estaba tan confundida que a veces contaba también la cesta como si fuera una cuchara y, así, tres veces salió bien la cuenta y tres veces mal. Luego agarró la cesta y la tiró al otro lado del cuarto dando un golpe tal que dejó al gato aturdido. Nos dijo que nos fuéramos y que la dejáramos en paz y que si íbamos por allí fastidiándola antes de la hora de comer nos despellejaría. Así que ya teníamos la cuchara en cuestión y, mientras ella nos daba las últimas órdenes, la dejamos caer en el bolsillo de su delantal y, antes de mediodía, Jim la recibió sin problemas junto con el clavo que también llevaba la tía Sally. Estábamos muy satisfechos con este asunto y Tom declaró que valía el doble del trabajo que nos costó, porque dijo que la tía Sally no podría contar esas cucharas dos veces con el mismo resultado nunca más, ni aun para salvar su vida; y que aunque las contara bien, ya no iba a creerlo. Y dijo Tom que, después de volverse loca contando durante los tres días siguientes, él creía que se daría por vencida y se ofrecería a matar al que le pidiera que las contara otra vez en la vida.

Aquella noche devolvimos la sábana al tendedero y robamos una del armario. Y seguimos devolviéndola y robándola durante un par de días hasta que la tía Sally ya no sabía cuántas sábanas tenía y no le importaba saberlo y no iba a atormentarse el alma más por el asunto y no las contaría otra vez ni para salvar su vida; sin duda que prefería antes la muerte.

Así que estábamos a gusto entonces en lo referente a la camisa y la sábana y la cuchara y las velas, gracias a la ayuda del ternero y de las ratas y gracias al embrollo de los recuentos. Y en cuanto al candelero, pues no tenía gran importancia, pasaría al olvido dentro de poco.

Pero el pastel fue un trabajo fastidioso; no se acababan las dificultades que teníamos con el dichoso pastel. Lo preparamos allá lejos, en el bosque, lo hicimos allí y, por fin, lo tuvimos hecho, y de forma muy satisfactoria, además. Pero no fue trabajo de un solo día y gastamos tres palanganas de harina antes de verlo terminado y nos quemamos en varios sitios del cuerpo y salimos con los ojos cegados por el humo porque, tú te das cuenta, no queríamos hacer más que la parte de hojaldre, pero no podíamos conseguirla bien dura y se hundía siempre. Por supuesto, se nos ocurrió por fin el procedimiento correcto, que consistía en hacerlo con la escala dentro del pastel. Así que la segunda noche la pasamos con Jim y rasgamos la sábana en pequeñas tiras que luego trenzamos juntas. Mucho antes del amanecer teníamos hecha una bonita cuerda, con la que hubieras podido ahorcar a una persona. Pero, desde luego, hacíamos como que habíamos invertido nueve meses de trabajo en hacerla.

Antes del mediodía la llevamos al bosque, pero no cabía en el pastel, porque estaba hecha de una sábana entera; resultaba que había cuerda suficiente para llenar cuarenta pasteles, si hubiéramos querido, y sobraba cuerda para una sopa y unas salchichas o cualquier cosa que escogieras. Seguro que podríamos haber hecho con ella una cena entera.

Pero no nos hacía falta. Solo necesitábamos lo bastante para rellenar el pastel y, por tanto, tiramos la cuerda que sobraba. No hicimos ninguno de los pasteles en la palangana: temíamos que se derritieran las soldaduras. Pero el tío Silas tenía un magnífico brasero de bronce, de calentar camas, que él apreciaba mucho, porque había pertenecido a uno de sus antepasados; era un brasero con un mango largo de madera, que había llegado de Inglaterra con Guillermo el Conquistador en el *Mayflower*[2] o en uno de aquellos primeros barcos, y estaba escondido en el desván junto con muchos otros cacharros viejos y cosas que eran valiosas, no porque sirvieran para algo, porque no servían, sino porque eran reliquias, como puedes suponer. El caso es que bajamos de allá arriba sigilosamente el brasero y nos lo llevamos al bosque, pero nos falló en los primeros pasteles porque no sabíamos usarlo, hasta que, por fin, el último pastel salió perfecto y sonriente. Tomamos el brasero, lo revestimos con masa, lo cargamos con la cuerda de trapos, después pusimos encima un techo con más masa, cerramos la tapa del brasero, pusimos encima brasas y nos quedamos a casi dos metros, sujetando aquel mango largo, frescos y cómodos, y quince minutos después el brasero nos hizo un pastel que

Brasero: Recipiente de metal donde se pone un carbón especial que se consume lentamente. Se utiliza como forma de calefacción.

---

[2] Huck vuelve aquí a enredar datos históricos. Guillermo I de Inglaterra, conocido como *Guillermo el Conquistador,* fue duque de Normandía desde 1035, conquistó Inglaterra en 1066 y le arrebató el trono a Haroldo de Wessex. El *Mayflower* es el barco en el que viajó un grupo de puritanos desde Inglaterra hasta la costa de los Estados Unidos en 1620. Fueron los primeros colonos que se establecieron en la costa de Massachusetts.

al mirarlo daba satisfacción. Pero la persona que fuera a comerlo haría bien en llevar consigo un par de barriles de palillos porque si esa escala de cuerda no le daba un buen trabajo, pues yo no sé de qué estoy hablando; y, además, comer aquello iba a ocasionarle un dolor de estómago que le duraría hasta que le doliera la próxima vez.

Nat no miró cuando pusimos el pastel de brujas en la cacerola de Jim. Metimos los tres platos de hojalata en el fondo de la cacerola, debajo de la comida, y así Jim lo recibió todo sin problemas. En cuanto estuvo a solas, rompió el pastel, escondió la escala de cuerda dentro de su jergón de paja, grabó unas señales en un plato de hojalata y lo tiró por el agujero de la ventana.

Capítulo 38

Era un trabajo duro y fastidioso hacer las plumas y también lo era hacer la sierra, pero Jim declaró que la inscripción iba a ser el trabajo más duro de todos. Me refiero a la inscripción que el preso tiene que garrapatear en la pared. Porque sin falta tenía que haber una inscripción; Tom dijo que Jim tenía que hacerla: no había habido ni un solo caso en que un preso de estado no garabateara su inscripción para dejarla allí, además de su escudo de armas.

Garrapatear: Hacer letras o rasgos mal trazados.

—Fíjate en lady Jane Grey —dijo—. Fíjate en Guilford Dudley, ¡fíjate en el viejo Northumberland![1] Mira, Huck, aunque sea un trabajo bastante difícil..., ¿qué le vamos a hacer? ¿Cómo puedes esquivarlo? Jim tiene que hacer su inscripción y su escudo de armas. Todos lo hacen.

—Pero, señorito Tom, yo no tengo escudo de armas; yo no tengo más que esta vieja camisa y sabes que en ella hay que escribir el diario —dijo Jim.

—No entiendes, un escudo de armas es muy distinto.

—Bueno —dije—, Jim tiene razón, sin embargo, cuando dice que no tiene un escudo de armas, porque no lo tiene.

—Eso ya lo sabía yo, creo —dijo Tom—. Pero te aseguro que tendrá uno antes de salir de aquí... porque va a salir como es debido y no habrá manchas en su historial.

Así que mientras yo y Jim limábamos las plumas usando cada uno un trozo de ladrillo, Jim haciendo la suya de un pedazo de bronce y yo haciendo la mía de la cuchara, Tom se puso a planear el escudo de armas. Después de un rato dijo que había ideado tantos buenos que casi no

---

[1] *Lady Jane Grey* (1537-1554), pretendiente al trono británico, fue hecha prisionera con su marido *Guilford Dudley* y con el padre de este, el duque de *Northumberland*. Los tres fueron ejecutados.

sabía cuál escoger, pero que tenía uno por el cual pensaba que sentía preferencia. Dijo:

—Tendremos en el escudo una banda de oro y un sautor morado en ella; un perro acostado en el centro de la punta y bajo su pie una cadena almenada, símbolo de la esclavitud; un cheurón sinople en el jefe angrelado; tres contrabandas en azur sobre borde danchado; y de cimera, un negro fugitivo sable, con el hato al hombro sobre una barra siniestrada; de soportes, un par de gules, que somos tú y yo; y de divisa: «*Maggiore fretta, minore atto*». La saqué de un libro. Quiere decir: «Más prisa, menos velocidad»[2].

—¡Caramba! ¿Pero qué significan las demás cosas?

—No tenemos tiempo para preocuparnos de eso —repuso—. Tenemos que ponernos a trabajar como locos.

—Bueno, en todo caso —dije—, ¿qué son algunas cosas? ¿Qué es eso de un sautor morado?

—Un sautor..., un sautor es..., a ti no te hace falta saber lo que es un sautor. Yo le mostraré a Jim cómo hacerlo cuando llegue el momento.

—Bah —dije—. Tom, yo creo que podrías decírmelo. ¿Qué es una barra siniestrada?

—No sé. Pero Jim debe tenerla. Toda la nobleza la tiene.

Así procedía él siempre. Si no le convenía explicarte una cosa, no lo hacía. Podías tirarle de la lengua durante una semana entera y no daba resultado.

Tom ya tenía arreglado el asunto del escudo de armas, así que se puso a terminar lo que quedaba de esa parte del trabajo, que era planear una inscripción doliente. Dijo

[2] Para la descripción del escudo de Jim, Tom utiliza distintos vocablos propios de la heráldica. *Banda:* pieza honorable (se llama así a la que ocupa un tercio de la anchura del escudo) que atraviesa en diagonal el escudo desde su ángulo derecho superior al ángulo izquierdo inferior. *Sautor:* especie de aspa. *Punta:* tercio inferior del escudo. *Cheurón:* pieza honorable en forma de compás abierto. *Sinople:* verde. *Jefe:* parte alta del escudo. *Angrelado:* rematado en picos pequeños. *Contrabanda:* banda que se divide en dos mitades, una de color y otra de metal. *Azur:* azul. *Danchado:* guarnecido de puntas. *Cimera:* adorno que se pone sobre el escudo. *Sable:* negro. *Siniestrada:* se llama así la división vertical del escudo en dos partes mediante una línea trazada paralelamente al borde siniestro (izquierdo) y a una distancia de un quinto del ancho del escudo. *Soporte:* figura que sostiene el escudo. *Gules:* rojo. *Divisa:* lema. En cuanto a la divisa en italiano, *maggiore fretta* significa literalmente «mayor prisa»; *minore atto*, «menor acto».

que Jim tenía que tener una, como la tenían todos. Inventó muchas, las escribió en un papel y las leyó así:

1. *Aquí se rompió un corazón cautivo.*
2. *Aquí se consumió la acongojada vida de un pobre preso, olvidado por el mundo y por sus amigos.*
3. *Aquí se destrozó un corazón solitario, y un alma dolorida descansó en paz después de treinta y siete años de cautiverio solitario.*
4. *Aquí pereció, sin hogar y sin amigos, después de treinta y siete años de amargo cautiverio, un extranjero noble, hijo natural de Luis XIV*[3].

Hijo natural: Hijo ilegítimo.

Le temblaba a Tom la voz mientras las leía, y casi perdía la serenidad. Cuando había terminado la lectura, no podía decidirse por la que Jim debía garabatear en la pared porque todas eran igual de buenas, pero por fin declaró que le dejaría garabatear todas. Jim dijo que tardaría un año en garabatear tantas cosas en la pared con un clavo y que, además, él no sabía hacer las letras, pero Tom le dijo que él se las dibujaría y que Jim no tendría más que seguir las líneas. Luego, después de un rato, dijo:

—Ahora que lo pienso, los troncos no van a servir, no hay troncos en una mazmorra, tenemos que grabar las inscripciones en una piedra. Traeremos una piedra.

Jim dijo que la piedra era peor que los troncos; dijo que tardaría un tiempo tan largo en grabarlas en una piedra que nunca se vería libre. Pero Tom dijo que me dejaría a mí ayudarle. Luego echó una mirada a ver cómo iba Jim con la fabricación de las plumas. Era este un trabajo por demás tedioso, duro y lento, no dejaba que mis manos se curaran de las lastimaduras y no parecíamos avanzar casi nada, así que Tom dijo:

—Ya sé cómo arreglarlo. Nos hace falta una piedra para el escudo de armas y para las inscripciones dolientes, y podemos matar dos pájaros con esa misma piedra. Hay una magnífica piedra de moler allá abajo, en el molino, la birlaremos, grabaremos las cosas en ella y, además, podemos usarla para afilar las plumas y la sierra.

Piedra de Moler: La de gran tamaño, con una cara cóncava o plana, sobre la cual se desliza otra piedra (llamada mano) para triturar granos.

[3] Véase nota 1, capítulo 23.

La idea no era de las flojas, y tampoco era una pluma aquella piedra de moler; pero declaramos que lo intentaríamos. No era todavía medianoche, así que nos largamos hacia el molino y dejamos a Jim trabajando. Robamos la piedra de moler y empezamos a llevarla rodando a casa, pero era un trabajo condenadamente difícil. A veces, a pesar de todos nuestros esfuerzos, no podíamos evitar que se cayera, y cada vez que se caía casi nos machacaba debajo. Tom dijo que de seguro iba a aplastarnos a uno de los dos antes de que acabáramos el trabajo.

La teníamos a la mitad del camino y ya estábamos agotados por completo y casi ahogados en sudor. Vimos que era inútil: teníamos que traer a Jim para que nos ayudara. Así que levantó en alto la cama, sacó la cadena de la pata, se la enroscó en el cuello y nos arrastramos por el agujero y volvimos todos allí, y Jim y yo nos pusimos a empujar la piedra de moler y la llevamos andando como si nada y Tom dirigía la operación. Como capataz, ganaba con mucho a cualquier muchacho que yo haya visto nunca. Sabía cómo hacerlo todo.

Nuestro túnel era bastante grande, pero no tanto como para que pasase la piedra de moler. Sin embargo, Jim cogió el pico y no tardó en darle al túnel la suficiente anchura. Luego, Tom marcó esas cosas con el clavo y puso a Jim a trabajar grabándolas, usando el clavo como cincel y como martillo un cerrojo que encontramos entre los trastos en el cobertizo. Tom le dijo a Jim que trabajara hasta que se acabara la vela y que luego podría acostarse y esconder la piedra de moler debajo del jergón y dormir encima. Antes de irnos Tom y yo a descansar, le ayudamos a colocar de nuevo la cadena en la pata de la cama y ya estábamos listos para salir cuando a Tom se le ocurrió algo y dijo:

—¿Jim, hay aquí arañas?

—No, señor, gracias a Dios no las hay.

—Bien, te conseguiremos alguna.

—Pero, corazón, que Dios te bendiga, yo no las quiero. Les tengo miedo. Casi prefiero tener por aquí serpientes de cascabel.

Tom pensó un minuto o dos y dijo:

—Es una buena idea. Y me imagino que se habrá hecho en algún caso. Al menos, debería haberse hecho; es

Cincel:
Herramienta con una barra alargada y un extremo acerado en forma de cuña que se utiliza para labrar piedras y metales.

lógico. Sí, es una idea de primera. ¿Dónde podrías guardarla?

—¿Guardar el qué, señorito Tom?

—Pues una serpiente de cascabel.

—¡Oh, por todos los cielos, señorito Tom! Si viniera por acá una serpiente de cascabel, cogería y saldría de aquí por esa pared de troncos, sí, la rompería con la cabeza.

—Pero, Jim, después de un poco de tiempo, no tendrías miedo de ella. Podrías domesticarla.

—¡Domesticarla!

—Sí, fácilmente. Todos los animales agradecen la bondad y los mimos, y no se les pasaría por la cabeza hacer daño a una persona que los mima. Cualquier libro afirma lo mismo. Tú inténtalo..., yo no te pido más; solo inténtalo durante dos o tres días. En poco tiempo te querría, dormiría contigo, no se apartaría de ti, dejaría que te la enroscaras en el cuello y metería su cabeza en tu boca.

—Por favor, señorito Tom..., ¡no digas esas cosas! ¡No puedo soportarlas! La serpiente me dejaría a mí meter su cabeza en mi boca... ¿Como un favor, eh? Pues creo que tendría que esperar un tiempo larguísimo antes de que yo la invitara. Y, además, no quiero que duerma conmigo.

—Jim, no seas ridículo. Un preso tiene que tener alguna clase de animal domesticado, y si no se ha intentado usar una serpiente de cascabel, pues hay mayor gloria que conquistar, porque serías el primero en intentarlo, y conseguirías mayor gloria que en cualquier otro recurso que pudieras imaginar, aun para salvar tu vida.

—Pues, señorito Tom, yo no quiero una gloria semejante. Si la serpiente va y le quita a Jim la barbilla de un mordisco, entonces, ¿dónde está la gloria? No, señor, no quiero tener nada que ver con cosas semejantes.

—Maldita sea, ¿no podrías por lo menos intentarlo? Solo quiero que lo intentes..., no tienes que seguir si no resulta.

—Pero toda la molestia se acabó si la culebra me muerde mientras lo estoy intentando. Señorito Tom, estoy dispuesto a intentar casi cualquier cosa que sea razonable, pero si tú y Huck traéis aquí una serpiente de cascabel para que la domestique, me largo, de eso estoy seguro.

—Bueno, entonces, olvídalo, olvídalo, ya que te pones tan cabezota. Podemos conseguirte unas culebras pequeñas inofensivas, les atas unos botones a la cola y hacemos como que son culebras de cascabel. Con eso tendremos que darnos por satisfechos.

—Esas las puedo soportar, señorito Tom, pero, maldita sea, podría pasarme sin ellas, te lo aseguro. Yo no sabía que era tan difícil y molesto ser un preso.

—Bueno, siempre lo es cuando se hace como es debido. ¿Hay ratas por aquí?

—No, señor, yo no he visto ninguna.

—Bueno, te conseguiremos unas ratas.

—Pero, señorito Tom, yo no quiero ratas. Esos condenados animales son de los más molestos que he visto, le inquietan a uno y le corren por encima y le muerden los pies cuando trata de dormir. No, señor, dame las culebras pequeñas, si tengo que tenerlas, pero no me des ratas; casi no las aguanto.

—Pero, Jim, tienes que tenerlas..., todos las tienen. Así que no sigas quejándote. No hay presos sin ratas. No hay ningún caso de un preso sin ratas. Y las entretienen y las miman y les enseñan a hacer cosas, y las ratas se vuelven tan sociables como las moscas. Pero tienes que tocar música para ellas. ¿Tienes algo con que tocar música?

—No tengo más que un peine grande y un trozo de papel y un birimbao, pero me imagino que no les interesará un birimbao.

Birimbao: Instrumento musical en forma de herradura y con una lengüeta de acero que se hace vibrar con el índice de la mano derecha, mientras con la izquierda se mantiene el instrumento entre los dientes.

—Sí que les interesa. A ellas no les importa qué clase de música sea. Un birimbao es bastante bueno para una rata. A todos los animales les gusta la música... En la prisión se les cae la baba por la música. Sobre todo, la música dolorosa, y no puedes sacar otra clase de música usando un birimbao. Siempre les interesa; salen las ratas a ver qué es lo que te pasa. Sí, Jim, está muy bien, todo en orden. Tienes que sentarte en la cama por las noches, antes de dormir, y temprano por las mañanas y tocar el birimbao. Toca *El último eslabón se ha roto*: no hay nada que encante a una rata más rápido que eso. Y cuando hayas tocado durante unos dos minutos verás cómo las ratas y las culebras y las arañas y tal empiezan a inquietarse por ti y salen. Y se te echarán todas encima y lo pasaréis de lo mejor.

—Sí, ellas lo pasarán bien, supongo, señorito Tom, ¿pero cómo lo va a pasar Jim? Bendito de mí si entiendo el asunto. Pero lo haré si tengo que hacerlo. Mejor será tener a los animales contentos y así no habrá líos en la casa.

Tom esperó un rato para pensarlo y ver si no faltaba nada y, al rato, dijo:

—Oh, hay una cosa que olvidaba. ¿Crees que puedes cultivar una flor aquí?

—No lo sé, tal vez podría hacerlo, señorito Tom; pero está bastante oscuro aquí dentro y no me hace falta una flor, en todo caso, y me daría muchísimo trabajo.

—Bueno, inténtalo de todas maneras. Algunos presos lo han hecho.

—Me imagino que aquí crecería uno de esos gordolobos, que parecen espadañas, señorito Tom, aunque no valdría la mitad del trabajo que daría.

—No lo creas. Te traeremos uno pequeño y tú lo plantas ahí, en el rincón, y lo cultivas. Y no lo llames gordolobo, llámalo Pitchiola[4]... Ese es el nombre apropiado cuando se está en prisión. Y es preciso que riegues la flor con tus lágrimas.

—Pero tengo agua de manantial de sobra, señorito Tom.

—No hace falta agua de manantial; es preciso que la riegues con tus lágrimas. Así es como se hace siempre.

—Pero, señorito Tom, te aseguro que podría cultivar dos veces esos gordolobos con agua de manantial mientras otro hombre solo estaría empezando a cultivarlos una vez con lágrimas.

—Esa no es la cuestión. Tienes que hacerlo con lágrimas.

—Se me va a morir en las manos, señorito Tom, sin duda que morirá, porque yo casi nunca lloro.

Así que Tom estaba atrapado. Pero lo estudió bien y luego dijo que Jim tendría que arreglárselas lo mejor que pudiera con una cebolla. Prometió que al día siguiente, a escondidas, iría a las cabañas de los negros y dejaría caer una cebolla en la cafetera de Jim. Este dijo que le gustaría

Gordolobo: Planta de la familia de las Escrofulariáceas.

Espadaña: Planta herbácea de la familia de las Tifáceas.

---

[4] Nombre tomado de la novela *Picciola* (1836), de Joseph-Xavier Boniface, llamado Saintine (1798-1865), escritor romántico francés.

tan poco como si le echaran tabaco en el café y criticó la idea, además del trabajo y la dificultad de cultivar el gordolobo y de tocar el birimbao para las ratas y de mimar y halagar a culebras y arañas y demás, encima de todas las otras labores que tenía con las plumas y las inscripciones y los diarios y esas cosas, todo lo cual hacía que el trabajo de ser preso fuera de más dificultad y preocupación y responsabilidad que cualquier otro oficio que hubiera tenido nunca. Tom casi perdió la paciencia con él y dijo que tenía sencillamente más oportunidades espléndidas de las que ningún preso hubiera tenido nunca en el mundo para ganar fama y que, sin embargo, no sabía apreciarlas y casi las malgastaba. De modo que Jim respondió que lo sentía y dijo que no volvería a portarse así y, entonces, Tom y yo nos fuimos, por fin, a la cama.

Capítulo 39

Por la mañana fuimos al pueblo, compramos una trampa de alambre para ratas, la llevamos a casa y destapamos el mejor agujero del sótano. Una hora después teníamos ya quince ratas magníficas. Luego cogimos la trampa y la pusimos en un sitio seguro debajo de la cama de la tía Sally. Pero mientras íbamos a cazar arañas, el pequeño Thomas Franklin Benjamin Jefferson Elexander Phelps la encontró allí y abrió la puerta para ver si las ratas salían y, en efecto, salieron. Entonces entró la tía Sally y, cuando regresamos, estaba de pie encima de la cama armando escándalo y las ratas hacían lo posible para que no se aburriera. Así que la tía Sally cogió la vara de nogal y nos sacudió el polvo a los dos y tardamos alrededor de dos horas en coger quince o dieciséis ratas más, ¡que el diablo se lleve al mocoso entrometido ese!, porque estas ratas no eran de las mejores, mientras que la primera tanda era la flor de la manada. Nunca he visto unas ratas tan hermosas como las de aquella primera tanda.

Conseguimos una espléndida colección de arañas surtidas y bichos y ranas y gusanos y algún que otro animal. Y estuvimos a punto de conseguir un nido de avispas, pero al final no pudimos hacernos con él. La familia de avispas estaba en casa. No nos dimos por vencidos en seguida, sino que nos quedamos esperando tanto como pudimos, porque nos dijimos: «O las cansamos a ellas o ellas nos cansan a nosotros», y vencieron ellas. Luego nos frotamos las picaduras con curalotodo y ya estábamos casi bien otra vez, salvo que no podíamos sentarnos con facilidad. Y así nos fuimos a cazar culebras y cogimos un par de docenas, inofensivas y pequeñas, las metimos en el saco y pusimos el saco en nuestro cuarto, y ya era la hora de cenar, después de una dura jornada de trabajar bien, pero ¿crees que teníamos hambre? ¡Oh, ni una pizca! Y pasó que al regresar al cuarto, no quedaba ni una bendita culebra... No habíamos atado bien el saco y de alguna manera se habían escurrido fuera y se habían ido. Pero no tenía mucha importancia porque seguían allí, en alguna parte. Así que pensamos que podríamos coger alguna de nuevo. No, no hubo escasez de culebras en esa casa durante un tiempo considerable. Las veías por las vigas y otros sitios a cada rato y, por lo general, te caían en el plato y se te escurrían por la nuca y las más de las veces estaban donde no querías que estuvieran. Bueno, eran hermosas y veteadas y, aunque fueran un millón, no hacían daño. Pero eso le daba igual a la tía Sally; ella odiaba a las culebras, fueran de la casta que fueran, y no podía aguantarlas de ninguna manera que uno se las presentara. Y cada vez que una culebra se le caía encima, no importaba en qué estuviera trabajando la tía Sally, ella dejaba ese trabajo en seguida y se largaba. Nunca he visto una mujer semejante. Podías oírla gritar hasta en Jericó[1]. No podías convencerla de que tocara una ni con tenazas. Y si daba la vuelta en la cama y encontraba una culebra, saltaba de allí y lanzaba un chillido tal que habrías pensado que la casa ardía en llamas. Molestaba tanto al viejo que dijo que casi deseaba que no hubiera sido creada ni una sola culebra. Pues, incluso una semana después de que la última culebra se hubiera largado de la casa, la tía Sally no se había recuperado ni estaba cerca de recuperarse; cuando estaba sentada pensando en algo, podías tocarle la nuca con una pluma y pegaba un salto que parecía que iba a salirse de las medias. Era la cosa más curiosa que he conocido. Pero Tom me dijo que todas las mujeres eran iguales. Dijo que, por una u otra razón, estaban hechas de esa manera.

Nos daba unos azotes cada vez que alguna de nuestras culebras se le cruzaba en el camino y declaró que esos azotes no eran nada comparados con lo que iba a pasar si se nos ocurría volver a llenar la casa de culebras. A mí no me importaban los azotes, que no eran nada, pero sí me importó mucho el trabajo que nos costó cazar otra colección. Pero por fin la conseguimos, y también todas las

---

[1] Antigua ciudad de Palestina.

otras cosas; y nunca en tu vida habrás visto una cabaña tan jovial como la de Jim cuando todos los bichos salían en enjambre a escuchar la música y se lanzaban a por él. A Jim no le gustaban las arañas, y a las arañas no les gustaba Jim; por eso le atacaban y le hacían pasarlo mal. Y él dijo que entre las ratas y las culebras y la piedra de moler casi no quedaba sitio para él en la cama; y aun cuando hubiera habido sitio, nadie habría podido dormir porque había allí un ambiente muy animado; y siempre estaba ese lugar así de animado porque ellas nunca dormían todas al mismo tiempo, sino que lo hacían por turno, así que cuando las culebras dormían, las ratas estaban de guardia, y cuando las ratas se echaban a dormir, las culebras las relevaban, así que Jim siempre tenía una cuadrilla debajo de él, molestándole, y otra cuadrilla celebrando un circo encima de él, y si se levantaba a buscarse un sitio nuevo, las arañas aprovechaban la ocasión para atacarle mientras cruzaba el lugar. Dijo que si alguna vez se veía libre de aquello, no volvería a ser un preso ni aunque le pagaran un sueldo.

Bueno, al cabo de tres semanas todo estaba bastante arreglado. La camisa había llegado pronto, dentro de un pastel, y cada vez que una rata mordía a Jim, él se levantaba y escribía una línea del diario mientras tenía tinta fresca. Las plumas estaban hechas; las inscripciones y esas cosas, grabadas en la piedra de moler. La pata de la cama estaba serrada, y nos habíamos comido el serrín y nos había dado un dolor de estómago asombroso. Pensábamos que íbamos a morir los tres, pero no fue así. Era el serrín más indigesto que nunca he visto y Tom aseguró lo mismo. Aunque, como vengo diciendo, ya, por fin, habíamos terminado todo el trabajo y estábamos casi hechos polvo, en especial Jim. El viejo había escrito cartas un par de veces a la plantación de más allá de Orleáns, diciéndoles que vinieran a recoger a su negro fugitivo, pero no había recibido respuesta porque la plantación no existía, así que pensaba poner anuncios en los periódicos de San Luis y Nueva Orleáns. Cuando le oí mencionar los de San Luis, a mí me dieron escalofríos y vi que no teníamos tiempo que perder. Así que Tom dijo que había llegado la hora de las cartas anónimas.

—¿Y eso qué es? —dije.

—Son avisos a la gente de que algo se está tramando. A veces se hacen de una manera, a veces de otra. Pero siempre hay alguien espiando que avisa al gobernador del castillo. Cuando Luis XVI iba a largarse de las Tullerías[2], una sirvienta lo hizo. El de la criada es un buen recurso, y también lo es el de las cartas anónimas. Vamos a emplear los dos. Y es normal que cuando la madre del preso entre a visitarle, ella y él cambien de ropa entre sí, y ella se quede dentro, y él se fugue vistiendo la ropa de ella. Eso también lo haremos.

—Pero, mira, Tom: ¿por qué vamos a avisar a nadie de que pasa algo? Que lo descubran ellos..., es cosa suya.

—Sí, lo sé, pero no puedes fiarte de ellos. Mira cómo se han portado desde el principio... Nos han obligado a hacerlo todo nosotros. Son tan confiados y tan cabezas de calabaza que no se dan cuenta de nada en absoluto. Así que si no los avisáramos, no habría nadie ni nada que nos pusiera impedimentos y así, después de todo el trabajo y todas las dificultades, esta escapada se haría de la manera más sosa; no tendría chiste..., no tendría entrañas.

—Bueno, Tom, así es como a mí me gustaría que fuese.

—¡Bah! —dijo, y parecía asqueado.

Así que añadí:

—Pero no voy a quejarme. Lo que a ti te conviene, a mí me conviene. ¿Y qué vas a hacer en cuanto a la sirvienta?

—Tú serás la sirvienta. Te deslizas por ahí a medianoche y te llevas el vestido de la muchacha mulata.

—Pero, Tom, habrá un lío por la mañana porque seguro que no tiene más que ese vestido.

—Ya lo sé; pero tú solo lo necesitas unos quince minutos, el tiempo justo para llevar la carta anónima y meterla debajo de la puerta de entrada.

—Muy bien, entonces lo haré, pero igual de fácil sería llevarla vistiendo mi propia ropa.

—Entonces no parecerías una sirvienta, ¿verdad?

---

[2] Luis XVI intentó escapar de París en junio de 1791. Entonces, el rey residía en las Tullerías, el palacio real, situado a la orilla derecha del Sena.

—No, pero, de todas maneras, no va a haber allí nadie para verme.

—Eso no tiene nada que ver. Lo que hemos de hacer es cumplir con nuestra obligación sin preocuparnos de que nos vean o no. ¿Es que no tienes en absoluto ningún principio?

—Muy bien, no digo nada; soy la sirvienta. ¿Quién es la madre de Jim?

—Yo soy su madre. Me llevaré un vestido de la tía Sally.

—Bueno, entonces tendrás que quedarte en la cabaña cuando Jim y yo nos larguemos.

—No, no por mucho rato. Rellenaré la ropa de Jim con paja y la dejaré en la cama para representar a su madre disfrazada, Jim cogerá el vestido de la tía Sally, se lo pondrá y nos evadiremos todos juntos. Cuando se escapa un preso de categoría, se le llama evasión. Siempre se llama evasión cuando se escapa un rey, por ejemplo. Y lo mismo pasa con el hijo de un rey, no importa si es un hijo natural o antinatural.

Así que Tom escribió la carta anónima, y esa noche yo birlé el vestido de la mulata, me lo puse y metí la carta por debajo de la puerta de entrada, como Tom me había mandado. Decía la carta:

> *¡Cuidado! Algo se está tramando. Manténganse alerta.*
> UN AMIGO DESCONOCIDO

La noche siguiente pegamos en la puerta de entrada un dibujo que Tom trazó en sangre y que representaba una calavera con dos huesos cruzados; la segunda noche pegamos otro dibujo de un ataúd en la puerta de atrás. Nunca he visto a una familia que estuviera tan sobre ascuas como aquella. No habrían estado más asustados si la casa se hubiese llenado de fantasmas que los acecharan detrás de todos los muebles y debajo de las camas y se estremecieran por el aire. Si sonaba un portazo, la tía Sally daba un salto y decía «¡Ay!», y si se caía algo al suelo, daba un salto y decía «¡Ay!»; si por casualidad la tocabas cuando no se daba cuenta, hacía lo mismo. No podía

Estar sobre ascuas: Estar inquieto y sobresaltado.

quedarse mirando en una dirección y estarse así satisfecha porque siempre creía que había algo acechando detrás de ella, así que se daba la vuelta de repente diciendo «¡Ay!» y, antes de parar, giraba en sentido contrario y repetía el grito. Y tenía miedo de acostarse, pero no se atrevía a quedarse en vela. Así que la cosa marchaba bien, según Tom; dijo que nunca había visto un asunto que marchara mejor y de forma más satisfactoria. Afirmó que eso demostraba que estaba bien hecho.

Así que dijo: «¡Ya es la hora del gran golpe!». Y a la mañana siguiente, al rayar el alba, preparamos otra carta y estábamos preguntándonos qué hacer con ella porque durante la cena les habíamos oído decir que iban a poner un negro de guardia en cada una de las dos puertas durante toda la noche. Tom bajó por el tubo del pararrayos para espiar y comprobó que el negro de la puerta de atrás estaba dormido. Entonces, le metió la carta por entre el cuello de la camisa y la nuca y regresó. La carta decía:

> *No me traicionen; deseo ser su amigo. Hay una cuadrilla de asesinos degolladores que viene esta noche del territorio indio para robar a su negro fugitivo y han estado intentando asustarlos para que se queden dentro de la casa y no los molesten. Soy de la cuadrilla, pero me he convertido a la religión y quiero dejarla y vivir honradamente otra vez, y denunciaré su designio infernal. Se acercarán furtivamente desde el norte a lo largo de la cerca a las doce en punto de la noche con una llave falsa y entrarán en la cabaña del negro para llevárselo. Yo debo estar a cierta distancia y tocar una trompeta de hojalata si veo algún peligro; pero, en vez de hacer eso, voy a balar como una oveja cuando ellos hayan entrado y no tocaré la trompeta. Mientras le están quitando las cadenas, acérquense ustedes y enciérrenlos con llave y luego pueden matarlos a su gusto. No hagan nada salvo de la manera que yo les digo; si hacen otra cosa, podrían sospechar y armarían un gran jaleo. Yo no busco ninguna recompensa, salvo la de saber que he obrado bien.*

> *Un amigo desconocido*

Capítulo 40

Nos sentíamos bastante animados después del desayuno y cogimos mi canoa y nos marcharnos al río a pescar, llevándonos la comida, y lo pasamos estupendamente; echamos una mirada a la balsa y vimos que seguía en buen estado. Llegamos a casa tarde, a la hora de cenar. Encontramos a todos con tanta ansiedad y tan preocupados que no sabían por dónde se andaban. Nos mandaron a la cama al instante de terminar la cena y no quisieron decirnos qué pasaba, y tampoco hablaron ni una palabra de la última carta, pero no nos hacía falta porque nosotros sabíamos tanto del asunto como ellos, y tan pronto como hubimos subido la mitad de las escaleras, y la tía había vuelto la espalda, nos deslizamos abajo a la despensa del sótano, recogimos una buena cantidad de comida, la llevamos arriba a nuestro cuarto y entonces nos metimos en la cama. Y a eso de las once y media nos levantamos y Tom se puso el vestido de la tía Sally que había robado. Iba ya Tom a salir con la comida, pero me preguntó:

—¿Dónde está la mantequilla?

—Puse un buen cacho encima de un trozo de pan de maíz —dije.

—Bueno, entonces la habrás dejado en otro sitio porque no está aquí.

—Podemos pasarnos sin ella —dije.

—También podemos pasarnos con ella —dijo—. Escabúllete otra vez hasta el sótano y tráela. Y luego bajas por el tubo del pararrayos y te vienes donde nosotros. Mientras, yo voy a rellenar con paja la ropa de Jim para representar a su madre disfrazada y estaré listo para balar como una oveja y para largarnos en cuanto vuelvas.

Así que salió y yo bajé al sótano. El pedazo de mantequilla, tan grande como un puño, estaba donde yo lo había dejado, así que lo cogí junto con el trozo de pan de maíz, apagué la vela y empecé a subir las escaleras con mucho cuidado y llegué al piso principal sin problemas, pero en ese momento venía la tía Sally con una vela y de golpe metí las cosas en el sombrero y me lo puse en la cabeza. Al instante, ella me vio y dijo:

—¿Has estado en el sótano?

—Sí, señora.

—¿Y qué hacías allí?

—Nada.

—¡Nada!

—No, señora.

—Bueno, entonces, ¿a santo de qué se te ha ocurrido bajar allí a estas horas de la noche?

—No sé, señora.

—¿No lo sabes? No me contestes de ese modo, Tom, quiero saber qué has estado haciendo allí.

—No he estado haciendo absolutamente nada, tía Sally, te aseguro que no.

Pensé que me dejaría irme entonces, como hubiese hecho normalmente, pero supongo que estaban pasando tantas cosas extrañas que a ella le ponía sobre ascuas cualquier cosa que se saliera lo más mínimo de lo corriente. Así que dijo con gran decisión:

—Tú te vas ahora mismo a la sala y te quedas allí hasta que yo vuelva. Has hecho algo que no debías y te aseguro que voy a descubrir qué es antes de soltarte.

De modo que se fue, mientras que yo tuve que abrir la puerta y entrar en la sala. ¡Ay, qué muchedumbre había allí! Quince granjeros, y cada uno con su fusil. Yo me notaba terriblemente enfermo, así que me encogí, busqué una silla y me senté. Ellos estaban también sentados, algunos hablando medio en voz baja, y todos inquietos y nerviosos, aunque intentaban aparentar lo contrario; pero yo sabía que lo estaban porque no paraban de quitarse el sombrero y ponérselo y rascarse la cabeza y cambiar de asiento y retorcerse los botones de la ropa. No, no me encontraba cómodo, pero, a pesar de todo, no me quité el sombrero.

Estaba deseando que volviera la tía Sally y que acabara de una vez aquel asunto conmigo, que me diera unos

azotes si quería y me dejara escapar para decirle a Tom
que nos habíamos pasado de la raya y nos habíamos metido en un tremendo nido de avispas y que, por tanto,
debíamos dejarnos de tonterías ya y largarnos con Jim
antes de que esos tipos perdieran la paciencia y se nos
echaran encima.

Por fin, apareció ella y empezó a hacerme preguntas,
pero yo no podía contestarle la verdad porque no sabía
ni dónde tenía la cabeza; y, además, aquellos hombres estaban tan inquietos que algunos querían empezar inmediatamente y salir en busca de los facinerosos y decían
que solo faltaban unos minutos para las doce; y otros trataban de convencerlos para que esperaran la señal del
balido. Y yo allí con la tía Sally, que me asediaba a preguntas, y temblaba de arriba abajo y me encontraba a
punto de desmayarme del miedo que tenía. Y hacía más
y más calor allí dentro y, por eso, la mantequilla comenzó a derretirse y me corría por el cuello y por detrás de
las orejas y, al poco rato, cuando alguno de los hombres
dijo: «Yo opino que debemos salir ya y meternos en esa
cabaña ahora mismo y cogerlos en cuanto lleguen», pues
casi me desplomé en el suelo, y un reguero de mantequilla iba corriéndome por la frente y la tía Sally lo vio, se
puso pálida como la cera y dijo:

—¡Por el amor de Dios! ¿Qué es lo que le pasa a este
niño? ¡Tiene fiebre cerebral, tan cierto como que hemos
nacido, y se le están derritiendo los sesos!

Todo el mundo vino corriendo a ver lo que era y la tía
Sally me quitó el sombrero de repente y salieron el pan y
lo que quedaba de la mantequilla y ella me agarró y me
abrazó y dijo:

—¡Qué susto me has dado! Y qué contenta y agradecida estoy de que no sea nada malo, porque la suerte nos ha
vuelto la espalda, y las desgracias nunca vienen solas y,
cuando vi esa cosa, pensé que te íbamos a perder porque
sabía por el color y por todo que era exactamente como serían tus sesos si... Ay, por qué no me dijiste que habías bajado al sótano para eso, a mí no me iba a importar. Ahora
vete a la cama y que no vuelva yo a verte hasta mañana.

Yo subí a mi cuarto en un segundo y bajé por el tubo
del pararrayos en otro segundo y salí corriendo hacia el

Facineroso:
Hombre malvado.

cobertizo. Casi no me salían las palabras de tan ansioso como estaba, pero le dije a Tom tan rápido como pude que teníamos que largarnos sin perder un minuto y ¡que la casa estaba llena de hombres con fusiles!

Le brillaron los ojos y dijo:

—¡No! ¿Es verdad? ¿No es magnífico? ¡Pero, Huck, si pudiéramos hacerlo de nuevo, te apuesto que haría que se reunieran doscientos! Si se pudiera aplazar hasta...

—¡Date prisa! ¡Date prisa! ¿Dónde está Jim?

—Ahí mismo, justo a tu lado; si alargas la mano, puedes tocarle. Está vestido y todo está listo. Ahora vamos a escabullirnos y yo daré la señal de la oveja.

Pero entonces oímos los pasos de los hombres que se acercaban a la puerta y los sentimos manipulando en el candado y oímos que un hombre decía:

—Os dije que era demasiado pronto; no han llegado..., la puerta está cerrada con llave. Venga, encerraos algunos en la cabaña, los esperáis en la oscuridad y los matáis cuando entren. Los demás podéis desperdigaros un poco más lejos y estar al tanto por si los oís llegar.

Así que entraron, pero no podían vernos en la oscuridad y casi nos pisaron mientras nos metíamos deprisa debajo de la cama. Pero nos escondimos sin problemas y escapamos por el agujero, rápido y sin hacer ruido... Jim primero, luego yo y, por último, Tom, que era quien había dispuesto el orden para salir. Ahora estábamos ya en el cobertizo y se oían pasos fuera, muy cerca. Así que nos acercamos con cuidado hacia la puerta y Tom nos mandó parar allí y él trató de mirar por la rendija, pero no podía distinguir nada, de tan oscura como estaba la noche; y nos dijo con voz susurrante que iba a escuchar y a esperar a que se alejaran los pasos, y que cuando nos diera un empujón, Jim debía deslizarse fuera el primero y luego yo y él mismo el último. Así que pegó el oído a la rendija y escuchó y escuchó y escuchó, y los pasos seguían arrastrándose allá fuera todo el rato y, por fin, nos dio el empujón y nos deslizamos fuera y nos agachamos sin respirar y sin hacer el menor ruido y avanzamos furtivamente en fila india hacia la cerca y llegamos bien y yo y Jim la salvamos; pero los pantalones de Tom se engancharon en una astilla del travesaño superior y luego oyó acercarse los pasos y tuvo que desprenderse de un tirón que rompió la astilla haciendo ruido y, al caer junto a nosotros y cuando ya empezábamos a correr, alguien gritó:

—¿Quién va? ¡Contesta o disparo!

Pero no contestamos; simplemente soltamos las piernas y nos fuimos corriendo. Entonces hubo un alboroto y ¡pum!, ¡pum!, ¡pum! ¡Las balas zumbaron sobre nosotros! Los oímos gritar:

—¡Ya están aquí! ¡Corren hacia el río! ¡A por ellos, muchachos, y soltad los perros!

Así que nos persiguieron a toda marcha. Podíamos oírlos porque llevaban botas y gritaban, pero nosotros no llevábamos botas y no gritábamos. Estábamos siguiendo la senda hacia el molino; y cuando llegaron bastante cerca, nos metimos entre los matorrales y los dejamos pasar y luego continuamos detrás de ellos. Habían tenido todos los perros callados para que no asustaran a los ladrones, pero, ya a esta hora, alguien los había soltado y venían corriendo y armando una barahúnda como si fueran un millón. No obstante, eran nuestros perros, así que nos detuvimos hasta que nos alcanzaron y, cuando los perros vieron que no era nadie más que nosotros, y que no se les ofrecía nada emocionante, solo nos saludaron y se lanzaron más adelante, hacia donde iban los gritos y el alboroto. Entonces seguimos corriendo y zumbando detrás de ellos hasta casi llegar al molino y luego nos metimos entre la maleza caminando hasta donde teníamos amarrada la canoa y saltamos dentro y remamos con todas las fuerzas hacia el centro del río, pero sin hacer más ruido que el indispensable. Luego nos dirigimos, ya tranquilos y cómodos, hacia la isla donde estaba la balsa. Y podíamos oírlos gritar y ladrar a lo largo de la orilla hasta que llegamos tan lejos que los sonidos se apagaron y murieron del todo. Y cuando subimos a la balsa dije:

—Ahora, Jim, viejo, eres un hombre libre otra vez y apuesto que nunca más volverás a ser esclavo.

—Y ha sido un trabajo estupendo, además, Huck. Hermosamente planeado y hermosamente realizado. No hay nadie que pudiera hacer un plan más enredado y espléndido que el nuestro.

Los tres estábamos lo más alegres que es posible estar, pero el más alegre de todos era Tom porque tenía una bala clavada en la pantorrilla.

Cuando yo y Jim nos enteramos de eso, ya no nos sentimos tan fogosos como antes. Le dolía bastante y sangraba, así que le acostamos en la choza y rasgamos una de las camisas del duque para vendarle, pero él dijo:

—Dadme los trapos; yo lo puedo hacer. No os detengáis ahora; no perdáis tiempo en tonterías, cuando la evasión va adelante tan magníficamente. ¡A los remos y soltad la amarra! ¡Muchachos, lo hemos hecho fantástico! ¡De lo más elegante! Ojalá que nos hubieran encargado la evasión de Luis XVI y no habría habido nada de «Hijo de San Luis, ¡asciende al cielo!»[1], escrito en su biografía. No, señor; le habríamos aupado al otro lado de la frontera..., eso es lo que habríamos hecho con él..., y además lo habríamos hecho limpiamente, como si nada. ¡A los remos, a los remos!

Pero Jim y yo nos consultábamos y pensábamos. Y después de pensar un minuto dije:

—Dilo, Jim.

Así que dijo:

—Bueno, esto es lo que pienso yo, Huck. Si fuera él a quien se liberara y uno de los muchachos hubiera recibido un balazo, ¿habría dicho: «Salvadme a mí y no os preocupéis de ir por un médico para salvar a este»? ¿Sería eso lo típico del señorito Tom Sawyer? ¿Diría él eso? ¡Te aseguro que no! Bueno, entonces, ¿lo va a decir Jim? No, señor..., yo no me muevo de aquí sin un médico, ¡ni aunque tuviera que esperar cuarenta años!

Yo sabía que Jim era blanco por dentro y esperaba que iba a decir lo que dijo..., así que estaba bien y le dije a Tom que yo iba en busca de un médico. Armó bastante lío, pero yo y Jim nos emperramos en lo nuestro y no nos dejamos convencer, así que Tom estuvo a punto de ir arrastrándose afuera y de soltar la balsa él mismo. Pero no le dejamos. Entonces nos echó una bronca, pero tampoco le dio resultado.

---

[1] Palabras con las que el abad Edgworth de Firmont, confesor de Luis XVI, le consoló antes de que fuera ejecutado en la guillotina.

Así que, cuando me vio preparando la canoa, dijo:

—Bueno, entonces, si estás empeñado en irte, te diré lo que hay que hacer al llegar a la aldea. Cierra la puerta, pon una venda bien apretada en los ojos del médico, hazle jurar que se va a callar como un muerto, ponle en la mano una bolsa de oro y luego coge y llévale por callejuelas y por todas partes en la oscuridad. Luego tráele hacia acá en la canoa, dando vueltas entre las islas, y regístrale y quítale la tiza si la lleva en el bolsillo y no se la devuelvas hasta que le conduzcas a la aldea otra vez. Si no, seguro que marcará esta balsa con la tiza para luego poder volver a encontrarla. Eso es lo que hacen todos.

Le dije que le obedecería y me fui. Y quedamos en que Jim se ocultaría en el bosque cuando viera llegar al médico y no saldría hasta que se hubiera marchado.

Capítulo 41

El médico era un hombre viejo y me pareció un viejo muy simpático, además, y de aspecto bondadoso. Cuando le desperté, le conté que yo y mi hermano andábamos cazando el día anterior por la tarde en la isla llamada Spanish Island y que acampábamos en un trozo de balsa que habíamos encontrado y que, alrededor de medianoche, mi hermano debía de haber dado en sueños un puntapié a su fusil porque el fusil se disparó y le pegó un tiro en la pierna. Y le dije al médico que queríamos que fuera allí y le curara y no dijera nada ni contara nada a nadie porque queríamos llegar a casa esa misma noche y darle una sorpresa a nuestra gente.

—¿Quién es vuestra gente? —dijo él.

—Los Phelps, que viven allá, río abajo.

—Oh —dijo.

Y después de un momento preguntó:

—¿Cómo has dicho que recibió el tiro?

—Tuvo un sueño —dije—. Eso le pegó el tiro.

—Un sueño muy peculiar —contestó.

De modo que encendió su linterna y cogió sus alforjas y nos pusimos en camino. Pero cuando vio la canoa, no le gustó la pinta que tenía... Dijo que era lo bastante grande para una persona, pero que no parecía muy segura para dos. Yo dije:

—Oh, no tiene usted que temer nada, señor, nos llevó a los tres sin problema.

—¿A qué tres?

—Pues a mí y a Sid y... y... los fusiles: eso es lo que quiero decir.

—Oh —dijo.

Regala: Tablón que forma el borde de una embarcación.

Pero puso el pie en la regala y balanceó la canoa y meneó la cabeza y dijo que creía que buscaría una más grande. Pero todas estaban atadas con cadenas y con candados, así que se metió en mi canoa y me dijo que esperara hasta que él volviese o que, si lo prefería, podía seguir buscando otro bote o que tal vez mejor sería que fuera a casa a prepararlos para la sorpresa, si quería hacerlo. Pero le dije que no quería y le conté cómo encontrar la balsa y, al fin, arrancó de la orilla.

Un poco después se me ocurrió una idea. Me dije a mí mismo: «Suponte que no puede curar esa pierna así, en menos que canta un gallo, como reza el dicho. Suponte que le lleva curarle tres o cuatro días. ¿Qué vamos a hacer? ¿Quedarnos aquí hasta que lo descubra todo? No, señor. Yo sé lo que voy a hacer. Esperaré y cuando vuelva, si dice que hay que visitarle más veces, iré también con él, aunque tenga que ir nadando, y le cogeremos y le ataremos y no le dejaremos marchar y le llevaremos río abajo con nosotros y, cuando ya Tom no necesite de él, le pagaremos lo que se le deba o le daremos todo lo que tenemos y luego le dejaremos volver a tierra».

Entonces me metí dentro de una pila de madera para dormir un rato y, cuando me desperté, ¡brillaba el sol ya muy por encima de mi cabeza! Salí corriendo hacia la casa del médico, pero allí me dijeron que había salido a alguna hora durante la noche y que no había vuelto. «Bueno —pensé—, parece que las cosas le van muy mal a Tom, de modo que me largaré hacia la isla en seguida». Así que me fui corriendo y, al doblar la esquina, ¡casi me di de cabeza contra el estómago del tío Silas! Dijo:

—Pero, ¡Tom!, ¿dónde has estado todo este tiempo, eh, pícaro?

—No he estado en ninguna parte —dije—, solo buscaba al negro fugitivo..., yo y Sid.

—Pues, ¿adónde te has ido? Tu tía está muy preocupada.

—No tenía por qué estarlo —le dije—, porque estábamos bien. Seguimos a los hombres y los perros, pero corrieron más que nosotros y los perdimos de vista. Luego creímos que los oíamos por el río y cogimos una canoa y salimos detrás de ellos y cruzamos al otro lado, pero no podíamos encontrarlos, así que navegamos junto a la orilla aguas arriba hasta que nos cansamos y nos desalentamos. Y amarramos la canoa y nos dormimos y no nos despertamos hasta hace como una hora. Hemos remado hasta acá para ver qué noticias había. Sid se ha ido a correos, para ver lo que decían por allí, y yo iba en busca de algo que comer. Después íbamos a volver a casa.

Así que fuimos a correos para recoger a «Sid», pero, tal como yo sospechaba, no estaba allí, así que el viejo retiró una carta que había para él y esperamos un rato más, pero Sid no vino. Entonces, el viejo dijo: «Vámonos y que venga Sid a pie o en la canoa cuando haya acabado de entretenerse por allí. Pero nosotros iremos en carreta». Yo no pude convencerle de que me dejara allí para esperar a Sid, dijo que no hacía falta y que yo debía ir a casa para que la tía Sally viera que estábamos bien.

Cuando llegamos a casa, la tía Sally se puso tan contenta de verme que reía y lloraba al mismo tiempo y me abrazó y me dio unos azotes de esos suyos que nunca venían a ser nada, y declaró que iba a darle otros tantos a Sid cuando llegara.

Y la casa estaba atestada de granjeros y de mujeres de granjeros, invitados a comer. Y un parloteo como ese no lo había oído yo jamás en mi vida. La vieja señora Hotchkiss era la peor; no paraba de darle a la lengua. Decía:

—Mire, hermana Phelps, he revuelto aquella cabaña de arriba abajo y yo creo que ese negro estaba loco. Le dije a la hermana Damrell..., ¿no es cierto, hermana Damrell?..., que ese negro estaba loco, con esas mismas palabras se lo dije. Todos me oyeron. Sí, está loco, todo eso lo demuestra. Mire esa piedra de moler, ¿quiere usted decirme que una criatura que está en su sano juicio va a garabatear todas esas cosas desatinadas sobre una piedra de moler? Aquí a tal y tal persona se le rompió el corazón; y aquí fulano siguió tirando durante treinta y siete años y todo eso..., hijo natural de Luis no sé quién, y un sinfín de tales tonterías. Está loco de remate, digo yo. Es lo que dije al principio y lo que dije después y lo que digo y diré siempre... Ese negro está loco..., tan loco como Nabucodonosor[1], digo yo.

[1] Nabucodonosor II, de la dinastía caldea de Babilonia, reinó entre los años 605 y 562 a. C. Cuenta la tradición que Dios hizo que Nabucodonosor se volviera loco durante un tiempo para curarle de su orgullo y enseñarle que Dios es el único rey supremo.

—Y mire aquella escala hecha de trapos, hermana Hotchkiss —dijo la vieja señora Damrell—. Por todos los cielos, para qué la querría...

—Exactamente lo que decía yo hace solo un minuto a la hermana Utterback, ella misma se lo puede repetir. Ella dijo: «Mire esa escala de trapos», y yo dije: «Sí, mírela». Y ella dijo: «¿Para qué la querría, hermana Hotchkiss?».

—Pero, por el amor de todos los santos, ¿cómo se pudo meter esa piedra de moler allí dentro, de todas maneras? ¿Y quién cavó ese agujero? ¿Y quién...?

—¡Eso mismísimo es lo que dije yo, hermano Penrod! Como decía yo... ¿Me alcanza ese plato de melaza, por favor...? Como le decía a la hermana Dunlap ahora mismo, dije, digo, ¿cómo pudo meter esa piedra de moler allí dentro? Y sin ayuda, fíjese..., ¡sin ayuda! Ahí tienen la cuestión. No me lo digan a mí, dije; ese tenía ayuda, dije, y además tuvo que tener muchísima ayuda, dije; ha habido una docena de gentes ayudando a ese negro, y yo despellejaría a cada negro de este lugar, pero me enteraría de quién lo ha hecho, dije, y además dije...

—¡Una docena dice usted! Cuarenta no hubieran podido hacer todo lo que se ha hecho allí. Fíjense en esas sierras hechas de cuchillos de mesa y esas cosas, con qué trabajo más fastidioso se ha hecho; fíjense en esa pata de la cama, serrada con esas cosas, el trabajo de una semana para seis hombres; fíjense en ese negro hecho de paja encima de la cama y fíjense...

—¡Estoy totalmente de acuerdo, hermano Hightower! Es lo que yo le decía al mismo hermano Phelps. Dijo él: «¿Usted qué piensa de esto, hermana Hotchkiss?». Digo yo: «¿Qué pienso de qué, hermano Phelps?». «¿Qué piensa de esa pata de la cama serrada de esa manera?». «¿Que qué pienso?», dije. Se lo juro que no se serró a sí misma, dije... Alguien la serró, dije; esa es mi opinión para lo que valga, y tal vez no valga nada, dije, pero tal como es, es mi opinión, dije, y si alguien tiene otra mejor, dije, pues que la exponga, dije, y nada más. Digo a la hermana Dunlap, digo...

—Pues que me parta un rayo si no ha tenido que estar esa casa llena de negros allí dentro todas las noches durante cuatro semanas para haber hecho todo ese trabajo,

Melaza: Líquido viscoso, pardo oscuro y muy dulce, residuo de la fabricación del azúcar.

hermana Phelps. Fíjese en esa camisa... ¡Cada centímetro cubierto con alguna escritura secreta africana trazada con sangre! Deben haber sido un sinnúmero de ellos trabajando sin parar casi todo el tiempo. Pues yo daría dos dólares al que me lo leyera. Y en cuanto a los negros que lo escribieron, le juro que los cogería y les daría unos latigazos hasta que...

—¡Con gente que le ayudara, hermano Marples! Pues ya lo creo que lo pensaría usted si hubiera estado en esta casa durante unos días. Robaron todo lo que tenían al alcance de la mano... y nosotros vigilando todo el tiempo, fíjese. ¡Robaron esa camisa del mismo tendedero! Y en cuanto a esa sábana con que han hecho esa escala de trapos, no se puede ni saber cuántas veces nos la han robado. Y harina y velas y candeleros y cucharas y ese viejo brasero de calentar camas, y casi mil cosas que no recuerdo ahora, y mi vestido nuevo de percal. Y yo y Silas y mi Sid y Tom estábamos al acecho día y noche, como les decía, y sin que ninguno consiguiera ni verlos el pelo, no, ni oírlos ni oler a nadie. ¡Y ya en el último momento y con todo eso, pues se meten aquí delante de nuestras mismas narices y nos engañan, y no solo a nosotros, sino a esos ladrones del territorio indio también y se llevan de veras a ese negro sano y salvo, y lo hacen con dieciséis hombres y veintidós perros pisándoles los talones en ese mismo instante! Se lo digo de verdad, deja pequeño a todo lo que he oído contar en mi vida. Pues los espíritus no podrían haberlo hecho mejor y con más inteligencia. Y hasta creo que habrán sido los espíritus... porque usted conoce a nuestros perros, no los hay mejores, pues ¡esos perros no encontraron rastro de ellos ni una vez! Explíqueme eso si puede..., ¡que alguien lo explique!

—La verdad es que...

—Por vida mía, jamás...

—Válgame Dios, yo no...

—Ladrones en la casa, además de...

—Por todos los santos del cielo, yo habría tenido miedo de vivir en una...

—¡Miedo de vivir!... Pero si estaba con tanto miedo que casi no me atrevía a acostarme ni a levantarme ni a echarme ni a sentarme, hermana Ridgeway. Podían robarme hasta las mismas... Ah, por el amor de Dios, puede usted imaginar en qué estado de nervios me encontraba al acercarse ayer la medianoche. ¡Dios me valga si no llegué a temer que robaran a alguien de la familia! Estaba en tal estado que ya no tenía ni capacidad de razonar. Parece una tontería ahora, a la luz del día, pero me dije a mí misma: «Y esos dos pobres muchachos míos, dormidos allí arriba en ese cuarto solitario»; y le aseguro que estaba tan inquieta que subí y les cerré la puerta con llave, eso es lo que hice. Cualquiera hubiera hecho lo mismo. Porque cuando una se asusta de esa forma, sabe usted, es que si sigue pensándolo, imaginándose cosas cada vez peores y peores, se le descompone a una la cabeza y comienza a hacer toda clase de cosas disparatadas y al poco rato piensa una: «Supongamos que yo fuera un muchacho y estuviera allá arriba y la puerta sin cerrar con llave y se le...».

Dejó de hablar con una expresión de extrañeza y luego volvió la cabeza lentamente y, cuando su mirada cayó sobre mí..., yo me levanté y salí a dar un paseo.

Me dije a mí mismo: «Podré explicar mejor cómo es que no estábamos en ese cuarto esta mañana si me voy fuera a solas y lo estudio un rato». Así que lo hice, pero no me atreví a irme muy lejos porque ella habría mandado llamarme. Y cuando ya era tarde, toda la gente se marchó y luego yo entré y le dije a la tía Sally que el ruido de los tiros nos despertó a mí y a «Sid» y, como la puerta estaba cerrada con llave y no queríamos perdernos la diversión, bajamos por el tubo del pararrayos y los dos nos hicimos un poco de daño y nunca volveríamos a intentar hacer eso de nuevo. Y luego seguí y le conté todo lo que yo le había contado al tío Silas antes. Entonces, ella dijo que nos perdonaba y que tal vez no era tan malo lo que hicimos, solo era lo que se podía esperar de unos muchachos porque, según veía, todos los muchachos parecían unos alocados; y así, puesto que no había sucedido ninguna desgracia, creía que mejor sería gastar el tiempo en estar agradecida de que estuviéramos vivos y sanos y de que siguiésemos aún a su lado, en vez de preocuparse por lo que ya había pasado y estaba terminado. Así que me besó y me dio unas palmaditas en la cabeza y cayó en una especie de ensimismamiento. Al poco rato, se puso de pie de un salto y dijo:

—Pero ¡cielos! ¡Es casi de noche y Sid no ha vuelto todavía! ¿Dónde se habrá metido ese muchacho?

Vi mi oportunidad, así que salté y dije:

—Voy corriendo al pueblo ahora mismo y lo traigo.

—No, no irás —dijo—. Te quedarás aquí donde estás; es suficiente con perder cada vez a uno de vosotros. Si no ha vuelto a la hora de cenar, irá a buscarle tu tío.

Bueno, no estaba a la hora de cenar, así que inmediatamente después salió el tío.

A eso de las diez volvió algo inquieto; no había hallado ni rastro de Tom. La tía Sally estaba realmente inquieta, pero el tío Silas dijo que no había razón para eso. «Los muchachos serán siempre muchachos —dijo—, verás cómo aparece mañana sano y salvo». Así que ella tuvo que conformarse con eso. Pero dijo que se quedaría levantada a esperarle un rato y con una luz encendida para que pudiera verla.

Y luego, cuando subí a acostarme, me acompañó y trajo la vela y me arropó y me trató con tanto cariño de madre que me sentía mezquino y casi no podía mirarla a la cara. Y se sentó en la cama y habló un rato largo conmigo y dijo que Sid era un muchacho espléndido y no parecía que quisiera dejar de hablar de él. Y seguía preguntándome de vez en cuando si yo pensaba que podía haberse perdido o herido o ahogado y si no estaría en ese mismo momento tirado en alguna parte sufriendo o muerto y sin que ella pudiera ayudarle. Le caían las lágrimas en silencio y yo le decía que Sid estaba bien y que volvería a casa por la mañana, seguro. Y ella me apretaba la mano y me decía que lo repitiera y que siguiera repitiéndolo porque le hacía bien oírlo, al estar tan triste. Y cuando se iba a bajar, me miró a los ojos tan confiada y bondadosa y dijo:

—La puerta no estará cerrada con llave, Tom, y ahí tienes la ventana y el pararrayos. Pero serás bueno y no te irás, ¿verdad? Hazlo por mí.

El Señor sabe que yo tenía muchas ganas de salir a ver qué le pasaba a Tom y pensé irme, pero después de eso no me habría escapado ni por reinos enteros.

Ella me preocupaba y Tom me preocupaba, así que dormí muy inquieto. Y dos veces, ya tarde por la noche, bajé por el tubo del pararrayos y me deslicé hacia la parte delantera de la casa y la vi sentada junto a la vela en la ventana, con los ojos mirando hacia el camino y con lágrimas. Deseaba poder hacer algo por ella, pero no podía; solo podía jurar que nunca más haría nada que la apenara. Y la tercera vez me desperté al amanecer y me deslicé hacia abajo y ella seguía aún allí con la vela casi apagada. Tenía su vieja cabeza encanecida descansando sobre las manos y estaba dormida.

Capítulo 42

El viejo se fue al pueblo otra vez antes del desayuno, pero no pudo descubrir ni huella de Tom. Los dos se sentaron a la mesa y siguieron pensando sin decir nada y con la cara afligida; se les iba enfriando el café y no comían nada. Y, después de un rato, el viejo dijo:

—¿Te he dado la carta?

—¿Qué carta?

—La que recogí ayer en correos.

—No, no me has dado ninguna carta.

—Bueno, debo haberla olvidado.

Así que se rebuscó en los bolsillos y luego se fue a alguna parte donde la había dejado, la trajo y se la dio. Ella dijo:

—Pues es de San Petersburgo..., es de Sis.

Yo pensé que otro paseo me vendría bien, pero no podía moverme. Y antes de que pudiera rasgar el sobre, dejó caer la carta y salió corriendo... porque había visto algo. Y yo también lo vi. Era Tom Sawyer echado sobre un colchón, y ese médico viejo y Jim, en el vestido de percal de ella, con las manos atadas detrás, y mucha otra gente. Escondí la carta detrás de lo primero que vi a mano y eché a correr. Ella se abalanzó sobre Tom, llorando y diciendo:

—¡Oh, está muerto, está muerto, sé que está muerto!

Y Tom volvió un poco la cabeza y masculló alguna cosa que demostraba que no estaba en su sano juicio; luego, ella alzó las manos y dijo:

—¡Está vivo, gracias a Dios! ¡Y con eso me conformo!

—y le dio un beso de pasada y voló hacia la casa a preparar la cama, dando órdenes a diestra y siniestra a los negros y a todo el mundo que encontraba a cada paso del camino, tan rápido como podía mover la lengua.

Yo seguí detrás de los hombres para ver qué iban a hacer con Jim; y el médico viejo y el tío Silas entraron en la casa siguiendo a Tom. Los hombres estaban muy encrespados y algunos querían ahorcar a Jim para que sirviera de ejemplo a todos los otros negros de los alrededores, para que no intentaran escaparse como Jim había hecho, creando un sinfín de dificultades y asustando casi de muerte a una familia entera durante días y noches. Pero los otros dijeron: «No, no se debe hacer, no conviene en absoluto; no es nuestro negro, y su dueño puede aparecer y hacernos de seguro pagar por él». Así que eso los enfrió un poco porque la gente que siempre está con tantas ganas de ahorcar a un negro que no se ha portado exactamente según las reglas siempre son las mismas personas que no quieren pagar su precio cuando ya han sacado de él lo que querían.

Sin embargo, le echaban bastantes maldiciones a Jim y de vez en cuando le pegaban en la cabeza golpes con la mano abierta, pero Jim no decía nada y no daba a entender que me conocía. Le llevaron a la misma cabaña, le vistieron con su propia ropa, le encadenaron otra vez y no le sujetaron a la pata de la cama, sino que clavaron una armella grande en el tronco que servía de base a la pared y le pusieron cadenas en las manos y también en ambas piernas; y dijeron que no podía comer más que pan y agua hasta que viniera su dueño o se le vendiera en subasta si el dueño no aparecía dentro de cierto tiempo; y rellenaron con tierra el agujero que habíamos cavado y dijeron que un par de granjeros con fusiles tenían que quedarse de guardia alrededor de la cabaña todas las noches y que habría un mastín atado a la puerta durante el día; y ya cuando estaban terminando el trabajo e iban cerrando el asunto con unas maldiciones generales como despedida, entonces llegó el médico y echó una ojeada y dijo:

Armella: Anillo de metal que suele tener un tornillo para fijarlo.

—No le traten con más dureza de la imprescindible, porque no es malo este negro. Cuando llegué adonde encontré al muchacho, vi que no podía sacar la bala sin la ayuda de alguien y que él no estaba en condiciones de que yo pudiera abandonarle y salir en busca de ayuda; y vi que se ponía un poco peor, cada vez peor, y después de un rato largo empezó a delirar y ya ni me dejaba acercarme a él y dijo que si marcaba su balsa con tiza, me mataría, y un sinfín de tonterías disparatadas por el estilo, y yo vi que no podía hacer nada en absoluto por él, así que dije: «Tengo que buscar ayuda de alguna manera». Y, al momento de decirlo, este negro salió gateando de alguna parte y dijo que me ayudaría, y lo hizo, y, además, muy bien. Claro que pensé que debía ser un negro fugitivo, ¡y yo allí! Además, tenía un par de pacientes con fiebre y, por supuesto, me hubiera gustado irme al pueblo a verlos, pero no me atrevía porque el negro podía escaparse y luego yo tendría la culpa y ni un esquife pasaba lo bastante cerca para que yo le gritara. Así que tuve que seguir allí hasta esta mañana. Nunca he visto a un negro que fuera mejor como enfermero, ni a uno más fiel y, sin embargo, arriesgaba su libertad por hacerlo y, además, se notaba que estaba muy cansado; vi claramente que le habían hecho trabajar duro en días recientes. Me caía bien el negro por eso; se lo aseguro, caballeros, un negro como ese vale mil dólares..., y un trato bondadoso, además. Yo tenía todo lo que me hacía falta, y el muchacho seguía tan bien allí como si hubiera estado en casa..., mejor, quizás, porque había mucho silencio. Pero yo estaba allí con los dos a mi cargo y tenía que quedarme hasta alrededor del amanecer. Entonces pasaron unos hombres en un esquife y, por suerte, el negro estaba sentado junto al jergón del muchacho con la cabeza sobre las rodillas y profundamente dormido, así que, en silencio, les hice a los hombres señas de que se acercaran. Se pusieron detrás de él y le agarraron y le ataron antes de que pudiera darse cuenta y no tuvimos problemas. Y como el sueño del muchacho era superficial, amortiguamos los remos y amarramos la balsa al esquife y la remolcamos hasta la orilla en silencio. Y el negro no armó ningún escándalo ni desde el primer momento dijo una sola palabra. Ese negro no es malo, caballeros; esa es la opinión que yo tengo de él.

—Pues lo que usted dice parece muy buena cosa, doctor, hay que reconocerlo —dijo alguien.

Luego, los otros también se suavizaron un poco y yo estaba muy agradecido a ese médico viejo por hacerle aquel favor a Jim; y también me alegré porque concordaba con la opinión que yo tenía de él, porque pensé que

tenía buen corazón y que era un hombre bueno la primera vez que le vi. Luego, todos se pusieron de acuerdo en
que Jim se había portado muy bien y merecía que lo to-
maran en cuenta y le dieran alguna recompensa. Así que
cada uno prometió franca y abiertamente que ya no iba a
maldecirle más.

Después salieron de la choza y le dejaron encerrado
bajo llave. Yo esperaba que fueran a decir que le quitarían
una o dos cadenas, porque eran bastante pesadas, o que
podría tener carne y verduras con su pan y agua; pero no
pensaron en ello y yo juzgué que mejor sería no meter
baza, pero pensé hacer llegar de alguna manera la historia del médico a la tía Sally... tan pronto como hubiera
salvado los escollos que tenía delante: las explicaciones,
quiero decir, de cómo se me había olvidado mencionar
que Sid recibió un tiro cuando les conté cómo él y yo pasamos esa condenada noche remando por acá y por allá
buscando al negro fugitivo.

Pero yo tenía mucho tiempo. La tía Sally no se apartó
del cuarto del enfermo durante todo el día y toda la noche, y cada vez que yo veía al tío Silas cuando él iba distraído por ahí, esquivaba su encuentro.

A la mañana siguiente me dijeron que Tom estaba
bastante mejor y que la tía Sally se había echado a dormir un rato. Así que me deslicé hacia el cuarto del enfermo, pensando que, si estaba despierto, podríamos fabri-
car para la familia un cuento creíble. Pero él dormía y
dormía con un sueño plácido, y estaba pálido y no con la
cara encendida como cuando lo trajeron a casa. Así que
me senté y esperé que se despertara. Al cabo de media
hora, la tía Sally entró suavemente y allí estaba yo, ¡atrapado otra vez! Me hizo señas de que me quedara quieto
y se sentó junto a mí y empezó a susurrar diciendo que
ya podíamos estar alegres porque todos los síntomas eran
de primera, que llevaba mucho tiempo dormido así, que
parecía estar cada vez mejor y más tranquilo y que había
diez probabilidades contra una de que se despertara en
su sano juicio.

Así que seguimos sentados, observándole, y al poco
rato se movió un poco y abrió los ojos muy normal, echó
una mirada y dijo:

—¡Hola! ¡Pero estoy en casa! ¿Cómo es esto? ¿Dónde está la balsa?

—Está bien —dije yo.

—¿Y Jim?

—Lo mismo —dije, pero no lo dije muy fogoso.

Sin embargo, él no se dio cuenta y exclamó:

—¡Bien! ¡Espléndido! ¡Ahora estamos bien y a salvo! ¿Se lo has contado a la tía?

Iba a decir que sí, pero ella se entrometió y dijo:

—¿Contarme qué, Sid?

—Pues cómo se hizo todo el asunto.

—¿Qué asunto?

—Pues el asunto. No hay más que uno: cómo pusimos en libertad al negro fugitivo... yo y Tom.

—¡Por Dios! Pusisteis al negro... ¡De qué habla este niño! ¡Ay, ay, está fuera de sí otra vez!

—No, no estoy fuera de mí; sé muy bien lo que me digo. De veras, le liberamos... yo y Tom. Nos propusimos hacerlo y lo hicimos. Y lo hicimos con elegancia, además.

Había empezado y ella no le frenó, solo se quedó quieta y le miró y le miró con asombro y le dejó seguir hablando. Y yo vi que era inútil meterme.

—Bueno, tía, nos costó muchísimo trabajo..., semanas de trabajo..., horas y horas, todas las noches mientras todos vosotros dormíais. Y tuvimos que robar velas y la sábana y la camisa y tu vestido y cucharas, platos de hojalata, cuchillos de mesa y el brasero de calentar camas y la piedra de moler y harina y un sinfín de cosas. No puedes imaginar el trabajo que era hacer las sierras y las plumas y las inscripciones y no sé cuántas cosas, y no puedes imaginar lo bien que lo pasamos. Y tuvimos que hacer los dibujos de ataúdes y cosas, y las cartas anónimas de los ladrones, y subir y bajar por el tubo del pararrayos, cavar el túnel hasta la cabaña, hacer la escala de cuerda y enviarla cocida en un pastel, enviar cucharas y cosas con que trabajar metiéndolas en el bolsillo de tu delantal...

—¡Dios bendito!

—... y llenar la cabaña de ratas y culebras y cosas de esas para que le hicieran compañía a Jim. Y, luego, tú retuviste a Tom tanto tiempo con la mantequilla debajo del sombrero que casi lo echaste todo a perder porque los hombres llegaron antes de que hubiéramos salido de la cabaña y tuvimos que apresurarnos y nos oyeron y tiraron sobre nosotros y yo recibí la parte que me correspondía. Nos desviamos del sendero y los dejamos pasar y cuando llegaron los perros, no tenían interés en nosotros, sino que fueron detrás del ruido. Sacamos la canoa y nos lanzamos hacia la balsa. Estábamos a salvo y Jim era un hombre libre. Y lo hicimos todo nosotros solos y ¡fue estupendo, tía!

—¡En toda mi vida he oído una cosa igual! Así que habéis sido vosotros, pequeños pícaros, los que habéis dado a todos un susto de muerte. Tengo más ganas que nunca en mi vida de sacároslo a palos. Pensar en lo que he pasado noche tras noche... ¡Tú ponte bien de una vez, bribón, y te juro que os sacaré el diablo a base de azotes a los dos!

Pero Tom estaba tan orgulloso y alegre que no podía contenerse y seguía dándole a la lengua a toda marcha... y ella le interrumpía, echando chispas al mismo tiempo, y los dos seguían así sin parar, de forma que parecía una reunión de gatos, y ella dijo:

—Bueno, tú diviértete todo lo que puedas ahora porque te aseguro que si te cojo entrometiéndote con él otra vez...

—¿Entrometiéndome con quién? —dijo Tom, dejando de sonreír, con gesto de sorpresa.

—¿Con quién? Pues con el negro fugitivo, por supuesto. ¿De quién pensabas que hablaba?

Tom me miró con la cara muy seria y dijo:

—Tom, ¿no me acabas de decir que estaba bien? ¿No se ha escapado?

—¿Él? —dijo la tía Sally—. ¿El negro fugitivo? Por supuesto que no. Lo han cogido de nuevo, sano y salvo, y está en la cabaña otra vez, a pan y agua y bien cargado de cadenas, hasta que lo reclamen o sea vendido.

Tom se sentó derecho en la cama, con los ojos llameantes y las aletas de su nariz abriéndose y cerrándose como agallas de un pez, y me gritó:

—¡No tienen ningún derecho a encerrarle! ¡Corre... y no pierdas un minuto! ¡Suéltale! ¡No es un esclavo, es tan libre como cualquier criatura que ande sobre la tierra!

—¿Qué quiere decir este niño?

—Quiero decir todo lo que estoy diciendo, tía Sally, y si nadie va a soltarle, iré yo mismo. Le conozco de toda la vida, y Tom también le conoce. La vieja señorita Watson murió hace dos meses y le daba vergüenza haber pensado venderle río abajo y lo dijo y le dio la libertad en su testamento.

—Por vida mía, entonces, ¿por qué querías liberarle si ya era libre?

—Pues vaya una pregunta, ¡es típica de mujeres! Quería la aventura de hacerlo y me hubiera metido en sangre hasta el cuello con tal... ¡Dios mío! ¡Tía Polly!

Y como lo oyes, era ella; la vimos parada allí, junto al umbral de la puerta, con una cara tan dulce y contenta como un ángel medio harto de pasteles.

La tía Sally corrió hacia ella y casi le quitó la cabeza a fuerza de abrazos y lloró al verla y yo encontré un sitio bastante bueno para mí debajo de la cama porque me parecía que se estaba poniendo todo bastante bochornoso para nosotros. Y me asomé desde mi escondite a ver y, al rato, la tía Polly se soltó de los abrazos y se quedó mirando a Tom por encima de sus lentes..., sabes, como si estuviera triturándolo hasta hacerlo polvo. Y luego dijo:

—Sí, mejor que vuelvas la cabeza... Yo que tú, Tom, también lo haría.

—¡Cielos! —dijo la tía Sally—. ¿Es que ha cambiado tanto? Ese no es Tom, es Sid; Tom..., Tom está..., ¿pero dónde está Tom? Estaba aquí hace un momento.

—Quieres decir dónde está Huck Finn..., ¡eso es lo que quieres decir! Yo creo que no he criado a este bribón de Tom durante tantos años como para no conocerle cuando le veo. Sería el colmo. Sal de debajo de esa cama, Huck Finn.

Así que lo hice. Pero no me sentía muy fogoso.

La tía Sally era una de las personas más hechas un lío y más confundidas que he visto nunca, salvo otra, y esa otra era el tío Silas cuando entró y se lo contaron todo. Aquello le puso como borracho, como si dijéramos, y ya no supo nada en absoluto durante todo el resto del día y predicó un sermón en la reunión de la iglesia esa noche que le ganó una reputación estupenda porque ni el hombre más viejo del mundo hubiera podido entenderlo. La tía Polly les contó todo sobre quién y qué era yo; y yo tuve que coger y contarles cómo estaba en tal apuro que cuando la señora Phelps me tomó por Tom Sawyer... (ella interrumpió y dijo: «Oh, sigue llamándome tía Sally, ya que estoy acostumbrada, no hay por qué cambiar»), que cuando la tía Sally me tomó por Tom Sawyer, tuve que aguantarlo..., no había otro remedio y yo sabía que a Tom no le importaría, porque se pondría como loco, entusiasmado con el misterio, y haría de eso una aventura y estaría perfectamente satisfecho. Y así resultó y él se hizo pasar por Sid y arregló las cosas de modo que yo no tuviera ningún problema.

Después, la tía Polly dijo que Tom tenía razón en cuanto a eso de que la vieja señorita Watson le había dado en su testamento la libertad a Jim. Eso me confirmaba que, en efecto, Tom Sawyer se había metido en tantas dificultades y preocupaciones ¡para liberar a un negro libre! Antes yo no podía entender bien a Tom; hasta ese momento y hasta oír esas palabras, no había entendido cómo él, con lo bien criado que estaba, podía nunca ayudar a alguien a poner en libertad a un negro.

Bueno, la tía Polly dijo que cuando recibió la carta de la tía Sally diciéndole que Tom y Sid habían llegado bien y sanos, ella se dijo a sí misma:

—¡Fíjate en eso! Es lo que debería yo haber esperado cuando le dejé marchar solo de esa manera, sin nadie que le vigilase. Así que ahora he de coger y hacer un viaje penoso de mil cien millas río abajo para saber en qué se ha metido esta vez esa criatura... Y mientras veía que tú no contestabas a mis cartas.

—Pero si no he tenido ninguna carta tuya —dijo la tía Sally.

—¡Y cómo puede ser! Te escribí dos veces preguntando qué querías decir con eso de que Sid estaba aquí.

—Bueno, yo no las he recibido, Sis.

La tía Polly, lenta y severa, se volvió y dijo:

—¡Tom!

—¿Qué? —contestó él un poco irritado.

—No me contestes así, crío descarado... Entrégame esas cartas.

—¿Qué cartas?

—Esas cartas. Te juro que como me obligues a ponerte la mano encima...

—Están en el baúl. No es para tanto. Y están tal y como las retiré de correos. No las he mirado, ni siquiera las he tocado. Pero sabía que nos meterían en líos y pensé que si no tenías prisa, yo...

—Bueno, mereces de veras unos azotes, sin la menor duda... Y te escribí otra carta, además, para decirte que iba a venir y supongo que él...

—No, esa llegó ayer; todavía no la he leído, pero esa está bien, la tengo guardada.

Yo estuve tentado de apostarle dos dólares a que no la tenía, pero pensé que tal vez fuera igual de saludable no hacerlo.

Así que no dije nada.

Último capítulo

La primera vez que pude hablar a solas con Tom, le
pregunté qué idea tenía durante la evasión..., qué fue lo
que había planeado hacer si la evasión hubiera salido
bien y hubiera conseguido liberar a un negro que ya era
libre antes. Y Tom dijo que lo que tenía planeado en la
cabeza desde el principio, si sacábamos a Jim sin problemas, era huir con él río abajo en la balsa y seguir corriendo aventuras hasta llegar a la desembocadura y luego
pensaba contarle a Jim que era libre, y llevarle río arriba
hasta casa a bordo de un barco de vapor, con toda la elegancia posible, y pagarle por el tiempo que había perdido. Y Tom afirmó que pensaba escribir antes al pueblo
para que avisaran a todos los negros de los alrededores y
que estos recibieran a Jim con una procesión de antorchas y una charanga. Entonces, sería un héroe, y nosotros también. Pero yo pensé que las cosas estaban casi
igual de bien como estaban ahora.

Charanga: Banda
de música con
instrumentos
de viento y
de percusión.

Le quitamos a Jim las cadenas sin perder tiempo y
cuando la tía Polly y el tío Silas y la tía Sally se enteraron
de lo bien que había ayudado al médico a cuidar de Tom,
le hicieron fiestas y le dieron todo lo mejor que tenían y
todo lo que él quería de comer y le ofrecieron tiempo
para pasarlo bien y sin nada de trabajo. Y le llevamos al
cuarto del enfermo y pasamos charlando un rato estupendo. Tom le dio a Jim cuarenta dólares por haber sido
nuestro preso con tanta paciencia y por hacerlo tan bien.
Jim estaba la mar de complacido y estalló de contento y
dijo:

—Ahí lo tienes, Huck, ¿qué te dije? ¿Qué te dije allá
arriba, en la isla de Jackson? Te dije que tengo el pecho
peludo y lo que eso indica; y te dije que había sido rico
una vez y que iba a ser rico otra vez; y ha salido así de
veras, ¡ahí lo tienes! Ya ves, no me digas: las señales son

señales, como te lo digo; y yo sabía tan bien como sé que estoy aquí en este momento, que iba a ser rico otra vez.

Y, luego, Tom siguió hablando y hablando y dijo:

—Vamos los tres a escaparnos de aquí una noche de estas y a conseguirnos un equipo y nos iremos a buscar unas tremendas aventuras entre los indios allí, en su territorio, durante un par de semanas o dos.

Y yo dije:

—Muy bien, yo me conformo, pero no tengo dinero con que comprar el equipo y me imagino que no podré conseguirlo de casa porque probablemente papá haya vuelto ya y lo haya retirado del juez Thatcher y lo haya gastado en bebida.

—No, no lo ha conseguido —dijo Tom—. Todo está allí todavía..., seis mil dólares y más. Y tu padre no ha vuelto desde entonces. En todo caso, no había vuelto cuando yo salí del pueblo.

Jim añadió luego, un poco solemne:

—No va a volver jamás, Huck.

Dije:

—¿Por qué, Jim?

—No te preocupes del porqué, Huck..., pero no va a volver jamás.

Pero yo seguí preguntándole, así que, por fin, dijo:

—¿No te acuerdas de esa casa que flotaba río abajo y que dentro había un hombre tapado y que yo entré y le destapé y no te dejé mirar? Bueno, puedes recuperar tu dinero cuando quieras porque aquel hombre era él.

Tom ya se encuentra casi bien y tiene su bala colgada del cuello en una cadena de reloj y siempre está mirándola a ver qué hora es; y así ya no hay nada más de qué escribir y de veras estoy contento porque si hubiera sabido qué fastidioso era esto de hacer un libro no lo habría intentado, y no voy a intentarlo nunca más. Pero creo que tendré que escapar hacia el territorio indio antes que los otros porque la tía Sally va a adoptarme y a civilizarme y no puedo aguantarlo. Ya he pasado por eso, ya me lo sé.

Tuyo atentamente,

Huck FINN

APÉNDICE

La premonición de Huckleberry Finn

Cuando Tom se asomó entre la maleza, con la cara tiznada por el hollín y los ojos que parecían dos ascuas hirviendo entre lágrimas que le chorreaban dejando al descubierto su cara blanca, supe que la cosa no había salido bien. Ya me imaginaba que su plan, por ser tan bueno y enredado, podría fallar.

—Mira, Huck, no tenemos tiempo para demasiadas palabras, solo te comunico que hemos tenido un grave problema... Jim se cayó al río... y no consiguió salir.

—¿Qué dices? ¿Quieres decir que Jim, el bueno de Jim, se ahogó? ¿Es eso lo que estás tratando de decirme, Tom Sawyer?

—No sé si se ahogó... Solo sé que fuimos y tomamos prestadas, como tú dices, las balsas para transportar los caballos y las yeguas y, bueno, entonces, como las bestias le tenían miedo al agua, se empezaron a encabritar y Jim dijo que no se querían subir en la balsa porque tenían demasiado brío y sus ojos podían ver debajo del agua los espíritus de los muertos en el Misisipi y que por eso se asustaban. Le dije que habría que subirlas a las balsas para que no dejaran huellas y porque no de otro modo lo habría hecho un héroe, pero Jim gritó que él no quería ser un héroe si tenía que remontar el río con aquellos caballos encabritados. Entonces lo amenacé con delatarlo, le dije que contaría nuestro plan al juez y que lo ahorcarían por secundar a dos chiquillos traviesos como nosotros... Ya sé que está mal. ¡Yo no iba a delatarlo, Huck, claro que no! Lo que pasa es que Jim se negaba a seguir mi fabuloso plan maestro y tuve que amenazarlo para que me hiciera caso y no se rebelara. Sin embargo, cuando logró subir tres yeguas, una se encabritó y los troncos comenzaron a moverse y la balsa se soltó y, no pude evitarlo Huck, el caso es que de pronto Jim estaba solo en medio del río con tres yeguas sobre la balsa, que se movía, y yo diciéndole que tomara el remo y se acercara a la orilla, pero cuando fue por el remo, una yegua le dio una coz y lo tiró al agua... Jim se agarró de la soga, pero la muy bruta seguía pateando y se voltearon y cayeron al río las tres bestias y también Jim. Entonces sí que se armó una buena, porque las yeguas no querían ahogarse y pateaban y nadaban desesperadas para que la corriente no las arrastrara y entre tanto chapoteo perdí de vista a Jim y no sé si pudo salir de debajo del agua... El caso es que no lo volví a ver y lo más probable es que Jim muriera como un héroe, Huck. Por eso, tú y yo, nosotros, Huck, vamos a honrarlo realizando el plan y cumpliendo su deseo...

El relato de Tom me dejó mudo. Imaginaba la escena y a Jim inconsciente bajo el agua, hinchándose como un pez muerto. ¡Pobre, pobre Jim! Él, que quería ser un héroe y liberar a su familia de la esclavitud... Y lo peor es que yo me sentía culpable porque esta desdichada aventura empezó por mi sueño «premonitorio», que así lo llamaba Tom. Si no hubiera sido por ese sueño endemoniado, a Tom Sawyer no se le habría ocurrido su magnífico plan y Jim estaría vivito y coleando, disfrutando de la libertad después de haber nacido y estado tanto tiempo como esclavo.

Sí, porque la tarde en que los tres regresábamos a nuestro pueblo a bordo de un imponente vapor me quedé adormilado con el ruido de la rueda que impulsaba el barco chorreando agua y cuando desperté les conté a Tom y a Jim:

—¡Esto sí que es maravilloso! He tenido un sueño de lo más raro, pero parecía verdad...

—Tú y tus sueños —protestó Tom porque le había interrumpido la siesta—. ¿Maravilloso dices? Ni que hubieras visto lo que don Quijote en la cueva de Montesinos o uno de los episodios que relataba la princesa Sherezade.

—¡Bueno, Tom! No sé quiénes son esos que mencionas, ni el don ni la princesa de nombre raro —me defendí—, pero puedo asegurar que acabo de tener un sueño muy raro, el más extraño que he tenido en la vida; y soy de los que no duermo un minuto sin soñar por lo menos cosas que podrían ocurrir en años...

—¡Anda ya! ¡Tú y tus ocurrencias!

—Que sí, que si os cuento lo que soñé os vais a quedar lo menos una buena hora boquiabiertos. Pero no, debe ser una tontería, mejor me quedo callado y a dormir...

Yo sabía que Tom había picado y por eso me hice de rogar. Jim y él me miraban curiosos y en silencio, esperando que no pudiera soportarlo y comenzara a hablar, pero me resistí hasta que Tom se volvió hacia mí como una fiera:

—¡Pues cuenta de una vez, Huckleberry Finn, que logras impacientarme siempre con tanto preámbulo! Y como ya lograste que me despertara del todo... A ver, ¿qué sueño tan maravilloso es ese?

Comprobé que estábamos solos en la cubierta y que nadie más podría escuchar mi historia. No quería que nos echaran al agua como a tres fardos molestos, se estaba a gusto viajando en un vapor, donde hasta de comer nos daban y nos trataban con muchos miramientos. Al fin lograba subirme como pasajero en uno de los elegantes navíos que siempre pensé que tendría que contentarme con ver pasar ante mis ojos llevando a otra gente. Y se lo debía a la familia de Tom, que nos pagó los billetes para que viajásemos como caballeros, incluso a Jim. Acordarme de eso me hizo pensar que acaso me comprometería revelar a mis amigos la visión que había tenido, acaso me condenaba al infierno con un sueño así. Pero era algo raro, confuso y raro...

—¿Vas a contar lo que soñaste o no, maldita sea? —exclamó Tom muy impaciente. La verdad es que ya no me dejaría tranquilo hasta que le describiera cada detalle. Tom Sawyer es así, ya lo sabemos.

—Bueno, os revelaré mi sueño, pero no me responsabilizo, ya sabéis, no puedo ser culpable de lo que pasa por mi cabeza mientras duermo...

—¡Cuenta ya!

—Estaba yo escuchando el ruido del agua y el sol me calentaba la cabeza y sin duda por eso tuve pensamientos y un sueño tan extraño... El caso es que me quedé dormido reflexionando sobre la buena suerte de nuestro amigo Jim, que ya no tendría que ser esclavo y que podría comenzar una nueva vida, pero al mismo tiempo me apenaba que sus hijas y su mujer siguieran siendo esclavas, como tantos otros que quizás se mueran sin ser libres ni un solo día... Entonces me fui como cayendo por un pozo, pero suavemente, era uno muy profundo, que parecía no tener final, incluso mientras me iba desplomando tuve tiempo de echar mano a un bote de miel y de embadurnar un poco un trozo de queso que tomé también prestado de una de las estanterías que pasaban junto a mí mientras bajaba y bajaba. Luego me comí el queso con la miel... ¡Juro que se me hace agua la boca recordándolo! El caso es que al fin dejé el bote bien colocado en otra repisa, pero seguía cayendo, suavecito, así que debí caer por lo menos más de medio día con todas sus horas y minutos. Sin embargo, al cabo de tanto hundirme en el profundo agujero, aparecí en un lugar rarísimo, lleno de gente y de chimeneas y edificios pintados de colores brillantes y calles limpias, en fin, otro mundo. Allí había caballeros blancos y también negros, sí, muy elegantes y pulcros, y todos andaban juntos por la calle... Incluso vi del brazo a una mujer negra y a un hombre blanco, como si fueran esposos; y un colegio donde había niños negros y blancos estudiando juntos, unos al lado de los otros sin que importara el color de sus caras, y vi varias cosas por el estilo, de lo más extraordinarias. ¿Y sabéis qué? Vi a Jim...

—¿A qué Jim, al Jim que yo soy acaso?

—¡A qué otro Jim habría de haber visto! —lo cortó Tom impaciente y en seguida me preguntó—: ¿Qué hacía Jim en tu sueño?

—Pues Jim debía ser algo así como un rey... porque la gente lo trataba con respeto y le llamaba «señor presidente». El caso es que parece que en mi sueño Jim era el jefe o el rey de esa gente, pero no un rey de los que viven sin trabajar y sacándole el dinero a su pueblo o uno de esos que tuvimos que llevar en nuestra balsa Jim y yo, sino uno bueno, porque la gente se reía y le aplaudía cada cosa que anunciaba, ya que parece que les decía cosas buenas para ellos. No entendí bien lo que estaba prometiendo Jim, pero sé que eran cosas elevadas y que a la gente le agradaba escucharlas porque tanto negros como blancos lo oían atentamente y aplaudían y reían y lo vitoreaban como a un héroe de esos de los libros que tú lees, Tom.

—El señorito Huck tiene sueños lindos, ¡sí que los tiene! —exclamó emocionado Jim, que había escuchado mi relato con los ojos fijos en la estela que dejaba tras de sí el vapor a lo largo del Misisipi.

Pero mi admirado Tom Sawyer no lo dejó relamerse con mi fantasía. Se puso en pie y anunció:

—Pues, ¿saben qué les digo, caballeros? —no me gustó que nos llamara «caballeros», eso significaba que ya estaría tramando algo y que tendríamos que seguirle la corriente—. Mis queridos amigos, caballeros Huck y Jim, creo que ese sueño es una premonición.

—¿Una pre... qué? ¡Habla claro, Tom, que yo por lo menos aprendí a leer, pero el pobre Jim no va a comprenderte con esas palabrejas que usas!

—Una premonición es como un presagio, un vaticinio, una profecía, un augurio...

Jim se rascó la cabeza y, con la cara más seria y solemne del mundo, señaló:

—Perdona, señorito Tom, pero yo sigo sin entender qué es eso. Será porque soy un negro sin cultura, pero es que, como dice aquí el caballero Huck, esas palabras parecen solo para los libros...

—¡Pues deberían leer ustedes, señores! ¿No quieren prosperar en la vida? Pues lean entonces... A ver, lo explico: una premonición es como un anuncio de algo que va a pasar, solo que no ahora, sino en el futuro. Es como cuando vas a pedir consejo a un brujo y te dice lo que debes hacer para invertir correctamente tu dinero y que nadie te engañe. Bueno, pues algo así. El caso es que yo pienso que tú, Jim..., sí, tú, vas a ser una especie de rey o algo semejante, como en el sueño de Huck, si realizas un acto heroico que te gane el favor y la admiración de la gente. ¿Y sabéis qué? Yo sé cuál es el acto heroico que más admiración te haría ganar y que más te gustaría realizar...

Por mi sueño comenzó esta historia. Tom Sawyer en seguida tuvo un plan superenrevesado y complicadísimo, como es propio de él, y nos lo explicó. ¿Quién iba a negarse a seguir un propósito tan bien pensado como el suyo? El caso es que nada salió como él quería y, para colmo, ahora Jim ya no estaba, así que ni héroe ni rey ni nada, un ahogado más en las aguas del Misisipi, y ni siquiera pudo disfrutar de su libertad.

—Cambia esa cara, Huckleberry —me ordenó Tom limpiándose los ojos con la manga de la camisa—, ya tendremos tiempo de llorar y honrar a Jim como se merece... Ahora debemos continuar con nuestro plan.

—Bien, ¡aunque me condene al infierno eterno por lo que estamos haciendo, por mi amigo Jim lo haré sin remordimientos ni escrúpulos y luego que el reverendo y el juez digan lo que quieran...!

—¡Así se habla, Huck! Cumpliremos nuestra promesa a Jim, incluso al precio de nuestras vidas.

No estaba en mis planes terminar con mi joven existencia después de haberme liberado al fin de las palizas de mi padre, pero tampoco iba a desdecir a Tom porque a él le sentaría mal, así que hice como que estaba de acuerdo.

Esperamos al día de Reyes porque esa noche los negros tenían permiso para hacer una fiesta al estilo africano, con tambores y bailes. Habían dispuesto una hoguera y danzaban y se emborrachaban como cada año. Pero la verdad es que en vez de alcohol estaban tomando agua, siguiendo las indicaciones de Jim y el plan de Tom para liberar a la familia de nuestro amigo, ya que eran cómplices de la fuga que habíamos organizado.

—Con nuestro dinero pude comprar dieciséis animales —refirió Tom—, pero como en el río perdimos tres yeguas, ahora solo quedan trece. Los dejé amarrados en el monte. El problema es que no sé si tú y yo seremos capaces de hacerlos subir a las balsas para remontar el río con los negros.

—Mira, Tom Sawyer... ¡Diablos, siento tener que decirte esto! Ya sé que no será el procedimiento adecuado para una fuga, pero en estos momentos no debemos atender tanto a las formas porque si no la cosa se irá al traste y terminaremos como el pobre Jim... Pienso que mejor eliminamos la parte en que los negros tendrían que remontar el río con los caballos en las balsas hasta estar cerca de Cairo. Primero, porque no lograremos subir los caballos y los negros en las balsas; y, segundo, porque no es práctico.

—¿Práctico dices? ¡Qué sabes tú lo que es práctico, Huckleberry Finn!

Tom estaba indignado y caminaba de un lado a otro con las manos cruzadas detrás de la espalda, pero antes de que dijera algo más lo corté:

—Vamos a subir a los negros en los caballos y que se fuguen adonde nadie les pida papeles. En cuanto sus dueños vean que faltan, irán a buscarlos en la dirección de Cairo, pero si van a otra parte, donde nadie les pida papeles... ¿Por qué un papel tendrá que complicar tanto la vida de la gente?

Tom estuvo un momento reflexionando y en seguida añadió:

—Acepto... pero con una condición: vamos a liberar a todos los negros y no solo a la familia de Jim...

—¡Qué dices! Si liberamos a todos los negros, quién hará la colada, quién labrará la tierra y todo eso...

—Que cada uno se labre su propia tierra, Huck. Yo creo que todos los negros tienen el mismo derecho a ser liberados, y no solo la familia de Jim, como acordamos en principio.

—El señorito, como siempre, tiene razón... Por su boca habla un hombre sabio...

Nos sobresaltó escuchar aquel susurro en medio de la oscuridad. Era nada menos que la voz de Jim, quien apareció de pronto entre la maleza, con el pelo chorreando agua y lleno de yerbajos del río, que colgaban hasta sus pies dándole un aspecto bastante espantoso.

Ya me temía que su espíritu se nos apareciera de un momento a otro, pero la verdad es que no esperaba que hiciese su presentación tan rápido. El fantasma de Jim se nos acercó más y no pude evitar la flojera en las piernas y que mis dientes batieran en sinfonía, aterrado como estaba. Hice la señal de la cruz y agarrándome al brazo de Tom exclamé:

—¡Oh, Jim, no nos hagas daño! ¡Mira que hemos sido tus amigos!

Tom y yo íbamos a echarnos a correr porque no hay garantía de que el fantasma de un hombre sea tu amigo como lo fue el hombre mismo. Pero Jim o su fantasma o lo que fuera pareció tener una premonición de esas que decía Tom y nos cortó el camino diciendo:

—¡No soy un fantasma, os aseguro que no!

Se quitó los yerbajos de la cabeza y para que le creyéramos nos dijo que lo pellizcáramos y así, si le dolía, sabríamos que no estaba muerto...

Yo no me hubiera atrevido, pero Tom le dio un buen pellizco en un brazo y Jim se quejó:

—¡Ay, señorito, no tenías que hacerlo tan fuerte! ¡Sí que duele, sí!

—¿Entonces no te ahogaste en el río, Jim? ¡Mi viejo amigo! —no pude contenerme y lo abracé pese a que estaba empapado y sucio de barro.

Jim se reía como si le hicieran cosquillas, mostrando su blanca y enorme dentadura, que le iluminaba la cara. Al fin dijo:

—¡No, claro que no estoy muerto! Sé nadar por debajo del agua y, aunque la corriente me arrastró río abajo, pude llegar a la orilla y ¡aquí estoy! Os escuché hablando de liberar a todos los esclavos y no solo a mi familia... ¡Eso me parece justo, muy justo, sí, señor!

Tom intervino entonces:

—¡No solo es un acto de justicia que liberemos a todos los negros, sino que será una aventura sin duda trascendental, que dará que hablar, que nos hará famosos y hasta se escribirá en algún libro!

—Y nos condenará al infierno eterno... por lo menos eso me decía el juez. El reverendo también me explicó una vez que quien ayuda a un negro fugado es tan pecador como el mismo negro... ¡No quiero ni pensar en lo que dirán cuando se enteren de lo que pretendemos hacer!

—¡Ya está bien, Huck! ¿No te das cuenta de que eso lo dicen porque no les conviene quedarse sin sus negros? Ya verás cómo tendrán que ponerse a trabajar y hacer ellos mismos lo que hasta ahora les hicieron sus esclavos...

Me imaginé al juez, con peluca y con la lengua afuera, sudando y corriendo de un lado para otro haciendo la colada, cocinando y limpiando, y me reí para mis adentros. ¡Estaba seguro de que cuando tuviera que lavar él mismo su ropa no andaría insistiéndome tanto para que me cambiara y me bañara y anduviera limpio! ¡Buen plan el de Tom! Sí, liberaríamos a los negros y de paso me libraría de la presión del juez y del reverendo y de sus deseos de civilizarme.

—Bien —dijo Tom sacándome de mis ensoñaciones—, haremos lo siguiente: Jim «tomará prestada» alguna ropa vieja y sombreros y los rellenará de paja y hará unos muñecos como si fueran los negros mismos. Luego los llevará hasta la fogata y los irá cambiando por los negros, uno a uno. Huck y yo nos tiznaremos un poco más con el hollín hasta que parezcamos negros y tomaremos el lugar del que toca el tambor y de uno de los bailarines. Así, todos creerán que sus esclavos continúan disfrutando de la fiesta y no sospecharán que se fugan liderados por Jim, quien a partir de hoy se convertirá en un héroe... ¡Qué aventura! Sin duda dará que hablar y nos hará famosos.

—¿Pero, Tom, cómo van a escapar casi treinta negros en solo trece caballos?

—Tranquilo, Huck, eso ya lo había previsto...

Tom se quedó como reflexionando un momento, por lo que sospeché que de «previsto» nada: estaba buscando una solución al problema, que solo ahora advertía. Pero su cabeza era rápida, así que en seguida respondió:

—En cada caballo pueden subir uno o dos negros, son ya un promedio de veinte, los restantes usarán las balsas que tenemos ocultas en la orilla del río.

—Me parece un buen plan, ¡un maravilloso plan! —exclamó Jim y nos abrazó a los dos con gran solemnidad—: Estoy orgulloso de ustedes, caballeros, muy orgulloso... Sin vuestro auxilio esos pobres negros morirían siendo esclavos, sin saber lo que es ser libre. Gracias a vosotros yo los guiaré hasta donde nadie pueda atraparlos de nuevo y haré de ellos hombres y mujeres de bien, que vivirán de su trabajo y criarán a sus hijos en libertad.

Jim sabía de qué hablaba porque él mismo nació esclavo y ahora era libre. Además, era tanto o más generoso que Tom y yo, ya que se arriesgaba a que lo colgaran por liberar a los demás negros. ¿Sería Jim como uno de esos héroes de los libros que leía Tom?

Los negros fueron marchándose uno a uno hasta quedar solo el que tocaba el tambor y los que bailaban alrededor de la hoguera. Yo sustituí a uno de los bailarines del mejor modo que pude, haciendo piruetas junto al fuego para parecerme a él, aun a sabiendas de que jamás lograría emularles en lo que al baile se refiere. Pero cuando Tom sustituyó al negro de los tambores pensé que yo mismo no lo habría hecho tan mal...

Si nadie se percató de la farsa ni sospechó de la mala música que tocaban aquella noche los negros ni se dio cuenta de que los que estaban reunidos alrededor de la hoguera eran muñecos, que yo mismo era el bailarín y que el tamborilero era el peor de la historia, fue porque el pueblo se había congregado en el templo para escuchar a un predicador de lo más simpático, que en vez de hablarles del infierno les hacía reír y que decían era autor de varios libros que se vendían bien, casi como golosinas. A este cómico predicador, que luego supe que se llamaba Mark Twain, debemos que la gente se mantuviera entretenida con sus cuentos y chistes. De modo que no descubrieron que los negros se habían fugado hasta demasiadas horas después, cuando fue imposible seguirles la pista, aun con perros. Y es que Jim, que no era tonto como algunas veces pensé, había dispersado a los negros, los hizo cruzar el río con los caballos para que los perros perdieran el rastro y dejó hasta pistas y huellas falsas.

Por mi parte juro que casi caigo muerto esa noche de tantos brincos y cabriolas como tuve que hacer para que pensaran que era uno de los bailarines negros y, sobre todo, por tener que soportar tanto tiempo la tortura del tamborileo de Tom Sawyer, que, justo es admitirlo, es un chico más que inteligente y sus planes son siempre fantásticos, pero en eso de llevar el ritmo lo supera hasta el llanto de un bebé.

Luis Rafael

Índice